Litera

9

Vicente Leñero

Los albañiles

Origen – Planeta

LIBRO No. 9 - Literatura Contemporánea

Dirección del proyecto: R.B.A. Proyectos Editoriales, S.A.

Colección: Literatura Contemporánea
Editorial Artemisa, S.A. de C.V.
Av. Cuauhtémoc No. 1236, 4º piso
03600 México, D.F.

ISBN 968-22-0040-7
ISBN 968-22-0093-8 Obra Completa

Impreso en México
Printed in Mexico

I

Lo encontró Isidro, el peón de quince años que cargando un bote de mezcla, arrastrando una carretilla, enrollando la manguera, corriendo a traer un refresco, recogiendo las palas, buscando el bote de clavos, regresando a la bodega, aparecía y desaparecía como un fantasma urgido por los gritos de Jacinto. Apúrate-apúrate-apúrate-apúrate-apúrate.

Tropezaba en el andamio:

—Bruto.

Al tratar de conservar el equilibrio soltaba el bote de mezcla:

—Imbécil.

La mezcla se derramaba en las vigas y goteaba al suelo:

—Pendejo.

Reían los albañiles y reía don Jesús.

—Pero lo que pasa es que yo no me río de ti igual que ellos, me río de lo chistoso del azotón que diste, nada más. Ahí está la diferencia —le decía a las ocho de la noche, cuando ya solos los dos, el viejo se disponía a continuar relatando cómo fue que a la edad de quince años empezó a trabajar en las minas de Zacatecas.

Alumbrado por la pequeña fogata su rostro ya no parecía, como a las once de la mañana, el rostro de un loco, a pesar de que le temblaban las manos, pero podía ser por el frío, era por el frío, y don Jesús se frotaba las manos mientras volvía con lo mismo: que en Salvatierra vivió en una casa grande, casa propia, hijo de su padre que era a un tiempo padre suyo y dueño de media Salvatierra; hasta que a su padre lo mataron una noche, cuando regresaba de Querétaro: la cabeza rajada de un machetazo, el machete encajado en su panza inflada de pulque, abierta, el cadáver en la mera entrada de la casa, víctima primera de una maldición que nada lograría detener porque no bastaba con la sangre, la vida, del dueño de media Salvatierra y alrededores, hasta Uriangato, para saciar la sed de sangre —así decía don Jesús: sed de sangre, y repetía canija sed de sangre— de quienes fueron víctimas primero y jueces por su propia mano después. No fue suficiente la sangre de su padre ni sería suficiente la sangre de él, muchacho aún, que huyó de Salvatierra, pero volvió a Salvatierra cuando creyó que todo estaba olvidado y que por derecho le correspondía a él y sólo a él ser el dueño de las casas, de los animales, de las tierras, de los árboles de su padre. Pero ya no. Las casas, los animales, las tierras, los árboles no eran de él ni de nadie. Nada le pertenecía. Sólo era dueño de la rejodida maldición.

¡Ni esperanzas de que Isidro llegara a entenderlo a las primeras de cambio cuando que el mismo don Jesús muchacho tardó en entenderlo a la hora de averiguar los pormenores! Primero: nadie respondió a sus preguntas; los hombres y las mujeres bajaron la cabeza; las mujeres, la cara escondida en el rebozo, le volvieron la espalda; los hombres le volvieron la espalda; solamente un viejo de cabellos plateados se atrevió al fin a pronunciar, entre dientes, tres veces, la palabra maldición; tres veces la palabra muerte y tres veces la palabra sangre y tres veces la palabra muerte otra vez. Ladró un perro, y un viento que soplaba de por el rumbo de Yuriria despeinó los cabellos plateados del anciano.

Isidro —ya me voy, ya me voy— miraba la dentadura rota de don Jesús, la boca abierta por la risotada. El mismo viento de Yuriria soplaba ahora por entre los muros de la obra; barría los montones de arena, y la arena hería los ojos de Isidro y adelgazaba la risa del viejo hasta convertirla en el agudo aullido de un coyote moribundo que comenzaba a estremecerse, que esclavo de las convulsiones caía al suelo ante los ojos bien abiertos del muchacho puesto en pie de un salto, al escuchar el grito; dos pasos para atrás mirándolo sacudirse, encajar las uñas en la tierra, patalear, rodar hacia un lado y hacia otro, cerca, lejos de la lumbre y quieto al fin, exánime, los ojos abiertos, espuma en la boca, la frente herida.

Isidro salió corriendo de la obra y al ver a don Jesús a la luz del día siguiente pensó: soñé. Nuevamente volvía a subir por los andamios con el bote de mezcla clavado en el hombro; nuevamente arrastraba la carretilla llena de grava para ir a vaciarla en el lugar exacto que le señalaba Jacinto y regresar después por más grava, y vaciarla y regresar y llenarla y vaciarla y regresar sudando hasta el ya está bueno, vete por la arena, tráite la cuchara, órale con la manguera.

—Apúrate escuincle, es para hoy.

Desde la bodega, sentado bajo el sol, los ojos grises de don Jesús acompañaban el ir y venir de Isidro. Siempre que Isidro volvía la cabeza hacia la bodega se encontraba con la mirada del viejo puesta en él.

Jacinto gritaba:

—Tráime uno de tamarindo.

Humberto:

—A mí uno de lo que sea.

Y tenía que ir.

—¿Por qué me dejaste solo?

Isidro se encogió de hombros.

—¿Te dio miedo?

Cruzó frente a él, ya de salida, con los dos refrescos.

—¿Te asustó este pobre viejo? —el tono de voz, como el de un mendigo, lo obligó a detenerse y a regresar—. ¿De veras te asusté, Isidro?

—No.

—¿De veras no?

—Deveras no. —Y para demostrárselo, esa tarde se quedaría con él hasta las once. Después de todo, como decía Jacinto, eran entretenidas sus vaciladas.

—No son vaciladas, es la pura verdad. —Lo que el anciano de cabellos plateados le predijo eso ocurrió exactamente. No hubo ni habría modo de frenar un destino trazado muchos años antes de su nacimiento. Cualquier noche, de cualquier año, de cualquier mes, de cualquier semana, quienes mataron a su padre irían a matarlo a él —¿entiendes?—. Don Jesús, muchacho aún, no quiso seguir oyéndolo. Escupió y pateó la tierra que pisaba. Una y otra vez maldijo la maldición. Se rio del anciano, tiro de sus largos, plateados cabellos, salió gritando por entre los árboles de las huertas y gritando lo vieron alejarse las gentes de Salvatierra.

Isidro descubrió el cadáver en el baño del departamento 201 y en cinco segundos de pánico recordó la historia que a él —completa— y a los albañiles —incompleta— les contó don Jesús en torno al fuego donde se calentaba un jarro de café, mirando todos la lluvia. Álvarez y Jacinto, distraídos, interrumpían, renegaban por haber colado: allí estarían mañana el ingeniero Zamora y el ingeniero Rosas echándoles en cara su imprevisión; y ni modo, tendrían que cargar con el paquete: ya no estaba el Nene. Para Isidro y no para los albañiles indiferentes e incrédulos que a la media hora se levantaban y se iban, tejió don Jesús su historia.

—Deja que se vayan estos pobres imbéciles que nunca tuvieron tierras, son unos ignorantes, nunca podrán entender que yo no hablo de mariguanadas ni de fantasmas, sino de gentes con brazos y piernas y cabeza como la que cada quien, bien o mal puesta, rellena de caca o con sesos, trae encima. Con que tú me oigas, Isidro...

—Viejo loco —dijo Jacinto. Viejo ladino que sabía ingeniárselas muy bien para acariciar a las pobres escuinclas, cuando no a los chamacos; hocicón que se bebía cuanto menjurje le pusieran enfrente; fregado que se quemaba sus tres cigarros de mariguana al día, malhora con el que había que andarse con tiento para no perder hasta la camisa; uña larga, putón, jijo de una; bueno para andar limosneando, pidiendo que dizque para las medicinas de su hija, que dizque para una cobija nueva, y lo que sacaba era para sus alcoholes, eso sí, hasta adentro sin más, luego luego zúmbale. Y nada de que cuando chico y que Salvatierra y que los que andan por ahi buscándolo para sorrajarle un machetazo; esos son cuentos para que los de corazón de piloncillo se compadezcan y un día con otro le suelten quién un de a cinco, quién un de a diez. Si ya todos se lo tenían fichado a quién pensaba ablandarle el alma. Si ya todos conocían sus tejes y manejes con los refrescos para qué tanto cuento, tanto dale y dale todos los días, ya chole, la verdad. Una vez, pasa, se le deja hablar, hasta se le oye con interés; pero todos los días, quién aguanta.

Había dejado de llover, pero ya eran más de las seis: nada podían adelantar a esas horas.

—Hasta mañana.

Dejaban a don Jesús sentado en su cajón y empezaban a desfilar delante de él para ir al fondo de la bodega a quitarse los pantalones de trabajo —remendados, sucios de cal, de cemento, de yeso, de pintura—, ponerse los de casimir o los de mezclilla. Con aquéllos y con la camisa, o el overol, hacían un bulto y lo metían dentro de un bote de lámina que dejaban al lado de las herramientas, en el sitio de cada quien. Se lavaban las manos, se remojaban la cara, se pasaban el peine por el cabello, se iban. Jacinto y Álvarez eran los últimos en salir.

—¿Qué trais conmigo?

—¿Yo?

—Sí, tú, ¿qué trais conmigo?

—Nada, hombre.

—¿Y tú, Chapo?

—Nada —contestaba Álvarez mirando a Jacinto. Le gustaba hacer rabiar al viejo únicamente. Era un gusto. Lo hacía de broma. Y si no, que traigan a los demás albañiles para que declaren y digan quién fue el que se compadeció del viejo, quién lo ayudó verdaderamente, quién le dio chamba.

—Álvarez.

—El maestro Álvarez.

—El Chapo Álvarez.

A los dos días de que el doctor Aguilar le dijo: —Si dice que puede, escápese, don Jesús llegó a la obra con lo que traía puesto, a pedir chamba. ¡Cómo andarían las cosas en la Castañeda para que el mismísimo doctor Aguilar le diera esos consejos. ¡Cómo andarían! Isidro podía creerlo o no...

—No.

—¡Ah qué la canción! ¿Me vas a hacer que te cuente todo para que se te quite lo terco?

Fue una época de lo más triste. Empezó el día en que su mujer, malaconsejada por el portero del edificio de enfrente, o mejor dicho, en combinación con él, lo llevó a la Castañeda para quitárselo de encima como quien se deshace de un trique. Fue un verdadero calvario que hubiera sido todavía más calvario de no haber estado allí el doctor Aguilar, joven él, con un modo de tratar a los enfermos que no le conocía a nadie; ni Dios en persona lo hubiera tratado así de bien, con tantas atenciones y tanto cariño. Largas horas se pasaba don Jesús platicando con el doctor Aguilar; uno al otro contándose su vida. Y por si fuera poco, el doctor Aguilar le llevaba ropa, ropa que luego le robaban las canijas afanadoras y los canijos jijos de su pelona mozos de la chingada.

—Y deja tú lo de la ropa —dijo don Jesús poniendo una mano en el muslo de Isidro. Lo de la robadera pasa porque al fin y al cabo la ley de la vida es ésa: el que madruga —lo dice el refrán— tiene el derecho de aprovecharse de los demás, que para algo sirva pasarse las noches con el ojo pelón mientras los demás duermen muy confiados como dando a entender que dejan lo suyo al vivo que se afana para conseguir lo que en último grado, mirando las cosas con calma, viene siendo de todos. A don Jesús no le preocupaba la robadera. Fue una experiencia más que aprovechó después, adentro y afuera del manicomio, mientras sonaba su hora y el asesino llegaba una noche sin luna a abrirle la cabeza a tubazos. Sin esos robos en pequeña escala: la cartera de un buey, la fruta de una sirvienta zonza, las tortillas de un albañil pendejo, los cinco pesos que se piden y claro, no se devuelven, la bolsa de una vieja emperifollada, andaría ahora mendigando por la calle como cualquier limosnero. Las cosas las hizo Dios para que las disfrutaran los vivos, y a Dios mismo le hubiera gustado, desde que les dijo a Adán y a Eva; váyanse a la chingada, que todos pelaran los ojos. No todos lo entendieron y por eso hay tontos; porque también hay que ver que de no haber tontos en este mundo sería muy difícil vivir, la gente andaría arrebatándose las cosas en la calle, lo cual es feo, se vería mal: unos a otros madrugándose y nadie que pusiera el orden porque ahora sí que cómo y para qué poner orden donde todos son vivos, a quién se va a proteger si cada quien se protege solo agenciándose lo que se encuentra y teniendo con ello lo suficiente para irla pasando en la medida de la habilidad de cada uno. La justicia y la cárcel las inventaron los débiles para proteger a esos pobres dejados que los hay y los habrá siempre, gracias a Dios desde luego, que así le facilita a uno la existencia sin que sea necesario ser mucho muy abusado.

Otra cosa —decía don Jesús sin disimular la risa que le daba—: las mujeres. Cuestión de ponerse listo desde los quince años. Nada de esperar y pedir permiso. La mano siempre suelta, livianita livianita, y como quien no quiere la cosa, en el camión, en la calle, cuando están desprevenidas, su rozoncito por delante o por detrás, su acariciadita muy sabrosona; y si uno es joven, de quince o dieciséis años —como Isidro— pues a disfrutar bien el momento poniendo todo el ánimo en lo que se hace, sin miedo porque es bien sabido que digan lo que digan a las viejas les gusta tanto como a uno. Eso para empezar —la risa de don Jesús era un gritito largo—; después siguen palabras mayores. Ahí están los ojos por delante, en el lugar en que Dios los puso, bien acomodados por cierto, listos para adivinar de un solo trancazo quién es la que se deja fácil y quién es a la que hay que hacerle la lucha. Con las fáciles hay que empezar, ni qué vuelta de hoja tiene. Y las fáciles son todas las gatas que voltean al primer chiflido, o al segundo cuando más. Uno debe saber si pasan por ganas de pasar frente a la obra o porque no hay otro camino. Con ver el modo como se mueven ya uno les tiene medida la distancia. Pasito a pasito detrás de ellas, calculándoles el trote como a las yeguas, dejándolas adelantarse un poquito como si uno se fuera a quedar parado; a ver qué hacen cuando ya no oigan el silbidito ni las pisadas que se deben dar primero con mucha fuerza y luego con menos, casi de puntitas. Si es a la mitad de la cuadra, mucho ojo, no detenerse demasiado, y cinco contra uno a que voltean al llegar a la esquina, como para ver a un coche que dizque va a dar la vuelta, pero en realidad voltean para verlo a uno. En ese momento les entra una especie de risa que son puros nervios de las ganas. Entonces ya no hay más que esperar. Derecho a tentalearlas. Unas palabras y ya estuvo. Esa misma noche. La primera vez, en cualquier esquina; entre que uno se come un pan de los que llevan en la bolsa y entre que se les empieza a sobar las chichis, facilito se van poniendo aguadas aguadas. Así hay que dejarlas hasta el día en que uno sienta que ya se les están quemando las habas por saber a qué horas y a dónde. Puede ser en su cuarto, si hay modo de subir sin armar alboroto y sin despertar a los patrones de la muchacha que eso siempre es malo, no porque los patrones asusten sino porque luego son molestias para uno por aquello de que se enojen y la pongan de patitas en la calle, y la muy desconsiderada empiece a moler, a andar tras de uno a todas horas; puede ser en la obra, siempre es mucho mejor, porque entonces sí cualquier día y cuantas veces se pueda. Con moderación, claro está, poniendo siempre mucho cariño y muchas palabras bonitas que es con palabras con lo que todo se consigue. Y cuando ya se logró, dejarla por la paz luego luego antes de que la muy maldita lo mande a uno al carajo. Eso hay que tenerlo muy presente. Cuando se está tiernito es fácil caer en la trampa y entonces sí se acabó el gusto y empezó la trajinada.

—Te lo advierto por la Celerina —dijo don Jesús.

Había sacado del fondo del cajón un cigarro y lo había estado acariciando antes de llevárselo a la boca para encenderlo con uno de los palos ennegrecidos que ardían haciendo lumbre.

Don Jesús permaneció en silencio mientras fumaba. Oscurecía. Afuera de la bodega, en los charcos, rebotaban aisladas gotas de lluvia.

Amaneció.

—¡Mataron a don Jesús! ¡Mataron a don Jesús!

Bajó corriendo por las escaleras a medio terminar, todavía sin el recubrimiento de mosaico imitación granito elegido por el Nene; apoyándose en el yeso fresco del muro y dejando la palma de su mano sucia, abierta, crispada, como una firma de miedo, tropezándose al llegar abajo con la artesa de Jacinto, cayéndose y levantándose entró en el departamento de la planta baja, el que daba a la calle. Salió y entró en el de atrás, el más grande, el del muro desplomado, donde dejaron los muebles de baño porque ya no cabían en la bodega; los cuatro excusados todavía semienvueltos —las tapas en cajas de cartón— arrinconadas en la cocina, tres rectángulos en la pared, azul pálido, azul fuerte, amarillo, para ver cuál le gusta al Nene; trozos de tabiques, vigas, yeso suelto por todas partes: en la cocina y en las dos recámaras, en la estancia. Los zapatos de Isidro, blancos ya; inmóvil él, apoyado en la puerta de la entrada, con los ojos cerrados, repitiendo el nombre del viejo y rezando para no ver más las manchas de sangre que giraban en el interior de sus párpados.

—¡Mataron a don Jesús!

Mientras se limpiaba las lágrimas y los mocos llegó Álvarez, y Álvarez corría ya, trepando de tres en tres los escalones hacia el baño del departamento 201. A la media hora empezaron a llegar los albañiles —sólo Jacinto no—. Llegaron los herreros, los yeseros, los carpinteros; vecinos, niños que se metían los dedos a las narices mientras las preguntas venían de la acera oriente, cruzando frente al automovilista que sin tiempo para detenerse recibía y pasaba la pregunta con un alzar de hombros en el momento de meter la segunda y acelerar cuando ya la pregunta atravesaba el prado central de la avenida Cuauhtémoc en dirección a la otra acera donde encontraba al cartero y a la mujer del salón de belleza que salió a hablar por teléfono pero que ya no habló: se detuvo frente al edificio, al lado de los demás curiosos. Hombres y mujeres preguntándose y respondiéndose quién era el pobre viejo abatido a tubazos en el segundo piso del edificio en construcción, cadáver que se veló a sí mismo toda la noche, sin velas, sin café, sin llanto, durante siete horas que habrían bastado para consumir los cuatro cabos de vela metidos en cuatro jarros, puestos en cuatro esquinas. ¿Quién era? Un niño, un joven, un viejo. Un carpintero, un albañil, un velador. El velador de la obra. Los veladores de todo el mundo; el velador de la fábrica de Azcapotzalco —¿te acuerdas?—; el amigo velador, tu tío velador, el velador en bicicleta. Ingrato oficio, peligroso, triste.

Anécdotas, adivinanzas, chistes de veladores como éste que se veló a sí mismo durante siete horas. Cómo se llamaba. Pedro, Miguel, Tomás, Quirino, Ernesto, Bartolomé, Damián, Jesús. Y el nombre cruzó de acera a acera, de esquina a esquina de la calle. Jesús en los departamentos —voy a ver qué pasa, ¿por qué hay tanta gente?, orita vengo—, Jesús en la miscelánea, en el salón de belleza y en «llaves al minuto».

De cara al muerto, Álvarez tenía los brazos en cruz, las manos apoyadas en cada lado del marco de la puerta para impedir el paso a los albañiles. Fue Álvarez quien lo cubrió con una cobija, quien mandó por los policías, quien llamó a la delegación y a la casa del ingeniero Zamora, quien sacudió a Isidro.

—¡Fueron ellos!

Las manos nudosas de Álvarez apretaron los hombros del muchacho.

—¡Ustedes no le hacían caso y era cierto!

Desistió. Fue nuevamente al baño y allí se quedó, con los brazos en cruz, las manos apoyadas en cada lado del marco de la puerta hasta que se hizo un gran silencio, se oyeron pasos.

—Yo no sé.

—No se.

—No, no sé.

Álvarez abrió los brazos frente al agente del ministerio público y se rascó la nariz frente al hombre de la corbata a rayas.

—¿Cómo quieren que yo sepa? Fue a Isidro al que le contó que allá por mil novecientos cinco o mil novecientos sepa Dios, vino a la capital por segunda vez convencido ya de que los mentados exorcismos no servirían para nada, mucho menos para curar el mal de ojo. Inútil fue ir a trabajar a Zacatecas como le recomendó un arriero de por aquellos caminos de Dios, porque en lo más profundo de la mina, al encajar el pico o al agacharse para recoger la barrena volvía a escuchar el inconfundible murmullo de voces y esa risa burlona que no podía ser de los demás obreros porque estaba solo. Una vez tuvieron que sacarlo cargando, friccionarle los pulmones, ponerlo bocarriba y bocabajo para que recobrara el conocimiento. Pero nada. Hasta que alguien le metió el dedo hasta la campanilla y al vomitar volvió en sí y empezó a sacudirse gritando que habían querido matarlo. No podía decir quién, cómo. Un desconocido que de pronto aparecía en el grupo de mineros que lo rodeaba. Ése. Todos volvieron la cara hacia donde señalaba su mano extendida, él tendido en el suelo pero incorporándose ya para señalar y gritar ése al hombre en el que todas las miradas se reunieron y con la misma rapidez se dispersaron porque no tenía sentido acusar a Lorenzo, hombre más bueno que el pan, incapaz de hacer daño a nadie y quien evidentemente no tenía ninguna razón para odiarlo ya que nunca él y Lorenzo trabajaron en la misma galería. Pero siguió gritando ése, porque el par de ojos que vio brillar en la galería eran los ojos de ése que está ahí riéndose con una risa igual a la de cuando allá adentro se aproximó con el machete en la mano. Para nada servía la buena fama de Lorenzo si apenas unos minutos antes —por Dios que sí— quiso matarlo. Lo volvía a ver con el machete en la mano. Los ojos y los dientes y el cuerpo desnudo hasta la cintura se acercaban. No tuvo tiempo de huir, ni siquiera de gritar, porque se acababa el aire, se acababa la luz —¡maldita lámpara!—; ya nada más el par de ojos y los dientes brillaban: los veía otra vez, a la luz del día. No era tiempo de ponerse a dar explica ciones. Era ése. Deténganlo. Lorenzo podía ser el mejor de todos los hombres aquí y en su tierra y en cualquier otra parte, pero allá abajo el alma de los endemoniados se le metió en el cuerpo, porque para realizar el crimen los endemoniados necesitaban un cuerpo, unos brazos. Deténganlo. Si no sucedió nada fue porque le falló el golpe y el machete se rompió al dar contra la roca. El creyó sentir el golpe y perdió el conocimiento. Así fue, ¿verdad Lorenzo? Lorenzo negaba, riendo. Muchacho loco. Todos dijeron: muchacho loco.

Tendría la edad de Isidro cuando le sucedió Pero no fue lo único. Hubo más: en los años de la bola y el mismo día en que Villa entró en la capital con toda su gente. De eso podía platicarles hoy a los albañiles, o si no mañana, o si no únicamente a Isidro, porque Isidro quería seguir oyéndolo. A Isidro no le importaba que dieran las once de la noche.

Y don Jesús encendió otro cigarro y se acomodó frotándose las nalgas contra el cajón.

—Ora verás lo del cementerio.

Fue en Salvatierra. ¡Ah, qué nochecita! No tenía caso entrar en detalles y explicarle por qué motivos regresaba a su tierra después de un fregabundal de años de andar recorriendo el país, trabajando ya en las minas de Zacatecas, ya en Querétaro o Celaya, de jardinero, ya por el norte, en la pizca del algodón, o de hocicón por el sur, con aquellos patrones —los Valdepeña— que se la dieron de mozo hazme de todo y no le pagaron un quinto en año y medio de partirse el lomo. También tuvo sus temporadas largas en México, de albañil. Aunque bueno, está bien, si era mucha la curiosidad de Isidro se lo iba a decir: regresaba a Salvatierra por causa de una muchacha querendona. Una tardecita le contaría largo de ella: de cómo lo traía con la cabeza caliente. Cosas de muchacho nada más. Amor de ése de joven que se contenta con la pura ilusión y que se va haciendo grande con la ausencia; grandes eran ya las ganas de regresar para volver a verla a la orilla del Lerma, del lado de donde están las huertas que son lo mejorcito de Salvatierra, sin olvidar la parroquia con su Virgen del Rayo y el dos de febrero. Ese día se pone buena la cosa porque llegan gentes de todos los pueblos y se arma jaleo, y hay música y lotería y juegos. Ahí está la ruleta jija, llevándose miles de pesos en cada vuelta que da la condenada, y ahí están también la rueda de la fortuna y los puestos de antojos, mil veces mejores que los que ponen en Uriangato los días de fiesta. El dos de febrero no se compara con ninguna fiesta de ninguna ciudad del país, verdad de Dios; hay que ir a Salvatierra para verlo con los propios ojos de uno. Y si hay una muchacha de por medio como aquella Encarnación, para qué más pedir si con esa única ilusión basta y sobra para animarse a dejar el mejor de los trabajos y regresar al maldito lugar de donde uno es. De rigor, lo primero es irse a echar la platicada a la orilla del Lerma —grande que va a veces, bonito, de crecida— y luego a la feria. Para ver a esa muchacha regresaba don Jesús. Y ya que se lo estaba contando, que de una vez supiera Isidro toda la historia de Encarnación: valía la pena porque también tenía que ver con lo mismo y en cierto modo era más triste y más de doler que lo del cementerio; era de dar escalofríos. Ya sin exagerar: la historia de Encarnación era de las meras buenas, de las meras tristes, de las que lo hicieron aprender a medir a las mujeres. Chula Encarnación, y más chula cuando a cada regreso de él le demostraba con miradas y palabras que le seguía teniendo voluntad. Los años iban y los años venían, la suerte cambiaba, pero no cambiaba Encarnación. Seguía igual, linda, necia en no hacer caso de las historias de sustos que él mismo le contó para de una vez por todas ponerla en antecedentes, no fuera luego a suceder que otros le vinieran con chismes o que el día menos pensado ella lo fuera encontrando tendido en una acequia con la cabeza rajada de un machetazo y la tomara de sorpresa. La ponía al tanto para espantarle el cariño, pero era entonces más el cariño que Encarnación le demostraba. Estaban viendo correr el agua del Lerma...

—Aquí lo tengo. Lo recuerdo como si fuera ayer —dijo don Jesús cerrando los ojos y manteniéndolos cerrados mientras se lamentaba de haber vivido sus mejores años con una maldición encajada dentro, donde nada se borra ni con exorcismos ni con medicinas. Pensó que con amor. Quién sabe por qué se le metió en la cabeza la idea de creer que con el amor de Encarnación iba a recibir un favor del cielo y Dios iba a venir a salvarlo.

—Ideas de muchacho —dijo don Jesús abriendo los ojos y suspirando— iguales a las que tú puedes tener ahora si te entra la calentura por la Celerina.

Pero sería necesario tener la edad de él, haber vivido las desgracias vividas por él, para comprender que las cosas escritas por el destino lo están para siempre. Porque Encarnación, como todas las Encarnaciones del mundo, no hicieron otra cosa que ayudarle a la maldición a encajarse más en su desgracia. Así fue. Aquel dos de febrero, cuando regresaron de las huertas, metidos ya en pleno fandango, dentro del alboroto que se estaba armando en la ruleta donde un tipo de muchos pesos acababa de perder cinco mil, Encarnación quiso subir a la rueda de la fortuna. Y subieron. Y a cada vuelta él iba diciéndole palabras de amor y agarrándole todo lo que se podía y ella se dejaba decir y agarrar. Y una vuelta y otra vuelta hasta que la rueda de la fortuna se descompuso precisamente cuando su canastilla estaba mero arriba, desde donde se podía ver a la gente entrando en la iglesia, el sol cayendo detrás, todas las luces prendidas. Encarnación miraba hacia abajo cuando empezó a ponerse fría de las manos, fría de todo el cuerpo, con los ojos huyendo de él como queriendo retrasar el momento que tuvo que llegar al fin al obligarla a enfrentar sus dos rostros, el de ella con ojos súbitamente distintos —sí, iguales a los del minero de Zacatecas—, grandes pero hundidos, brillando como las luces de la feria, fijos en él mientras el cabello le caía en la frente y le cubría después toda la cara de aparecida en la que se transformó Encarnación cuyas manos lo empujaron hacia afuera de la canastilla. Reía Encarnación, a carcajadas.

Se enteró de que Encarnación era la querida del hombre que manejaba la ruleta y el amor para don Jesús muchacho no era amor, ni la espera espera, ni las palabras palabras; todo formaba parte de un plan para asesinarlo. Y cuando ya la rueda de la fortuna comenzaba a funcionar de nuevo, mientras las lágrimas de Encarnación salían a chorros de sus ojos tristes, y más tarde, cuando se paró frente al hombre de la ruleta para pedirle cuentas —en ese mismo momento y más tarde, no podía precisarlo, sucedió hace mucho— comprendió que ocurría con Encarnación lo mismo que con Lorenzo: la misma fuerza robándoles el cuerpo, la sangre, el alma, el pensamiento, para convertirlos en instrumentos de una venganza preparada por el hombre de la ruleta. Por eso fue a pedirle cuentas sabiendo ya que Encarnación no se guardó las ganas y se las dio a ese hombre y tal vez a muchos más, mientras él, lejos de Salvatierra, preparaba su regreso trabajando en la pizca del algodón sin dejar de pensar un solo día en que el amor de Encarnación le cambiaría la suerte. Pero en su ausencia ella fue todo lo contrario. Con su consentimiento o sin su consentimiento, con ganas o sin ganas, luchando primero y dejando después que el hombre se le subiera encima, dejó de ser la niña morena de trenzas largas, tímida, la cabeza agachada camino del mercado y del correo para ir a poner una carta que él nunca recibió; dejó de serlo y no se lo confesó porque en el instante de hacerse de otro, por el mismo hecho, el hombre de la ruleta le envenenó la sangre y la obligó a callar, le dictó lo que tenía que hacer para dar muerte a don Jesús muchacho. Todo podía explicarse de esa manera y podía comprenderse también, aunque no justificarse, que la pobre Encarnación, vencida, se entregara a todos los hombres de Salvatierra que fueron a solicitarle sus favores sabiendo que ya se los había dado, con gusto o sin gusto, al hombre de la ruleta.

Vivía cerca de la iglesia, junto a la hacienda de los Guisa. Estaba contando dinero. Un foco arriba de su cabeza. Una botella de chínguere a un lado. Un machete en el rincón. Entró y cerró la puerta. Con un golpe de vista calculó la distancia. El hombre de la ruleta alzó los ojos. Dejó los billetes en la mesa. Se puso de pie. Lo llamó por su nombre. Se volvió para coger la botella y se la mostró. El único ruido fue el de la botella al caer al suelo, en pedazos. No lo dejó retroceder. Comprendió que si lo hacía alcanzaría a llegar hasta el machete. Avanzó. El hombre de la ruleta sonrió y volvió a sentarse. El hombre de la ruleta cogió un fajo de billetes y lo deslizó hasta el borde de la mesa. También los billetes cayeron al suelo, pero el hombre de la ruleta permaneció impasible mientras él avanzaba, cuchillo en mano. El primer golpe quedó como suspendido en el aire y ya no hubo un segundo. Yacía en el suelo, cerca del machete, con el machete en la mano, trepado en la mesa, descargando sobre un enemigo que apareció de pronto golpes inútiles que dieron en el marco de la ventana abierta, en los vidrios, en la pared descascarada, en las cajas de madera, en los huacales, en el barril, en los costales de azúcar vaciándose heridos por los golpes de un machete que en vano buscó por todo el cuarto y afuera después, en la calle Hidalgo, al hombre de la ruleta del que sólo quedó el humo del cigarro porque ni los billetes ni el cuchillo estaban en el cuarto cuando él regresó, ni la botella rota, ni nunca estuvo, nunca vivió allí. Unicamente telarañas y polvo, mientras en el jardín de Salvatierra continuaban la música y los juegos. El gritón de la lotería cercado por brazos y manos que se alzaban para protestar. Más allá: niños subiendo y bajando en los caballos de madera. Gente dando vueltas en el parque. La ruleta dando vueltas. ¿No va maaaaaás? El ocho. El siete. El cinco negro. El hombre de la ruleta recogiendo más billetes y unos minutos después sentado frente a una mesa, con una baraja en las manos, retándolo a jugarse en un albur a Encarnación. Encarnación y la vida en dos cartas: el seis de espadas y la sota de oros. Y le fue la vida al seis de espadas contra la sota de oros. Que todo el mundo se haga para atrás; todos los que dejaron ruleta, lotería, rueda, puestos de antojitos y se dirigieron a la cantina atraídos por el rumor de lo que estaba sucediendo: un paso atrás, por favor. La mesa libre. En silencio. Trajeron dos vasos. La botella quedó en el centro. El hombre de la ruleta llenó los dos vasos y dijo:

—Va por Encarnación.

Y él dijo, también:

—Va por Encarnación.

Don Jesús recordaba claramente al hombre de la ruleta bebiendo del vaso hasta el fondo; la cabeza hacia arriba y el subir y bajar de la nuez en el tiempo en que el alcohol pasaba por su garganta. Recordaba que su rival, después de beber, se quitó el sombrero, lo colgó en el respaldo de la silla y sacó un pañuelo para secarse el sudor. La baraja nueva en la mesa y las miradas de todos siguiendo los ademanes al quitar la envoltura, al arrojarla al suelo, al colocarla nuevamente en la mesa para que don Jesús muchacho partiera en dos y la devolviera al hombre de la ruleta que puso las dos muestras: la sota de oros y el seis de espadas. Apostó al seis de espadas colocando el cuchillo sobre la carta. Un murmullo atravesó la cantina. El hombre de la ruleta volvió a llenar los vasos y a beber del suyo, nuevamente hasta el fin. Se limpió la boca con el dorso de la mano. Dijo:

—Va Encarnación contra tu vida.

Ya no le importaba Encarnación, pero tenía que jugársela porque era el único modo de averiguar si de veras estaba marcado por el destino o todo era —como le dijo el matasanos— consecuencia de ese canijo paludismo que cuando lo coge a uno lo desgracia para toda la vida. Así es la enfermedad. Que te pica un mosco, andando por Tabasco a la edad de Isidro, y ahí están las fiebres cada tres meses, como reloj. Un frío te corre por todo el cuerpo y con nada te lo quitas, de nada sirve acercarte a la lumbre, ni el tecito caliente de la vieja, nada. Y no sólo es la fiebre. Lo peor de todo es la de cosas que se ven estando uno todo temblando en la noche, rechinando los dientes y viendo a los aparecidos meterse por las ventanas y decirte que te van a llevar para la chingada.

Cómo no se va a pensar después que todo fue cosa del paludismo. A la hora de la calma uno quiere acordarse y piensa que nada de maldiciones ni de mal de ojo; todo empezó ahí mero y de ahí viene todo. Felizmente uno se repone y se vuelve a sentir como cualquier hijo de Dios. Pero si ya en plena salud se dejan venir los aparecidos entonces qué.

—Ya me hice bolas —interrumpió Isidro.

—Ahora que estoy viejo sé que era verdad —dijo don Jesús.

—Que era verdad qué.

—El mal de ojo, estúpido.

—Pero si eran fiebres.

—No seas pendejo.

—El maistro Jacinto dice que usted es puro cuento.

—Pues lárgate entonces... Ándale, ¿por qué no te largas? A ver...

—Los aparecidos no existen.

—¿Quién dice que no existen?
—Pos no existen.
—¿Entonces qué haces aquí sentadote?
—Nomás.
—Muy bien, conque dices que no existen... Muy bien. ¿Ni tampoco el mal de ojo existe para ti?
—No, es puro cuento.
—¿Y si te digo que yo he visto a los aparecidos?
Isidro levantó los hombros.
—Venga para acá, escuincle pendejo. Acérquese, ándele, no me tenga miedo.
—Ya me voy.
—No, no, acérquese. Ándale... Ándale, Isidro, acércate. ¿Tú crees que este pobre anciano es capaz de contarte mentiras? ¿Deveras me crees un viejo hablador? ¿Qué iba a ganar? A ver, dime, qué gano yo con hacerte buey. Si te cuento mis cosas es porque creo que eres vivo y que cuando seas grande vas a ser más vivo todavía, no como esa bola de albañiles que no creen en nada. Tarugos. Ya los quisiera ver delante de un muerto, a ver cómo se les iban a hacer los güevos. Que estuvieran toda su vida viendo aparecidos, entonces qué tal. Les faltan sesos, Isidro, son unos ignorantes. Y tú no, por eso me caes bien. Desde que llegaste dije: éste es vivo; y hasta hoy es cuando me pones a dudar... ¿Sabes qué es lo que pasa?, que todavía no me conoces bien. Pero deja que te platique todas las que yo he pasado para que te des cuenta y aprendas. ¿Verdad que me vas a oír?... ¿Tú qué haces todas las tardes? Nada, ¿verdad?, ¡qué vas a hacer! ¿A dónde te vas? Mejor que te estés conmigo a que andes de baboso perdiendo el tiempo. Yo te puedo enseñar muchas cosas; historias me sobran y tengo muchos consejos que darte. A falta de un hijo que nunca tuve, o que si tuve no sé... ¿qué te parece?, es cierto, je, je; uno nunca sabe; hay tanta vieja que no volví a ver que quién va a adivinar los hijos de uno que andan pisando la tierra. No, un hijo, lo que se llama un hijo, ése no. Una hija sí, hasta que me demuestren lo contrario, je, je... ¿No la viste el otro día? Si la pobre no estuviera tan jodida yo mismo iba a decirte que te echaras uno con ella para que fueras agarrando experiencia. Deveras, Isidro. Soy un malhora pero te tengo voluntad así nomás, porque ni te conozco mosco, pero es una gracia que Dios les da a los viejos ésta de tener ojo para saber quién es vivo y quién es tarugo. Y tú eres vivo... Acércate un poquito más, ya está entrando

frío. Mejor vente para acá adentro. Acá adentro seguimos platicando... Tráite el jarro aquel, no sea que se lo vayan a llevar esos desgraciados. Y ciérrate la puerta. Atórale al alambre. ¿A poco no se está aquí mejor? Si quieres échate un sarape o nos calentamos los dos con éste. ¿Cómo dices que te llamas? ¿Isidro?... Isidro. Como el San Isidro labrador quita el agua y pon el sol, je, je. Muchachito que estás. Y bien listo que se te echa de ver que eres. Bien listo, Isidro. Todavía tienes blandito el pellejo. Acabado de salir del cascarón.

Los albañiles tuvieron la culpa:

—Vente para que oigas los cuentos del viejo.

Y oyéndolos Isidro perdió el miedo, o fue quizás el miedo que le daba oír a don Jesús lo que atizó su curiosidad a tal grado que aunque Isidro se pasara toda la tarde pensando «hoy no voy, hoy no voy», al llegar la hora en que el maestro Alvarez iba hasta la llave de agua y se lavaba las manos, Isidro se sentía empujado hacia la bodega donde el velador ya tenía preparado su jarro de café y les decía a los albañiles:

—¿No se quedan a tomarse un cafecito?

Isidro se quedaba.

Isidro estaba allí —anochecía— oyendo hablar de Encarnación y del hombre de la ruleta que en la cantina de Salvatierra le dijo al muchacho que entonces era don Jesús:

—Va Encarnación contra tu vida.

La primera carta fue un siete de bastos. Luego el rey de espadas, el caballo de oros, el as de oros. El dos de copas, el cinco de bastos, el tres de copas; el siete de espadas.

El hombre de la ruleta se detuvo. Lo miró y lleno por tercera vez su vaso. Antes de beberlo dio vuelta a la siguiente carta: el rey de oros —bebió—, reina de copas, tres de bastos. Y la sota. La sota o el seis. Una ráfaga de viento entró por la puerta de la cantina.

El hombre de la ruleta gritó:

—La sota.

El gritó:

—El seis.

Pero ya todas las cartas volaban. Se apagó la luz y él volvió a gritar:

—¡El seis!, ¡el seis!

Al golpear contra la mesa, la hoja del machete le reculó en la mano y salió disparada hacia la ventana. Recuperó el arma y descargó uno y dos y tres golpes inútiles. Encajó el machete a un lado de la tumba de su padre; se dejó caer: cayó bocabajo, los brazos extendidos hacia adelante —escarbando, mordiendo la tierra, llorando—. Cuando alzó la vista, una mujer vestida de blanco lo miraba y le tendía las manos como de hielo en las que él apoyó las suyas para levantarse, absorto aún por la aparición del ánima. Por primera vez alguien lo miraba y le hablaba como ella le habló. Palabras de consuelo nunca escuchadas, caricias que le cerraban los párpados a medida que el ánima hablaba de flores, de jardines, de huertas, de ríos, del mar azul. Despertó. Estaban tendidos sobre la tumba de su padre. La mujer lo seguía acariciando. Se apartó de ella y al hacerlo la mujer abrió los ojos. Quiso detenerse la túnica pero el viento se la arrancaba ya y en el segundo de un parpadeo él alcanzó a ver su vientre agusanado. ¡La querida de Satanás! Recontrafregada vieja bañada en mierda: lo engañó toda la noche y al verse descubierta se alejó gritando que lo supiera de una vez por todas: estaba condenado. Culebras le salían de la boca. Gusanos y sapos se quedaron regados en el suelo. Una carcajada hizo temblar la tierra; las tumbas se resquebrajaron y se soltó un ventarrón y un aguacero del que todavía tienen memoria quienes vivían en Salvatierra por aquellos años. ¡Jijo de su madre! Ahí se acabaron todas sus esperanzas. Cómo echarle la culpa al paludismo si se acostó con la mismísima querida del demonio, ánima maldita salida del infierno para ir a envenenarle la existencia, mal aconsejada por los asesinos de su padre, azuzada por ellos: demonios cabrones que no se conformaron con desgraciar de un machetazo al dueño de media Salvatierra y alrededores, sino que mientras se achicharraban en el infierno tuvieron ánimos los infelices para soliviantar a la puta de Satanás.

Don Jesús se rascó un cachete.

—¿Y ahora qué me dices?

Isidro arañó la cobija. Nada tenía que decir.

—Bien que se está aquí, ¿verdad?... Calientito. Y bien blanda que tienes la carne, Isidro. Blandita, blandita...

2

El hombre de la corbata a rayas giró en redondo al oír el ruido de la puerta.

—Agarramos al tipo ese —dijo Pérez Gómez avanzando a grandes zancadas.

—¿Jacinto?

—Sí.

—Espérense a que yo lo vea, no le vayan a hacer nada.

—Valverde está con él.

—Ve a decirle que no lo toque.

—Lo está interrogando.

—¡Que lo deje!

Pérez Gómez movió la cabeza afirmativamente y miró a Isidro.

—Okey —dijo sin dejar de mover la cabeza. Y señalando a Isidro: —¿Ya acabas?

El hombre de la corbata a rayas no contestó. Esperó a que Pérez Gómez saliera para mirar al muchacho que huyendo de los ojos del hombre bajó la cabeza.

—No me hagas perder más tiempo... ¿Estás sordo? ¡Habla, mocoso! ¿Todas las noches te quedabas con el viejo? ¿A qué? ¿Qué tanto hacían? ¿Qué tanto te contaba?

—No sé.

—¿Cómo que no sabes?

—No sé.

—No sabes qué.

—No sé, no sé —repitió Isidro con los ojos arrasados de lágrimas mientras el hombre de la corbata a rayas cerraba los puños y golpeaba con ellos la mesa.

—A ver, ¿qué es lo que no entiendes?; nunca oíste hablar del manicomio, ¿o qué? —dijo don Jesús volviendo a beber de la botella. Después de dejarla en el suelo su rostro se contrajo y al sentirlo cerca Isidro bajó la vista y se puso a jugar con las manos.

No porque los ataques le daban casi tres veces por semana tenía justificación lo que muy a la mala le hizo la desgraciada de su mujer en complicidad con el portero de enfrente, chismecaliente amigo de armar escándalos y piesvolando para todo lo que fuera hacerle daño al prójimo más cercano, únicamente al más cercano porque lo bolsón lo traía en la sangre y era incapaz de coger un camión para ir a visitar a sus parientes, pero tratándose de aquí cerquita estaba puestísimo: lo único que tenía que hacer era cruzar la calle y caminar media cuadra en dirección al solar donde entre cientos de jacales de paracaidistas, entrando a mano izquierda, estaba el jacal de don Jesús tan en malas condiciones como todos los demás necesitando para ahora que empezaban las lluvias nuevas láminas de cartón, no le fuera a pasar al viejo lo que al pobre de Tiburcio Méndez, comerciante en fierros, tipo simpático que aseguraba andar con un negocio bruto entre manos gracias al cual saldría de pobre y dejaría ese maldito rumbo atestado de vecinos que no se querían convencer de la realidad: tarde o temprano los iban a echar de allí, ¿qué no ven la calzadota, los edificios nuevos?; el día menos pensado llegarían los azules a lanzarlos a la fuerza y de nada servirían las lágrimas o las súplicas, se lo tendrían merecido por no haberle hecho caso a Tiburcio Méndez que quitado ya de pobre andaría ganando muchos pesos con su cadena de puestos en el mercado Hidalgo. Pobre de Tiburcio Méndez que no llegó a realizar sus sueños porque se le adelantó el aguacero del trece de junio; cayó la granizada sobre su jacal, las láminas de cartón se vinieron abajo con todo y tabiques: uno de esos tabiques, o tal vez un pedazo de viga le dio en toditita y Tiburcio Méndez se quitó de soñar. Cosas de la mala suerte, dijeron los vecinos, de levantarse con la pata zurda. Pero qué pata zurda ni qué ojo de hacha, las cosas nunca son nada más así. Lo de Tiburcio fue una equivocación de los endemoniados. Segurito que ese fregadazo era para don Jesús. Y como Tiburcio Méndez hubo muchas otras víctimas que tuvieron la desgracia de vivir cerca de él. Ya le iría contando. Ahora hacía memoria del pobre de Tiburcio y hasta ganas le daban de llorar. A todos les dio mucha lástima: era tan inteligente, era tan bueno y tan listo y tan decente; miren que tocarle a él la desgracia... cómo no fue a otro. Pero ya no tiene remedio, para qué llorar; por lo menos que sirva de lección. Y efectivamente, después de lo ocurrido todos los paracaidistas andaban de un lado para otro revisando los techos de sus jacales, comprando nuevas láminas de cartón, robándoselas de por ahi, apurándose en ponerlas porque cuando las lluvias comienzan con aguaceros como el del trece de junio, señal de que la temporada se viene mala: lo están diciendo en los periódicos. Fulanita leyó que es por las bombas atómicas de los gringos. Era bueno saberlo. Pero no sólo los aguaceros sino también los temblores. Con otro temblorcito duro ya nadie tendrá necesidad de lanzarlos, se irán solitos porque se acabó el jacal y quien va a querer quedarse donde se murieron la mujer y los hijos. Lo que no dicen los periódicos pero es tan cierto como que hay hambre en el mundo es que el gobierno está de acuerdo con los gringos en lo de las bombas atómicas: con temblores y aguaceros resulta muy fácil acabar con todos los pobres de México y de donde sea; así piensan limpiar las ciudades, es lo más sencillo; esos canijos no se detienen ante nada: con tal de presumir de una ciudad limpia se hacen aliados del mismo diablo y arrasan parejo. Y como para comprobar lo dicho por fulanita se siguieron del trece de junio para adelante temblores y aguaceros de padre y señor mío. Si no se vinieron abajo los jacales fue porque Dios es grande y porque la mayor parte de los paracaidistas tomaron a tiempo sus precauciones: resultaba muy bonito a principios de mes ver los jacales recompuestos; algunos hasta les dieron su manita de gato con la esperanza de ablandarle el corazón al gobierno. Claro que muchos otros ni siquiera llegaron a conseguir nuevas láminas de cartón: como don Jesús. No tenía caso, para qué. Total. Cuando su mujer le reclamaba, él le daba largas diciéndole que mañana y que mañana, hasta que la vieja dejó de molerlo porque después de tantas idas y venidas del portero del edificio de enfrente, cambiaron sus preocupaciones y su único pendiente era encontrar el modo de zafarse de don Jesús, tan jodido, tan viejo ya. Ni trabajo les costó a los dos traidores encontrar un pretexto. Se agarraron de los ataques. En uno de esos don Jesús se despertó en la entrada del manicomio. Ya cuando abrió los ojos estaba allí, entre gente extraña, sentenciado a sufrir el mal trato de médicos, afanadoras, mozos y locos que desde el momento en que se abrió la puerta se le abalanzaron como fieras; le quitaron la ropa, lo llevaron en cueros a la regadera, con tijeras y navaja lo dejaron bien pelón, y más puertas se abrieron y cerraron: de un cuarto a otro como santocristo hasta que por fin apareció el doctor Aguilar —la única persona decente entre aquella pandilla de ladrones— quien vaya Dios a saber por qué, cuando ya don Jesús estaba listo para el matadero se acercó y le dio unas palmaditas diciéndole que no tuviera pendiente ni se afligiera, iba a salir de allí sano y salvo; el doctor en persona se encargaría de poner las cosas en orden para que no le faltara comida ni le volvieran a robar las cobijas. Ese día comenzo su amistad con el doctor Aguilar, muy formal el hombre, joven y listo, de esas personas limpias y bien plantadas que desde que se paran dejan ver la educación y las buenas maneras. Medio chiflado el doctor Aguilar, eso sí, pero nada le costaba a don Jesús darle por su lado, contestarle a todas sus preguntas y hasta de cuándo en cuándo echar un poco de faramalla. Ese es el único modo de seguir tirando con la carga de esta vida ingrata.

Por cierto, un día el doctor Aguilar le regaló un traje; luego un chaleco.

—Éste, mira.

Otro día, en el pabellón de agitados, el doctor Aguilar se descuidó con la cartera y ahí sí ni modo de hacerse el honrado cuando que para uno todo ha sido pobreza y mala suerte, y a nadie, menos a la mejor persona del mundo que era el doctor Aguilar, le va a pasar gran cosa con perder tres mil mugres pesos.

Don Jesús soltó la carcajada.

Muy cierto, no podía negarlo: Dios lo socorrió muchas veces poniéndolo frente a hombres pendejos. Lo de pendejo no lo decía por el doctor —no no no, un momentito, Isidro—, estaba pensando en el Nene.

—Pobre Nene. ¿Viste el azotón que se dio en la mañana? Te perdiste de algo bueno, Isidro. Nomás pregúntale a Jacinto... ¿Pero dónde estabas que no lo viste? Ahí mero fue. Andaba volteando a ver tarugadas y zácatelas, en el mero hoyo fue a dar. Trabajo me costó aguantarme la risa y que voy y que me le acerco mientras Jacinto lo ayudaba a levantarse. «¿Pues cómo estuvo, ingeniero?», le digo. Nomás se agarraba las piernas que ahí fue donde más duro se dio el fregadazo. Me ganó por fin la risa porque el pobre no podía hablar; nomás meneaba la cabeza como diciendo: no fue nada, no fue nada. Pero cómo de que no. Y que le digo, soltando la risa: «¿Andaba volteando pa arriba para que no lo cagaran los pájaros?» No le hizo ninguna gracia, ya ves cómo es. También Patotas le gritó algo desde por allá. Se hizo el disimulado, pero bien que oyó, y que se va, yo creo que a cambiarse los pantalones porque los traía todos mojados, Isidro, como de miar. ¡Ese Nene!

Don Jesús comparaba al Nene con el doctor Aguilar, pero señalaba sus diferencias: una cosa es ser confiado y otra cosa ser tarugo; una cosa fue aprovecharse de la inexperiencia del médico en lo que se refiere a confiar en la gente así nomás, y otra muy distinta reírse ahora a costillas del ingenierito estúpido. Además: guardaba un buen recuerdo del doctor Aguilar: gracias a él no se quedó encerrado para siempre en la pocilga de la Castañeda donde a fuerza los obligaban a bañarse con agua bien helada y donde una noche sus gritos llegaron hasta el doctor Aguilar que se quedaba de guardia tres veces por semana y que al enterarse de lo que estaba sucediendo salió de su cuarto fajándose los pantalones; atravesó el pasillo, bajó las escaleritas, cruzó como un relámpago el pabellón general hombres, abrió la puerta y llegó hasta el grito de don Jesús, hasta el brazo en alto de Quirino el mozo empuñando un pedazo de tubo mientras el otro mozo, Felipe Chávez, doblaba el brazo del viejo para mantener su cuerpo quieto, bocabajo, y con el tacón del zapato le oprimía la nuca. La rodilla de Quirino descansaba sobre las nalgas de don Jesús en el momento en que el pedazo de tubo trazaba un círculo en el aire y se detenía a pocos milímetros de la espalda amoratada, frenado por la mirada del doctor Aguilar. Felipe Chávez abrió las manos y el brazo de don Jesús se estiró como un resorte. Quirino arrojó hacia atrás, por encima de su hombro, el pedazo de tubo, y antes de que el doctor Aguilar abriera la boca se puso a explicar cómo fue que le dio el ataque a don Jesús: no pudieron sujetarlo ni tuvieron tiempo de llamar al médico porque el viejo salió corriendo del pabellón, desnudo como estaba —Felipe Chávez avanzó dos pasos para que el doctor Aguilar no viera el pantalón y la camisa gris arrojados a dos metros de distancia—. Tuvieron que darle un trancazo. De qué otro modo. Razones y más razones aducían Quirino y Felipe Chávez mientras el doctor Aguilar se inclinaba para levantar al viejo y levantado ya le limpiaba la sangre con la manga de su piyama. Quirino seguía hablando. Felipe Chávez detuvo al doctor poniendo por delante su pañuelo para que no se ensuciara inútilmente la manga de la piyama. Permítame usted. El mismo limpió la cara de don Jesús y aprovechó para meterle el pañuelo hecho bola en la boca: a ver si se calla. Quirino seguía hablando. Viejo escandaloso, exagerado. También ellos se llevaron su parte: a Felipe Chávez le dio una patada en la pierna —Felipe Chávez se levantó el pantalón casi hasta la rodilla— y a él una patada —Quirino se llevó las manos a los testículos—. Sería bueno cambiarlo con los agitados para que no volviera a suceder una cosa de estas. No era mala voluntad, todo lo contrario. No le crea, doctor. Por fin se lo llevaron cargando y en tres días no se pudo mover.

Cuando regresó de sus vacaciones, el doctor Aguilar se encontró con la nueva de que habían trasladado al viejo al pabellón de agitados, tal como los mozos sugirieron, por orden expresa del doctor Martínez a quien nadie le podía reclamar nada porque era el amo y señor del manicomio. De nada sirvieron las protestas del pobre doctor Aguilar: demasiado joven, demasiado crédulo: entusiasta convencido del bla bla bla del restablecimiento de los enfermos mentales para hacer de ellos, señores y señoras, distinguido auditorio, hombres sanos, útiles a la sociedad y a la patria. Era increíble —le decían sus compañeros universitarios— que después de dos años no se convenciera de la mierda que es la Castañeda donde no se puede hacer absolutamente nada —¿qué no entiendes? Se necesita estar loco también para venir a perder el tiempo de ese modo—. Pero Aguilar no hizo caso. El doctor Aguilar protestó. El caso de don Jesús era su caso. No tenían derecho a entrometerse. Era su caso. Don Jesús no tenía por qué estar con los agitados. Una semana tratando de hablar con el doctor Martínez. Por fin reconoció su derrota. La única manera de hacer algo por el pobre viejo era ayudarlo a escapar del manicomio, y pronto, antes de que en el pabellón de agitados perdiera irremediablemente la razón.

Y lo que son las cosas, ¿eh?, a don Jesús no le fue tan mal en el pabellón de agitados. Le fue bien; fuera de los primeros días, desde luego, cuando todavía no se recuperaba de la golpiza que le propinaron Quirino y Felipe Chávez, el par de mozos vengativos que no conformes soliviantaron a los locos más locos de todo el manicomio; quién sabe qué fueron a decirles y cómo le hicieron para organizarlos, pero el caso fue que cuando don Jesús entró al pabellón, zumbo de la cabeza todavía como quien despierta de una borrachera, adolorido del cuerpo y sintiendo que de un momento a otro le iba a dar el ataque, tambaleándose, buscando de dónde agarrarse, con los mareos de las fiebres palúdicas, llamando a la querida de Satanás y a su legión de demonios para que se lo llevaran de una vez a la chingada, maldiciendo a su mujer que para poder acostarse tranquilamente con el portero lo llevó allí, con ganas de vomitar, la panza hecha un relajo, los desgraciados locos, azuzados por Quirino y Felipe Chávez lo recibieron a patadas, arañazos y mordidas.

—¿Ves esta cicatriz, Isidro?... Y mira, este cacho de

laaio que eee alta... un cabrón me lo arrancó de una mordida esa vez. Para que te fijes por las que yo he tenido que pasar, muchacho.

Pero pasó ese día, bendito sea Dios. Después las cosas cambiaron en el pabellón. Apenas se recuperó de la golpiza y se alivió de las calenturas, don Jesús tanteó el terreno y descubrió cómo tendría que barajárselas para cambiar su papel de mula en el de arriero. Los locos perdieron pronto el interés de fregarlo; pasó la novedad y ahora se ocupaban en arrebatarse los cigarros de mariguana que Rosario la afanadora les hacía llegar. Fácil le resultó a don Jesús ganarse dos cigarros en una apuesta con el turulato Peña. A que le agarro una chichi a la Rosario. A que no Y ahí estaban los dos cigarros y ahí estaba después don Jesús metido en el negocio de revender a cincuenta fierros los grandes y a treinta y cinco los chiquitos y —risa y risa por dentro, porque él no estaba tan loco— apalabrándose con el mozo bizco para activar el comercio de la mariguana dentro del pabellón y para hacerla, pero ya por su cuenta, de alcahuete entre loco y loco. Le daba risa acordarse de cómo los pobres chiflados, casi sin respirar y con los ojos saltones, lo oían explicar que de nada sirven las mujeres: un día se tienen por fuerza que acabar todas y no por eso se nos van a quitar las ganas. Puro hombres va a haber en la tierra. Ellos solitos tendrán que entretenerse. Pero la pasarán igual de bien, y mejor todavía, gozándose entre sí. Mientras no salieran del pabellón tendrían que hacerse a la idea de que se acabaron las mujeres, como los que están afuera se la harán algún día. Así cayó el Tintorero, el loco que primero tenía que pagarle cuatro cigarros por cada convencido y luego nada. La cosa se ponía re bien: don Jesús ya no tenía necesidad de hacerles casita de tan normal que estaba resultando, y tan chistoso. Con decir que hasta el cojitranco se animó con el Tintorero en la fiesta aquella para celebrar el último invento del Sabihondo: una pinche máquina para hacer llover. Fiesta es un decir: verdadero relajo que acabó a golpes y a patadas, aventándose unos a otros puñados de mierda mientras el Tintorero y el güero maricón se peleaban al Sabihondo, y el Sabihondo no quería: se puso a gritar como desesperado y se fue hasta el rincón donde don Jesús lo animaba metiéndole la mano, pero más gritaba el cabrón.

Ése era el ambiente. Y no que antes de la llegada de don Jesús las cosas marcharan muy tranquilas; no, ya había relajo y todo, pero eso sí: nunca hubo tanta animación en el pabellón de agitados, tanta alegría, como cuando don Jesús estuvo allí.

Todo quedó atrás, en el recuerdo.

—Si dice que puede, escápese... Yo le ayudo.

Sacó de su caja fuerte un puño de cigarros y los trescientos y tantos pesos ahorrados. Cincuenta le dio a Rosario. Con eso dijo adiós. Hasta nunca, locos desgraciados. Quédense comiendo caca que don Jesús ya se va porque, je je, no es tan loco. El doctor se quedó creyendo que había sufrido mucho, je je. ¿También Isidro pensaba que la pasó muy mal? Je je je —Con su cara de asustado, coloradas las orejas, lo miraba reír—. Pues no. Valió la pena conocer la Castañeda, y si tuviera más humor y menos años le gustaría darse su vueltecita por allí, en plan de negocio o de vacaciones. Lo malo es que todo va junto: la experiencia con la vejez; el buen humor con la juventud. Es difícil tener experiencia y buen humor al mismo tiempo, y si no se tienen las dos cosas mejor no buscarle tres pies al gato porque resulta peligroso: el agua fría, la rapada, los trancazos... Y a lo mejor ya no está allí el doctor Aguilar y se juega uno el albur de ganar o de quedarse encerrado para toda la vida. No cualquiera se atreve. No cualquiera tampoco tiene la costra que se le hizo a él después de tantos años de vivir fregado. Se necesita costra, experiencia y buen humor. Je je.

Isidro miró a don Jesús destapar la segunda botella de tequila y beber de ella un largo trago. La apretaba con las dos manos como si tuviera miedo de que alguien se la fuera a arrebatar. Antes de ofrecérsela a Isidro, al separarla de los labios, se quedó contemplándola.

—Échate un trago.

Isidro cogió la botella y al beber un calosfrío le sacudió el cuerpo.

—A ver, ¿qué es lo que no entiendes?; nunca oíste hablar del manicomio, ¿o qué? —dijo don Jesús volviendo a beber de la botella. Después de dejarla en el suelo su rostro se contrajo y al sentirlo cerca Isidro bajó la vista y se puso a jugar con las manos.

—Tienes que aprender a no ser tan crédulo; eso es lo que te jode, que todo te lo crees. Que conque yo te diga: el infierno, tú piensas: el infierno. Que me pongo a quejarme de las muladas de mi vieja y a ti se te salen las lágrimas. ¿O vas a negar que estabas a punto de llorar cuando te hablé de que el doctor Aguilar y que las hilachas? Pues para que veas: ahora te digo que la pasé a lo grande allí. ¿Cómo entiendes eso? No lo entiendes, ya sé. Pues no te me ataruges; abre los ojos. Este mundo es así como yo te lo cuento para calarte y no debes dejarte engañar por el primero que te dice algo. Tú siempre con el ojo pelón pensando para tus adentros: aquí me está queriendo hacer maje, aquí no; o aquí me ve cara de buey y cree que yo... ¡pues niguas! Oye estos consejos: cree siempre la mitad, ni más ni menos. Es el único modo. Ahora que sí te advierto una cosa: esto fue nada más para calarte y para ver que tan abusado eres, pero ya en el fondo yo no te quiero ver la cara de pendejo, porque en primer lugar no gano nada y porque te tengo cariño. Desde antenoche tú y yo somos algo más que amigos, ¿o no?

Sorpresivamente Isidro se levantó del cajón y miró al viejo, con odio.

—¡Usted es un cabrón! —gritó.

—Pérate.

—¡Un cabrón!

—Sí, sí, está bien, no necesito que me lo digas.

—¡Suélteme!

—Espérate, muchacho.

—Suélteme, le digo... Ahorita voy a ir a gritarlo para que lo sepan todos y lo echen de aquí.

El viejo se puso de pie. Agitaba las manos; en la derecha empuñaba un pedazo de alambre.

—¿Qué es lo que vas a gritar?

—Todo.

—¿Y qué es todo para ti?

—Todo, viejo cabrón.

Se tropezó con las varillas y cayó al suelo, pero se levantó inmediatamente y salió de la bodega caminando de espaldas. La luna iluminaba los muros recién enyesados. Nueve meses habían transcurrido desde que Isidro pisó por primera vez aquel lugar, desde que vio a los camiones llevándose el cascajo, desde que Álvarez le puso una mano sobre el hombro y le preguntó por su padre, viejo amigo de Álvarez, ¡cuántos años sin verlo! ¿Quince?: cuando Isidro era apenas un bultito así, chillón chillón. Cómo se pasa el tiempo. Isidro ya estaba grande, en edad de comenzar a ser un albañil tan bueno como lo fue su padre antes de irse, ¿para dónde? Ah, sí, al otro lado. Muy bien —terminó Álvarez, y llamó a Jacinto, y Jacinto señaló una carretilla, y el muchacho empezó a ir de aquí para allá con la carretilla llena, con la carretilla vacía. Vio tirar los reventones. Vio abrir las cepas. Vio armar los castillos. Ayudó a clavar los travesaños de las cimbras. No sabía lo que era una revolvedora. Los bultos de cemento. El confitillo. El agua. La arena. Las varillas apuntadas al cielo, emergiendo del concreto; el rítmico acomodo de los tabiques al compás de un corrido. Nueve meses habían trans currido desde que conoció a don Jesús, el viejo loco velador: taca tataca. No le hagas caso, Isidro, no te dejes. Las tortillas inflándose en el improvisado comal; la cazuela de los frijoles dando la vuelta de mano en mano hasta regresar a las de Álvarez, quien con una tortilla la dejaba limpiecita. Los días de colado, llenos de trajín: toda la gente en movimiento, subiendo por los travesaños de madera clavados a modo de escalones en el par de vigas paralelas. Pícale, pícale, qué pues. Álvarez, Jacinto, el Nene. Los ojos de la hermana del plomero tenían un chico rato de estarlo mirando sin que él se diera cuenta, y cuando se dio cuenta por fin, la mocosa —¿cómo se llama?— se iba yendo ya —no me había fijado—. Sus ojos otra vez —¿cómo se llama?—. Qué chula —se llama Celerina—. Celerina, Celerina. Mañana vendrá de nuevo a traerle el almuerzo a su canijo hermano: bien apretado que es, debió seguir mejor para cura y dejarse de cuentos; a todos les cae mal, nunca se acerca a los albañiles por díscolo, para no convidar las tortas que le trae su hermana y que deben saber a gloria, con esas manos que tiene y esos pechos que se le están madurando, como dice don Jesús.

—Viejo cabrón —salió gritando Isidro seguido del velador que sin soltar el pedazo de alambre corría detrás como si los demonios le dieran fuerza a su pierna tiesa.

—No corras, Isidro.

Lo alcanzo en el arranque de la escalera. Allí volvió a tropezar Isidro porque quiso salvar de un salto tres esca lones, y se pegó en la espinilla, y regresó, atarantado, por donde venía el viejo, apenas con el tiempo justo para sumir la barriga, esquivar el manotazo pero no la punta del alambre que le arañó el cuello y buscó picarle la espalda cuando doblaba hacia el departamento de enfrente para salir nuevamente al corredor por la puerta de servicio; entrar en el departamento de atrás, el más grande, el del muro desplomado, donde dejaron los muebles de baño porque ya no cabían en la bodega. Ese fue su error: meterse en el laberinto de cuartos y cuartos. La cocina con los tres rectángulos: azul pálido, azul fuerte, amarillo; las dos recámaras; la estancia. El yeso de los muros transpirando, húmedo aún. Los ojos de don Jesús como dos astros.

—Muchacho tonto.

—Viejo hablador, cabrón, déjeme.

—No te voy a dejar nunca, Isidro —dijo el velador, y suspiró—. Todo lo que te he dicho es verdad... Véame, muchacho tonto. ¿Te iba yo a engañar? Si tú conoces mejor que nadie a la Celerina... Tenle lástima a este pobre viejo. Me han perseguido toda la vida y quería que estuvieras conmigo porque estando tú, en la noche, Isidro, mi muchachito, solamente tú... Cómo puedes pensar que la Celerina y yo, si solamente contigo me sentía seguro. A ti que te cuesta. La tienes a ella, es nomás para ti, puedes hacer con ella lo que quieras, como yo te enseñé.

Quiso saltar por la ventana. Don Jesús lo agarró del tobillo.

—No te vas a escapar de ésta, canijo escuincle. Y cuando yo me muera, óyelo bien, a ti será al que persigan —¡cómo duele la punta del alambre!

Porque tenía su sangre, su sudor y su peste metida hasta los huesos. Olía igual a don Jesús y de nada le valdría ir a los baños, a restregarse con zacate, con piedra pómez, con jabón fino, Camay. Restregarse y restregarse la piel hasta que le entraban calenturas en los brazos, en las piernas, pero el olor no se iba, era más penetrante cada día como si anduviera envuelto en la cobija deshilachada de don Jesús; la cobija con dos manchas, lamparones renegridos, y un agujero de este tamaño de cuando se quedó dormido con el cigarro en la mano, ésa era la verdad y no que las ánimas hubieran ido a achicharrarlo, ya ni que uno estuviera igual de lurias para creérselo todo.

—Es lo malo de juntarse con él —dijo Jacinto—: empieza a fregar y a fregar con sus historias y nadie lo saca de ahi. Peor tú que como estás chamaco no le puedes contestar como uno, que ya lo conoce y que con mandarlo a chingar a su madre se le tapa la boca, y si quiere protestar o alegar algo nada más con levantar la jeta —qué traes, qué traes— sirve y sobra para ponerle el alto y mandarlo otra vez a chingar a su madre. Se comprende que contigo sea otra cosa y que tú tengas que darle la suave, pero cuídate porque además de ser un lépero cualquier día vaya Dios a saber la fregadera que te prepara. No será la primera vez. El Chapo conoce cómo se las gasta; pregúntale nomás todo lo que hizo en la obra de Hortensia... Ora que tampoco es para espantarse. El pobre ya anda echando el bofe y como dice el Chapo hay que tenerle lástima. Tú haces bien. Pero no se te olvide que ni tanto que queme al santo ni tanto que no lo alumbre. Está bien que te entretengas con sus historias, a mí también de cuándo en cuándo me gusta oírlo, para qué voy a decir que no; pero lo que sí ya se pone medio color de hormiga es eso de que te quedes cuando ya no hay nadie. No lo digo nada más por los ataques, lo digo por... por cuídate nomás no sea que con su lengua, tú sabes. Bueno, así. Ya hasta parece que soy tu papá. A mí qué me importa. Eso que te lo diga mejor el Chapo, que es el que te dio la chamba; a mí nomás me cumples. Porque ahora que me acuerdo dejaste tirada la manguera; cómo hay que decirte las cosas para que entiendas; un día se la roban y vas a venir de chillón: pos yo no sé, pos yo no sé. Me cai que si la vuelves a dejar tirada me la cobro de tu raya aunque no se pierda. Ya lo oíste. Pachorrudo y encima olvidadizo. Y zoquete, ¿no te convenció don Jesús de que lo quisieron achicharrar?... ¿Oyeron eso? Este Isidro: está todavía como los bichos recién nacidos. Repítelo, órale, no te me chiveés. ¿Oyeron? El viejo le contó que los agujerotes de su cobija son de cuando los demonios le prendieron lumbre a su catre. A ver nomás. Y ya me lo imagino: «Consígueme unos quintos para comprarme otra cobijita, Isidro, ñe, ñe... mira qué jodido estoy».

—¡Qué tanto traen!

—Aquí tu Isidro.

—Ya estuvo suave, a darle.

—Pérate, Chapo.

—A trabajar que no tarda el ingeniero.

—¡Huy huy, el ingeniero!

—Dije que a trabajar, Jacinto —gritaba Álvarez, y Jacinto obedecía, disimulando el coraje que le daba oír al Chapo levantarle la voz, fajarse los pantalones y hacerles sentir a todos quién era allí el que las manda bailar. Desde lejos, apoyado en las primeras hiladas de un muro, don Jesús sonreía sin perder de vista a Jacinto. Se levantó cuando Jacinto llegó hasta el muro, para seguirle dando.

—Hay que apurarse.

El sonido metálico de la cuchara llegaba hasta los oídos de Isidro como el tañido de una campana. Corría por el bote de mezcla, lo llenaba, y de nuevo a correr para ir a vaciarlo a los pies de Jacinto, en la artesa, con una precisión tal que cuando Jacinto se inclinaba por primera vez su cuchara encontraba ya la masa de mezcla. Desde ese momento hasta las cinco o las seis de la tarde, la preocupación por obedecer, por estar a tiempo en todas partes, hacía olvidar a Isidro la cobija de don Jesús. Quién tenía razón: el viejo o Jacinto. El viejo sabe mucho más, por viejo, porque conoce de todo, y es buena gente. Lo que pasa es que Jacinto le tiene tirria quién sabe por qué, será porque no hace nada.

—Será por eso, pero no le hagas caso. Esta gente es así. Me la he encontrado por todas partes y ya no me coge de novedad... No se me haría raro tampoco, óyelo bien, que un día se le metieran los endemoniados y me quisiera matar... Pero olvídalo, te estaba diciendo de la cobija. ¿En qué íbamos?

Apestosa cobija. Nunca se quitaría su olor. Apestosa cobija que lo separaba de Celerina. Ni restregándose con piedra pómez, ni con jabón Camay. Cómo acercarse, cómo explicarle, cómo decirle. Mejor no decirle nada, no vaya a ser que alguien los vea y comiencen a traérselo de puerquito. Mejor después. Pero después dónde encontrarla si dicen que vive re lejos y quién sabe qué camiones haya que tomar para llegar hasta su casa. Lo peor es que ya llegando, ni modo de esperar a ver a qué horas se le ocurre asomarse; con toda seguridad su hermano no la deja salir más que para llevarle el almuerzo. Qué chistoso. Siendo el Cura como es por qué no se trae él mismo su almuerzo. De qué se queja entonces. Si no quiere que se la chulee el Patotas, que no la haga hacer mandados. Bueno, pero mejor así. Ya llegó la Celerina. Ya se va la Celerina... Me corto el pescuezo si aquélla no fue una sonrisa bien medida. Sólo siendo muy zonzo se desperdicia la ocasión. Ahí te voy, que coman caca todos.

—Quihubo.

—Quihubo.

—¿Ya se va?

—Mjmmm... Ji ji.

—Oiga...

—Ya me voy.

—Pérese tantito.

—Ji ji.

—Usted se llama Celerina, ¿verdad? Yo me llamo Isidro. Oiga: mañana viene otra vuelta, ¿verdad? A ver si platicamos aunque sea un ratito. ¿No se enoja?

—Ya me voy... Ji ji.

—Es usted re chula, ¿sabe? Chula como usted sola.

Podían decir que Isidro no daba el ancho como peón, porque a un buen peón no se le tiene que andar arreando, pero ningún pero podían ponerle en cuanto a que el muchacho estaba abriendo a buen tiempo los ojos: para mirar este mundo repleto de mujeres buenotas, lo mismo ricas que pobres, aquéllas enseñando las piernazas a la hora de bajar de un coche, sin pichicaterías, sin regatearle a nadie lo que tienen, y para eso lo tienen: para regocijarle a uno la vista; y éstas otras menos aventadas y con más vergüenza, pero con las mismas ganas. Que reconociera Isidro, y con orgullo, que estaba ya siguiendo los consejos de don Jesús. Era para celebrarlo. ¡La cara que iba a poner el Patotas cuando supiera quién se le adelantó con la Celerina! Don Jesús se moría de gusto y no dejaba de felicitar al muchacho diciéndole que antes de continuar contándole su vida le iba a dedicar todas las tardes para darle consejos de los que ahora necesitaba, aunque Isidro creyera lo contrario; porque una cosa fue animarse y lograr que Celerina le tomara voluntad, y otra cosa es lo demás Necesitaba los consejos de don Jesús. Tenía que estar al tanto.

—¿Ya le agarraste las manos?... ¡Qué esperas! Vamos a acabar la obra y tú nada de nada, Isidro. ¿Cuánto tiempo llevas ya? Fíjate, todavía no venían los del mosaico...

Y por fin:

—Ya le agarré las manos, don Jesús.

—¡Uuuuuuh, si las manos hasta yo te las agarro!... No, no te enojes, es guasa.

Pero por qué no hacerlo delante de los albañiles para que vieran de lo que era capaz Isidro. Don Jesús quería verlos rabiar de envidia.

—Si nada más fue así. Ella casi ni me habló.

—Pero quedaron de verse.

—Sí, mañana. A ver si no se entera su hermano.

—¿Y qué le hace que se entere?

—Eso es lo que no quiero.

—Ah qué Isidro.

Una rueda de albañiles cercó al muchacho. Se codeaban y reían alzando los hombros como si tuvieran resortes por dentro.

—A ustedes qué les importa.

—A nosotros, no —dijo Jacinto, pelando los dientes—, al que le va a importar mucho es al Cura.

—O a don Jesús.

—Deveras, a don Jesús... Ah, pues cómo estuvo eso, Isidro, tienes que contarnos. Como es que don Jesús te deja que andes con la Celerina, ¿no se pone celoso?

Andaba con unas copas de más. Por algo dice la gente que a los borrachos se les salen los pensamientos sin querer. Y a Jacinto, al maldito Jacinto, abusón, hijo de su puta, se le salía por los ojos enrojecidos el odio que le tenía a don Jesús.

Los ojos de Lorenzo. Los ojos de Encarnación. Mientras el hombre de la corbata a rayas le apretaba el brazo, Isidro recordaba a don Jesús, cariacontecido y tristón, el día en que le dijo —cariacontecido y tristón, proyectado por su imaginación en la pared como si desde el infierno el velador volviera para decirle (¡cómo no lo oyó nadie más!):— «Ni raro se me haría tampoco, óyelo bien, que un día se le metieran los endemoniados y me quisiera matar».

—Habla de una vez, mocoso, no nos hagas perder el tiempo.

A media voz, Isidro dijo:

—Se le metieron los endemoniados.

Y después, gritando:

—¡Jacinto mató a don Jesús!

3

Cuando el hombre de la corbata a rayas cerró la puerta, Pérez Gómez puso las palmas de las manos sobre las fichas de dominó; sin tocarlas todavía esperó a que se dejaran de oír los pasos por el corredor para volver la cabeza hacia el centro de la mesa, dirigir durante breves segundos una mirada de complicidad a sus compañeros y comenzar por fin —primero suavemente, sin hablar, concentrándose en su tarea, y después acelerando el movimiento de las manos: una por arriba y otra por abajo, alternativamente, procurando no hacerlas tropezar— a revolver las fichas.

De nuevo frente a su escritorio, el hombre de la corbata a rayas se mesó los cabellos. Don Jesús-Jacinto. Sergio García-don Jesús. Isidro-don Jesús. Isidro-Jacinto. Federico Zamora-don Jesús. Jacinto-Federico Zamora. Don Jesús-Jacinto. Jacinto-Jacinto. Don Jesús-Jacinto trabados en una misteriosa relación durante los siete-ocho-nueve meses que llevaba la obra, a punto de ser terminada cuando sucedio la desgracia-el crimen, con Federico Zamora, el Nene, haciéndose nuevamente cargo, dando órdenes, escogiendo la pintura de los baños y de las cocinas; ya nada más la de baños y cocinas porque su padre dejó dicho que todos los departamentos de la planta baja iban a ir de gris, los del primer piso y los del segundo también de gris; los del tercero de azul, de ese azulito casi gris, y los del cuarto ya después veremos por qué color nos decidimos; no importa el color, cualquiera cualquiera, con tal de que sea un solo color para todo un piso que es como más barata resulta la pintada y más sencilla para los pintores porque así mojan la brocha en una sola clase de bote y se van de un jalón hasta ver el fin, sin necesidad de estarla limpiando con aguarrás o con tiner, ni preguntando a cada rato y teniendo que poner muestras para ver qué color contrasta con éste o con aquél. Solamente el baño y la cocina de cada departamento tendrán colores distintos a los cuartos para romper la monotonía. Y esos colores, en pintura de aceite, serán elegidos por el hijo del ingeniero que ese día llegó a las tres, cuando ya los pintores se iban, cansados de esperar, y dijo —no está hablando en serio, pensó Patotas al oírlo de pura casualidad—:

—¿Qué tal quedarían de rojo, maestro?

El maestro pintor se rascó la cabeza. Estaban en uno de los baños del primer piso. Salieron. Entraron en la cocina. Salieron. Subieron las escaleras y Patotas los vio cruzar frente a él, en dirección al baño del departamento 201, donde mataron a don Jesús.

—¿También éste lo quiere de rojo? —preguntó el maestro pintor.

—Sí, yo creo que un rojo encendidón.

Más tarde, Patotas se lo dijo a Álvarez, pero ni risa le dio. ¿Y qué hay con eso? Total.

—Así me contestó, fíjese nomás. Ni siquiera se las olió. Hasta ahora es cuando se dio cuenta.

El hombre de la corbata a rayas miró los zapatos de Patotas, reventados por sus pies. Tronó los dedos al decir.

—Está bien, con eso tengo; después hablaremos.

Patotas se resistía a salir.

—Espéreme tantito; le puedo contar un titipuchal de cosas del Nene... del hijo del ingeniero Zamora.

Ésa era una muestra nada más. El maestro pintor podía venir a decir si era o no cierto que el mentado Nene estaba necio en pintar —fíjese usted— en pintar de rojo encendidón el baño del 201. Y ya para otras cosas, Humberto, el de Zimapán Hidalgo —por nombrarle a un tipo fuera de todo relajo, muy dado a su chamba y nada más a su chamba—, le podía platicar al hombre de la corbata a rayas del primer coraje que hizo el ingeniero Zamora cuando se enteró que su hijo mandó escarbar las cepas medio metro más hondas: trabajo, tiempo y dinero desperdiciados a lo bruto. Como era de adivinarse, el Nene alegó que lo que pasó fue que no habían entendido sus órdenes; pero el ingeniero Zamora no es nada tonto, y aunque se quedó callado, se dio pero si bien cuenta de que toda la culpa era de su hijo. Otro detalle más, ya para no andar por las ramas: lo de las columnas. Fue antes de lo de la pintada, claro, pero fue definitivo tanto para el Nene como para Jacinto, porque Jacinto no se quedó cruzado de brazos, no señor, el compadre de Patotas no es de los que aguantan un piano, todo lo contrario, ya estaba suave de tanto herirle la dignidad; son ofensas muy duras y además el asunto no termina en un vámonos pa afuera a trabajar a otro lado, eso sería lo de menos si no hay la cosa de que está bien, agarro mis cosas y me voy, no me importa que piensen que soy mal albañil; sí señor, sí importa, porque quien quita y a la hora de agarrar chamba en otra obra se encuentra Jacinto con que ya llegó hasta allá el mal rumor de que para albañil no sirve y mejor dedícate a vender raspados, o cualquier cosa por el estilo. No, señor. Jacinto sabía esto y se defendió con dignidad y la armó grande, del tamaño que la debía de armar delante del ingeniero y de su hijo. Todos los albañiles lo apoyaban porque todos oyeron cuando dijo cuatro varillas, así de escasas las quería, y podía ser —eso pensó Jacinto— que lo que al fin de cuentas andaba buscando el Nene era un modo de tirar el dinero de su padre; cosa que a uno no le va ni le viene, y menos cuando ha sido el mismo ingeniero Zamora el que da la orden de obedecer en todo al muchacho.

—Espéreme tantito —volvió a decir Patotas cuando el hombre de la corbata a rayas lo empujó hacia la puerta—. Todavía no le he dicho del pleito aquel.

Y el pleito era importante porque el que salió perdiendo después de todo fue el Nene. Con decir que no se apareció en cosa de tres meses. Con decir —eso cuentan, ya usted lo averiguará— que se largó de su casa. Pero regresó como si nada, maldita sea: con un humor negro y un coraje contra todos que no hacía por disimular, al contrario: a grito pelado, a desprecios, a humillaciones y a majaderías trataba a los albañiles.

—Espérese tantito —insistió Patotas.

El hombre de la corbata a rayas cruzó los brazos.

—A uno ya no le coge de novedad. Estamos atenidos a eso. Pero sí le digo una cosa: es muy distinto un desprecio común y corriente de cualquier ingeniero alzado que nació apapachado y con lana y ya es así porque sí, y las majaderías del Nene, peor que mentadas de madre, señor, mucho peor porque hay veces que uno no puede más que agachar la cabeza y tragarse la bilis. Por ejemplo, ora verá, nomás para que entienda: un día el Marcial, muy buena gente muy buena gente, va y se acerca a ofrecerle un taco. Era feo: todos entrándole a las carnitas y el Nene parado viéndonos de reojo con la boca hecha agua. Pues como le digo ahi va el Marcial de ofrecido a convidarle, y todavía después que le dijo no la primera vez —si usted quiere podía ser porque le daba pena—, el muy imbécil le insiste. Y vuelve a decir que no. Vuelta a insistir Marcial. Ándele ingeniero, están buenas. No es de creerse, ¿pero sabe lo que hace?: se voltea colorado de rabia y le da un frega dazo al taco. Todas las carnitas por el suelo. No dice perdone, qué va, si fue adrede; hace un gesto así, de asco, de desprecio. Para que vea. Ahí tiene un ejemplo. Puede parecerle muy pinche, con el perdón, pero hay otros y ésos sí tienen que ver con don Jesús, que es lo que a usted le importa, ¿verdad? Don Jesús era un viejo ladino y todo lo que usted guste y mande, pero al fin de cuentas era un viejo de dar lástima. Nosotros lo choteábamos, sí; le escondíamos la cobija; no era un santo; pero debió haberlo conocido y oírlo hablar con esa labia suya, ay Dios. Que diga Isidro si mi compadre no era el mejor amigo de don Jesús. Que diga cuando lo vio regalándole cincuenta pesos así nomás. Entre mi compadre y el maestro Álvarez le consiguieron la chamba. Álvarez puede decir que no, que fue él solito, pero lo deveras importante es que ya estando don Jesús de velador le hizo miles de favores que usted ni se imagina, señor. Ya le digo: desde regalarle dinero hasta defenderlo del Nene cuando de puro cus cus el Nene andaba queriéndolo echar pa afuera. No lo echó porque mi compadre es abusado y sabe cómo tratar a los que son como el Nene. ¿Sabe qué le dijo?, ¿sabe cómo lo asustó? Le dijo que nomás le revolviera un poquito al asunto y ya vería la de líos que se armaban con lo del sindicato. El Nene peló los ojos; se imaginó yo creo la bandera puesta en la obra y todos nosotros en huelga. Y claro, le entró miedo porque sabía que a su padre no le iba a parecer que por un viejo fregado como don Jesús se armara un escándalo grande... ¿Ve usted ahora por qué mi compadre es inocente? Cuando hable con él me va a dar la razón. Después de que nos pregunte a todos no le va a quedar duda. Ninguno de nosotros ganaba nada con matar al viejo. O dígame, a ver, qué ganaba quién. Mientras que el hijo del ingeniero... usted sabe. No lo acuso, pero cuando me pongo a pensar quién pudo ser, aunque no quiera yo me acuerdo de todas las cosas y del detalle ese de la pintura: el rojo encendidón.. ¡Hágame favor! Para mí, bueno, cómo le diré, son cosas así, como del otro mundo, como avisos. Puede que para usted no. Pase por alto el detalle, si quiere, hágalo a un lado... el ingeniero tiene mucho dinero, ya sé; pero si le entran ganas de hacer justicia, lo que se dice justicia a lo derecho, por una vez en su vida, señor, búsquele por ahí por donde le digo.

—Lárguese —gritó el hombre de la corbata a rayas.

—Búsquele, señor.

Volvió a quedar a solas, pero únicamente unos minutos.

—A ver, Isidro.

Isidro temblaba como si estuviera frente a Jacinto, como si Jacinto, al ver al muchacho, apretara los dientes, alzara sus dos manazas impregnadas de cal, las convirtiera en dos puños de piedra sin que nadie, solamente Isidro se diera cuenta y viera en su gesto una amenaza que habría de cumplirse diez o veinte años después en una mina, en una feria: la rueda de la fortuna y la ruleta del hombre de la ruleta volverían a dar vueltas. Será inútil salir corriendo por las calles empedradas o esconderse en las recámaras vacías, en la cocina o en el baño del departamento vacío. Inútil pedir perdón o tratar de desviar el primer golpe. Isidro se levanta, retrocede, se limpia el sudor, tartamudea y piensa, mide, calcula la manera de saltar por la ventana. Son dos pisos nada más. Dicen que aflojando el cuerpo y cayendo con la punta de los pies no pasa nada, a lo sumo la torcedura de un tobillo, pero hay tiempo de sobarse el tobillo antes de salir corriendo hacia la calle cuando apenas viene Jacinto bajando las escaleras. Los sábados cierran tarde la miscelánea de la esquina. Los albañiles beben cerveza en la trastienda y Jacinto no se atreverá a entrar porque delante de todos serían veinte años de cárcel cuando menos. ¿Y crees que le importan? Mejor lárgate porque nadie responde. Vete ya, ahí viene el camión. No lo vio Jacinto; el muy despistado entró en la miscelánea. Se escapó... Así sucedería, siempre y cuando tuviera tiempo de saltar, no lastimarse al saltar y correr. Pero no habrá tiempo. Jacinto sabe muy bien los lugares que escoge.

Según la mejor hipótesis don Jesús debió haber intentado saltar por la ventana, pero seguramente no lo logró a causa de su pierna enferma y de sus setenta años, de modo que el asesino alcanzó a darle el golpe que lo hizo caer al suelo en donde recibió una media docena de golpes más y un último en el momento en que el viejo se apoyó en la taza del excusado. Seguramente ya estaba muerto cuando el asesino lo seguía golpeando inclemente con saña que solamente se explica pensando en una persona trastornada de la cabeza o bajo los efectos de la mariguana, no en condiciones normales, eso es muy importante. El asesino debió aborrecer a su víctima durante muchos meses, o más probablemente durante muchos años y mantener ese odio reprimido; pero en un momento crítico, al ingerir la droga en dosis excesiva, se armó de valor y decidió salir a buscar a su víctima, quien le debía ofensas, o quien solamente lo había ofendido una vez, pero en tal forma que esa sola ofensa equivalía, para la mente trastornada, a un sinfín de ofensas acumuladas en su inconsciente desde la niñez. Especulando un poco puede decirse, quizás con más precisión, que el crimen, la reacción por la cual el individuo se convirtió en un criminal, es característica de los sujetos maníaco depresivos que no necesitan de drogas, no, ni de mariguana para obrar en esa forma, sino que a consecuencias de una impresión violenta o por motivaciones que sólo analizando en persona al asesino podrían determinarse, sufren un resquebrajamiento de su voluntad y con criminal euforia se sienten impulsados a realizar lo que únicamente en estado de vigilia o inconscientemente han ambicionado; por ejemplo: vengarse de la sociedad en la persona de un hombre cualquiera, o concretamente: hacerle pagar a ese hombre, en este caso al velador Jesús Martínez Avilés, de setenta y cinco años, oriundo de Salvatierra Guanajuato, de estado civil casado con Josefina Hernández, algún insulto de carácter personal, alguna deuda económica, sin que sea el monto de la deuda —aclarando— el verdadero motivo del crimen, sino todo lo que ella puede representar. ¿Entendido?

—Muchas gracias —dijo el hombre de la corbata a rayas, y salió, pensativo, sin dirigir la palabra a Pérez Gómez, que esperó a que llegaran a la calle para decir:

—¿Ya estás contento? No me vas a decir que esto sirve para algo. Ni él mismo se entiende. ¿Sabes lo que yo pienso?

La mirada del hombre de la corbata a rayas detuvo a Pérez Gómez, quien no habló dentro del taxi, ni al bajar de él, pero que al reunirse con Valverde, Dávila y Suárez, dijo:

—Está loco.

—¿Ya le sacó algo al escuincle?

—Que yo sepa, no.

—Pobre escuincle —dijo Dávila. Lo mismo decía la tía Pachita al comentar con la madre de Isidro lo desmejorado que veía últimamente al muchacho. Se malpasa. ¿Por qué se malpasa? No come. No quiere comer. Está hecho un majadero. Es mejor dejarlo que haga lo que se le dé la gana. Allá él. ¿Por qué no quieres comer, Isidro? ¿Por qué estás hecho un majadero? ¿En qué piensas? Pensaba en Celerina chula, en Celerina novia de él, en Celerina que no se dejaba coger las manos pero que al irse ya, de despedida, volvía la cabeza y le parpadeaba. La veía llegar a la esquina, con su vestido floreado, sus trenzas largas golpeándole la espalda, dar la vuelta y desaparecer hasta el lunes.

—¿Y por qué no, Celerina? Total, le dices a tu hermano que te vas a ver a una amiga.

—No tengo amigas.

—¿Ni una ni una?

—Ni una ni una.

—¡Voy!... Entonces le dices que te vas a comer a casa de una tía... ¿O qué parientes tienen ustedes?

—Nomás mi hermana y su marido.

—Ándele pues: te vas dizque a casa de tu hermana y te encuentro a la vuelta. Vas a ver: te compro un helado y nos subimos al látigo. O si quieres vamos a la matiné; pasan una de Pedro Infante... ¿No te gusta Pedro Infante?

—Nunca voy al cine.

—Pues por eso, vamos.

—No puedo.

—Mmmmm, no quieres, qué... Que se me hace /

—¡Es que no puedo, ya te dije!

—Tanto esperar el domingo para nada. Todos los días piense y piense a dónde te invito y me sales conque niguas.

—Bueno, ya me voy.

—¿Entonces de plano no?

—No puedo por mi hermano.

—Pues si ya tienes el pretexto: le dices que te vas a pasar el domingo con tu hermana, ¿qué tu hermana no es cuatita?

—No seas tonto, mi hermana vive con nosotros.

—¡Uu-úpale!

—Si por eso es... y luego Sergio quiere que los domingos váyamos con los niños al parque.

—¡Mugroso Cura!, tienes un hermanito del diablo.

—No le digas Cura.

—Así le dicen todos.

—¡Pues no te burles! Él es muy buena gente.

—Si fuera buena gente no nos andábamos escondiendo Ya en serio, Celerina, vamos a dar una vuelta mañana, aun que sea un ratito.

—Déjame.

—Ándale.

—Ya te dije que no me tentaliés.

—Celerina...

—¡Estáte quieto!

—Celerinita chula.

—Si sigues no vuelvo a hablar contigo.

—Pero no te enojes.
—¡Pues déjame!
Sábado y domingo pensando en ella y diciéndose bruto por desperdiciar el poco tiempo que pasaban juntos, por hablar de cosas que maldita sea no le importaban nada. Los cinco minutos se fueron volando y no le dijo que estaba muy chula y que sus manos, y que su pelo, y que a la hora de andar en la obra dale y dale se acordaba de ella y de su modo de reír y de parpadear; su cuerpo suavecito que parece todo relleno de algodón; bonitos ojos, brillantes; su trompa paradita; sus dientes parejitos. Pst-pst, pst-pst, pst-pst. Qué de juegos le iba a inventar para divertirla. Celerina corriendo en el mero bosque de Chapultepec; él detrás, corre y corre hasta alcanzarla y decirle te alcancé. Ya no, estoy muy cansada, diría Celerina sentándose a la orilla del lago. Allí, en el pastito, se quedarían toda la tarde. Y que dame un pico; y que no, y que sí. Qué bonito canta Pedro Infante.
—Yo también canto.
—¿De veras?
—Un día te voy a cantar a ti solita. Cuando váyamos a Chapultepec.
—¿De veras?
—Sí. ¿Me quieres, Celerina?
—Sí.
No le contaría nada al viejo, sería un secreto entre ella y él. Pero el viejo supo que se veían a la vuelta de la obra y tuvo que decirle la verdad: después de todo es buena gente, me tiene voluntad, sabe muchas cosas; si dice que a las mujeres les gusta será porque es cierto. Aunque Celerina es distinta, eso sí. Es mujer, pero es distinta. ¡Ay! si don Jesús conociera bien a Celerina, y si Celerina conociera bien a don Jesús.
—Tú nomás hablas del velador.
—Y tú nomás hablas de tu hermano.
—No es cierto. Eres tú el que don Jesús para acá y don Jesús para allá.
—Bueno, ¿y qué?
—Ya chole.
—Es que no lo conoces. Ora que oigas una de sus historias vas a ver.
—Ya chole.
Para qué revolver si no venía al caso. Don Jesús era una cosa y Celerina otra. De la barda para allá y de la barda

para acá. O en el límite: Isidro trepado hasta el último peldaño de la escalera, apoyado en la barda, diciendo adiós con la mano.

—Tú, zonzo, ¿qué haces allí?

—Voy ahorita.

—¡Cómo que voy ahorita! Jálele que no estamos aquí para perder el tiempo.

Bajaba. Volvía a poner la escalera en su lugar. Miraba hacia la barda.

—¡Fíjese por dónde camina!

Por esa misma barda debió trepar sigilosamente el asesino para sorprender cagando a don Jesús. Se ayudó de una cuerda, de una escalera o de un cajón. Para los tamaños de Jacinto un cajón de los encontrados en la bodega era más que suficiente porque en su tramo menor la medida de la barda era de tres cuarenta y cinco, la medida mayor del cajón de ochenta centímetros y con los largos, nervudos brazos en alto Jacinto medía dos cincuenta, sólo quince centímetros para llegar de un salto hasta el borde de la barda o para ser ganados con un par de tabiques puestos encima del cajón.

—El tres doble.

Más sencillamente, pudo valerse de una escalera. Pero el caso es que ni escalera, ni cajón, ni cuerda fueron hallados en el terreno que da a la calle de Anaxágoras.

—El cuatro.

Lógico.

—No hay.

Es decir: entró directamente por Cuauhtémoc. Es decir —¿y por qué no?—: el crimen fue cometido entre dos; ahí están las huellas. ¿Cuáles huellas? En este caso las huellas no sirven para nada.

—¡A doces!

Nada sirve para nada entonces. Sólo la acusación del escuincle tiene sentido. Está clarísimo.

—Un tren, no hay otra.

—Pues el cuatro.

—Sigue sin haber.

—La nueva: un pito.

—La de pitos.

Si yo fuera él acababa pronto, hacía cantar a Jacinto y sanseacabó; para qué darle más vueltas al asunto. No tiene sentido. Y lo que es peor, ¿ya leyeron el periódico?, ese cabrón se cree la gran caca. Por eso hay que acabar pronto.

—Bueno, va: ¡no hay quinto malo!

Como quien no quiere la cosa dice algo del escuincle que es interesante. Isidro encontró al viejo. Isidro no es tan tarugo como parece. En ese caso, lo mismo podría decirse del plomero, o del tipo ese, cómo se llama, el que tiene unas patotas de este tamaño.

—El cinco-seis.

¡Ése es un vaciado! Y no, Isidro no; se le echa de ver que quería al viejo con un modo muy distinto a como empezó a querer a Celerina a partir del día en que pasando por alto su palabra de honor fue a Mixcoac y desde la tienda «La Marinera» estuvo espiando la vecindad sin estar seguro si ésa era la vecindad donde vivía Celerina; sí, no podía ser otra, coincidían todas las señas que la muchacha le dio con la esperanza de que Isidro se decidiera a romper su palabra de honor, de que entendiera lo que significaba decirle el nombre de la calle e insistir en el nombre de la tienda: «La Marinera», situada dos cuadras más abajo, hacia Revolución, en la acera de enfrente porque Celerina habló de que tenía que cruzar la calle en diagonal y todavía otra cuadra para llegar a «La Marinera», comprar los huevos y regresar sin detenerse un solo segundo: su hermano, reloj en mano, le medía el tiempo; pobre de ella si se tardaba más de lo estrictamente necesario para llegar-pedir-coger-pagar-salir-volver. Sergio no tomaba en cuenta que la señora de la tienda podía estar entretenida con otro cliente, no era Celerina la reina de la colonia para que la atendieran luego luego. Por eso se tardaba y por eso eran los pleitos. Todo eso le decía Celerina a Isidro y el muy piedra de Isidro tardó en coger la onda a pesar de que todavía Celerina dijo que a eso de las siete y media su hermano salía a su clase de inglés y su hermana Concha —de tan ocupada con los tres mocosos— no tenía cabeza para fijarse si Celerina se tardaba más del ahorita vengo que se alargó media hora esa tarde en que por fin se decidió Isidro. Empezaba a oscurecer, las nubes se desprendían camino de Toluca, el humo de la torre de «La Tolteca» se elevaba lentamente. Y al lado de la muchacha Isidro pensó que nunca más se quedaría en la bodega a oír las historias del viejo porque por muy interesantes no se comparaban ni de relajo con la alegría de poder platicar así con Celerina, de acariciarla —sin pasar de las manos y de los brazos—, de poder decirle ahora sí, al oído, las palabras aquellas de cielo y estrellas y flores y nubes y quién sabe cuántas palabras más que se le ocurrieron al oler su olor tan de ella, recargados en el ár bol, su árbol, de ellos nada más, a tres cuadras de «La Marinera». Y hubiera abandonado definitivamente a don Jesús, de no ser porque una mañana, al estarse cambiando de zapatos, vio entrar al viejo con la cara entre las manos, a punto de echarse a llorar. Qué raro porque nunca había visto llorar a don Jesús. Entonces, para distraerlo, se dispuso a contarle uno de los chistes que se vino oyendo en el camión. Don Jesús no le dio la cara: agachó más la cabeza y se frotó los ojos con las yemas de los dedos. Isidro se acercó. El viejo se volvió de espaldas. Isidro le puso una mano en el hombro.

—Ese tipo se sabía unos re buenos —dijo Isidro.

Don Jesús permaneció en silencio mientras Isidro le relató el chiste.

—¿Qué no le agarró?

Caminó hasta el fondo de la bodega, siempre de espaldas al muchacho. Isidro lo oyó sorber.

—¿Y ora?

Estaba llorando.

—¿Qué le pasa, don Jesús?

—Vete.

—¿Qué le pasa, don Jesús?

Tenía la culpa por hacerse pinches ilusiones. Nunca se acaba de aprender en la vida. Uno cree conocer a la gente cuando ya va llegando al final y es cuando menos, cuando más tirado a la calle está. Más solo que la fregada. Solo toda la vida y ahora peor de solo. Raro, ¿no? Pues ni tanto porque esas eran lágrimas de verdad, como las lágrimas de las viejas. Podía reírse, podía cogerlo a burla: ya tenía de qué chismear a los albañiles para que juntos todos se lo agarraran de puerquito. Él que se las vio con todo el mundo, que anduvo en la bola, más correoso que nada, estaba ahora delante de Isidro llorando por todas las veces que se aguantó las ganas, de puro hombre valiente que fue cuando joven. Pero llega la vejez y nadie se imagina lo aguadas que se ponen las tripas; más las de él, que tuvieron que retorcerse para no hacerlo gritar de hambre y de dolor a la hora en que las penas jijas se le amontonaron. Que era viejo malhora y hablador y cabrón y lépero, sí y qué, eso no quería decir que no tuviera un corazón como el que más. Corazón de viejo zangoloteado por los sustos y por las decepciones. Pero tenía la culpa por confiado, no se la echaba a nadie, la culpa era de él. Creyó encontrar en los últimos días de su vida alguien que le tenía aprecio, después de años y años de vivir con la idea de que en este mundo no hay gente buena sino que todos están cortados con el mismo molde con que Dios hizo al diablo, y le entregó toda su confianza a Isidro. Isidro: nombre de gente buena. Se dejó llevar por el sentimiento, ni modo. Sólo a los muy bueyes les pasa. Ya no hay de qué apurarse. Pero como aquí terminaba todo que supiera por qué estaba agüitado, dolido porque una chamaquita le quitó a su Isidro para siempre. No tenía nada contra Celerina. Mejor que nadie, Isidro sabía que al viejo le gustaba la Celerina para novia del muchacho. Hubiera querido que se la llevara a presentar ahora que ya estaban en pleno romance y que era cuando más consejos necesitaban los dos, sobre todo Isidro, quien según por las apariencias no pisaba fuerte los terrenos del amor, seguía chivéandose a la hora de acercarse a la chamaca, todavía acosado por esas equivocadas ideas de respeto, cortesía y demás tarugadas, bien estorbosas. Por eso hubiera querido hablarles a los dos juntos, o mejor nada más a la Celerina para decirle, como quien no quiere la cosa, lo que debía hacer y lo que debía dejarse hacer para bien y salud del cuerpo. Una tardecita, ya oscurito, que la trajera a la bodega con cualquier pretexto: para oír las historias de don Jesús; por ejemplo, una de la revolución. Y en un de repente que Isidro saliera dizque a un mandado. A solas con ella, se ganaría su confianza en un dos por tres, y en otro dos por tres le enseñaría verdades del tamaño del mundo, le quitaría ideas chuecas, se la dejaría aguadita aguadita para que luego llegara Isidro y zácatelas, a ser feliz. Pero para qué seguir hablando si ya nada tenía caso. Era alborotarse inútilmente la pena. Quería estar solo para llorar su desgracia, tal vez para morir. Moriría triste por no haber podido realizar un último acto de bondad con la única persona a quien deveras quiso: su muchachito.

Celerina no quería que se fuera Isidro. Si se iba, ella se iba también.

—No me tardo, sólo es un ratito.

Don Jesús le guiñó un ojo y luego se dirigió a la muchacha.

—Nomás me compra la medicina y vuelve.

Si se iba Isidro, ella se iba también.

—No seas mala, necesito la medicina.

—Yo me voy.

—Espérate, no seas chocante.

—No, yo me voy.

—¡Que te esperes, te digo!

—¡No me grites!

—Quietos, no se peleen...

—¡Es una /

—¡Tú!

—Quietos... Ándale, Celerina, déjalo ir. Es aquí nomás enfrente; no se tarda ni cinco minutos. Deveras necesito el jarabe ese porque si no luego me pongo re malo; tú no te imaginas, ya hasta empiezo a sentir las calenturas... ¿Verdad que vas a decir que sí? ¿O me tienes miedo?

—No, es que /

—¿Me tienes miedo?

—Otro día vengo.

—No, ya no vienes. Ya ves cuánto trabajo le costó a Isidro traerte. Y te voy a contar de cuando andaba en la revolución. Vas a ver qué interesante. Me iban a fusilar, ¿sabías?... Ah, pues me iban a fusilar, así como lo oyes: ya estaba yo parado delante de los cinco pelados con sus carabinas. Que se acerca el teniente y que me pregunta: ¿quiere que le vendemos los ojos? No, le contesté yo con mucha firmeza. Pues allá usted, me dijo él... Se fue con el pelotón y empezó a dar la orden: preparen, apunten... Órale, Isidro, córrele por las medicinas y regresa pronto para que alcances a oír el final.

Los pasos del muchacho sonaron en el firme de cemento. Su voz, un no me tardo prolongado por el eco en los cuartos vacíos del edificio, resonó en los oídos de Celerina que a medio levantarse, con una mano apoyada en el cajón, volvió lentamente la cabeza y hundió su mirada temerosa en el rostro de don Jesús.

4

En el papel cuadriculado de una libreta abierta frente al ingeniero Zamora aparecieron los primeros trazos: líneas a pulso, un poco temblorosas por los cincuenta y tres años del par de manos hinchadas y velludas que a menudo, durante la conversación, se agitaban innecesariamente como para lucir los tres anillos: dos en la mano izquierda —en el meñique y en el anular— y uno en el meñique de la derecha, con su gran esmeralda engarzada en medio de dos brillantes de tres mil pesos cada uno. Las líneas tomaron la forma de un rectángulo al que el ingeniero Zamora dividió en muchos otros rectángulos, rectificados varias veces y copiados más tarde en otra hoja, limpia, siguiendo la cuadrícula del papel, pero sin poner esmero en que las líneas resultaran rectas, porque no tenía importancia, porque ya en su época de estudiante demostró tener un pulso firme, no como el pulso prematuramente tembloroso de su hijo a quien sorprendió una noche inclinado sobre el restirador de la biblioteca, rascándose la cabeza, apagando la colilla de un cigarro en el cenicero repleto que levantó para irlo a vaciar en el cesto de la basura lleno de papeles arrugados. El ingeniero Zamora no entendía por qué después de tres horas, su hijo (ocho en Estabilidad, nueve en Concreto) seguía sin acertar a distribuir en un terreno de ocho por quince una casa de tres recámaras-cocina-baño-medio baño-sala-comedor-jardín-servicios, ni por qué cambiaba de conversación cuando le sugería que ya fuera pensando en trabajar a su lado para ir haciéndose de conocimientos prácticos que únicamente se obtienen en el terreno, alternando con los albañiles y enfrentándose y resolviendo los múltiples problemas que todos los días se presentan en la construcción de una obra. Es así como se llega a adquirir ese sexto sentido profesional que hace del estudiante o del ingeniero recién recibido un ingeniero en toda la extensión de la palabra; de nada sirven los nueves, los dieces, los ochos y una tesis brillante si el estudiante aventajado no triunfa después en la vida ganándose nueves, dieces y ochos, seguidos de muchos ceros, anotados en una cuenta bancaria, manejados con visión en el complejo mundo de los negocios donde los conocimientos teóricos deberán aunarse a los conocimientos prácticos hasta formar una conciencia de hombre de negocios-ingeniero, o ingeniero-hombre de negocios, como él llegó a serlo gracias a su tesón, valiéndose únicamente de su audacia, porque no tuvo la fortuna de ser hijo de un hombre rico que lo ayudara desde los primeros años de la carrera, sino que a costa de muchos sacrificios personales y tras de muchos contratiempos logró encumbrarse hasta el sexto piso del edificio de Insurgentes, como gerente de la Compañía Inmobiliaria Anáhuac, Sociedad Anónima, que tarde o temprano —uno es viejo, va de salida— pasaría a manos de su único hijo.

Federico arrugó la hoja de papel, arrojó el lápiz contra el restirador, salió de la biblioteca, dejó a su padre pensando por qué, por qué, por qué Federico se portaba así.

Al ingeniero Zamora se debió que la Compañía Inmobiliaria Anáhuac, Sociedad Anónima, adquiriera el terreno de la avenida Cuauhtémoc.

SE VENDE. INFORMAN: TELEFONO 27-92-34.

—Comuníqueme por favor, señorita.

—Con la señora Sáenz viuda de Camarena, de parte del ingeniero Zamora.

—Ella habla.

Terminado el croquis, el mismo ingeniero Zamora lo pasó en limpio por tercera vez. Se lo dio al ingeniero Rosas. El ingeniero Rosas al dibujante. Tres días después el dibujante lo devolvió junto con un anteproyecto, y el ingeniero Rosas se pasó toda una tarde revisándolo. El ingeniero Zamora le dio el visto bueno definitivo. El calculista comenzó a trabajar en el proyecto.

—Si viene por aquí mi hijo, no le vayan a decir nada: es una sorpresa. —Parecía un chiquillo. Con el dedo meñique le picó la barriga a Valentín:

—¿Cuándo va a terminar esos cálculos, Valentín?

—Ya mero, ingeniero.

González entró al despacho y puso la hoja de cartoncillo encima del escritorio.

—Muy bien.

Con las yemas de los dedos, el ingeniero Zamora sacudió suavemente las virutas de la goma de migajón. González encogió el brazo y sin dejar de sonreír se acomodó el lápiz que llevaba en la oreja. El ingeniero Zamora se puso de pie. Contemplándola alejó la hoja de cartoncillo tanto como sus brazos se lo permitieron, y tras de colocarla encima del archivero retrocedió, siempre con la vista puesta en el dibujo, moviendo a uno y otro lado la cabeza. Magnífica acuarela. Muy bien violentado el ángulo de la perspectiva, para darle altura y profundidad al edificio, ¿verdad? Claro. González no olvidó los detalles: el pretil de la azotea, los manguetes de los grandes ventanales, hasta las antenas de televisión y todo lo que es ajeno a la obra pero que indiscutiblemente le da vida a un dibujo: las nubes, el automóvil último modelo en primer plano, el par de árboles, las dos figuras humanas que van cruzando la calle. Muy bien. Ya en la perspectiva la entrada no parecía tan estrecha; fue una buena idea remeterla unos metros para hacer con el cubo de la escalera un cuerpo independiente, homogéneo. Así se hará. Muy bien. No será difícil encontrar inquilinos dispuestos a pagar novecientos ochenta pesos por los departamentos con vista a la calle y ochocientos cincuenta cuando menos por los de atrás. Tienen luz en la mañana y luz en las tardes. Son baratísimos. La distribución es perfecta. Muy buena acuarela, González. Esas jardineras no estaban pensadas pero habrá que ponerlas, alegran el edificio. Parecen departamentos de lujo, verdaderamente. ¿Qué irá a decir Federico?

—Ven, quiero que veas esto. ¿Qué te parece? Me interesa tu opinión.

—Está bien.

—¿Nada más bien a secas?

—Sí, está bien.

—Pues tú vas a dirigir esta obra. Era una sorpresa.

—¿Quién dice?

—Cómo que quién dice. Te lo estoy diciendo yo.

—No me interesa. Yo tengo otros planes —Federico quería trabajar por su cuenta —dijo—. Estaba planeando con De la Garza y otros amigos un despachito. Sólo era cosa de semanas —dijo.

—Si deveras quieres ayudarme, préstame cinco mil pesos para abrirme paso por mí mismo.

En la actualidad son muy pocos los estudiantes que tienen la suerte de ser hijos de un ingeniero-hombre de negocios como el ingeniero Zamora. Cuántos envidiarían la fortuna de poder iniciarse en la profesión dirigiendo una obra de esa categoría y sabiendo que a partir de ese momento el camino hacia la consolidación del éxito profesional estaba trazado y garantizado. En un momento de orgullo mal entendido se dicen tonterías, pero es conocer muy poco la vida obcecarse y despreciar tontamente la ayuda que un padre, no un extraño, le ofrece a su hijo; es faltar al cuarto mandamiento y equivale a renegar de los sacrificios que desde los primeros años tuvo que hacer el padre para rodear al hijo de comodidades sin pensar en su costo, sin exigir agradecimiento de ninguna especie. El hijo lo comprende ya muy tarde: cuando llega a hombre y forma un hogar y tiene un hijo; hasta entonces entiende los sacrificios del padre y se duele de no poder volver atrás el tiempo para pedirle perdón, para darle las gracias.

—Ya déjame en paz, mamá, estoy harto de sermones.

—Tienes que darte cuenta, Federico.

—En una palabra, Federico, si no aceptas no volverás a recibir un quinto de mí, óyelo bien.

Al llegar a la oficina, el ingeniero Rosas le preguntó:

—¿Por fin quién se va a hacer cargo de la obra, ingeniero?

El ingeniero Zamora recogió del escritorio de la señorita Graciela las dos cartas dirigidas a su nombre y seguido del ingeniero Rosas entró en su despacho. Dejó las cartas en el restirador, caminó hasta el ventanal. Desde allí, con los brazos cruzados, de cara a la ciudad, escuchó nuevamente la pregunta del ingeniero Rosas.

Qué gran satisfacción es llegar a viejo y poder recordar con orgullo el curso de una vida de esfuerzos coronada al fin por el éxito que significa ser el gerente de una compañía inmobiliaria con cuatro millones y medio de capital, una casa en el Pedregal de San Ángel, una casa de descanso en Cuernavaca, tres automóviles, una buena esposa, abnegada, y un hijo que a partir de la semana próxima comenzará a dirigir su primera obra de ingeniería: un edificio de departamentos en la avenida Cuauhtémoc, casi esquina con Concepción Béistegui.

Desde que entraron en la Universidad, De la Garza fue el mejor amigo de Federico. De la Garza lo ayudó a escapar de las novatadas; gracias a De la Garza no lo tuzaron, ni lo echaron a la alberca. Por sólo doscientos pesos De la Garza le consiguió un diploma de perro, y lo único que entonces tuvo que hacer Federico fue ir a raparse a la peluquería, comprarse una gorra vasca, fingir delante de sus compañeros. Por otros doscientos cincuenta pesos De la Garza le consiguió resueltos todos los problemas de la clase de Estática, y por trescientos veinticinco las ciento y tantas integrales del Woods and Bailey. Y el «préstame tus apuntes, De la Garza, tú eres mi salvación» de cada año, y los consejos que no se pagan con nada, y las movidas para meterlo por las puertas de atrás de la rectoría para que Federico pudiera pagar la colegiatura o arreglar cualquier asunto sin necesidad de hacer cola. A nadie le debía tanto como a De la Garza. ¡Claro que ponemos ese despa chito, cómo de que no, por la lana tú no te apures, dile a los demás! Hasta ese día, De la Garza fue su mejor amigo:

—Tienes muy poca madre, no te estábamos pidiendo prestado; era un negocio como cualquier negocio... Ya no alegues, eres un pobre diablo que nunca supo lo que es tener que partirse el lomo como una bestia para ganarse unos cuantos centavos y poder seguir estudiando. A ti todo te lo han dado mascado, pinche hijo único. Estiras la mano y ahí está tu papacito llenándote el buche para que su hijito no se esfuerce, no sea que le vaya a hacer mal. Te faltan güevos para fajarte los pantalones y cumplir con tus compromisos. Ya no necesitamos de ti, no te hagas el indispensable; tu lana sólo nos sirve para limpiarnos, métetela por el culo. Ojalá supieras lo que es hacer una carrera con trabajos; lo que es ir a clases con el estómago vacío sabiendo que tú te acabas de desayunar tus huevos con jamón y tu bistezote. Y todavía tenías el descaro de venir chillando a pedirme unos apuntes. Entonces, claro, grandes cuates. Pero apenas llega la hora de corresponder, al diablo la amistad, ¿verdad? Vete mucho a la fregada y deja las disculpas para el zonzo que te las crea. A mí no me vas a volver a ver la cara de pendejo, hijo de tu puta madre.

El primer camión que llega para recoger cascajo. El insoportable olor de los albañiles. El maestro Álvarez sabelotodo.

—¿Por dónde empezamos, ingeniero? ¿De aquí para allá, o de allá para acá?

—De allá para acá.

—¿No se le hace que es mejor al revés? Para que vayamos acarreando la tierra para el fondo y los plomeros puedan apurarse con la toma de agua.

—Es igual.

—No ingeniero, no es igual, fíjese usted, así como le digo nos vamos más rápido. Además de que todavía nos falta desyerbar todo lo de atrás.

—Bueno, comiencen así.

—Como usted ordene, ingeniero.

Álvarez se paraba con las piernas abiertas. No sacaba las manos de las bolsas de la chamarra ni se quitaba el sombrero cundo llegaba Federico. Siempre masticaba algo: un chicle, el tallo de una planta, un pedazo de madera. De cuándo en cuándo carraspeaba y escupía hacia el frente, sin moverse. La bola de saliva caía muy cerca de los pies de Federico.

—Perdone, ingeniero.

Federico giró en redondo y caminó en dirección al pequeño cuarto de tabique y tablas que se alzaba solitario en el solar. Una gran lámina de cartón, a modo de puerta provisional, cerraba la entrada. Al retirarla, Federico vio en la penumbra a un hombre sentado en el suelo, con las piernas cruzadas por delante y la cabeza reclinada en un cajón, roncando.

—Como usted no llegó ayer y no había órdenes, quise adelantar y puse a la gente a que levantara la bodega. Todavía falta la puerta y su candado.

El hombre se despertó. Tendió los brazos hacia el frente, hacia arriba, hacia el frente otra vez. Volvió la cabeza: una cicatriz le bajaba hasta la ceja derecha, y cuando sonrió por primera vez se le vieron los dos únicos dientes, amarillos, inútiles. Volvió a sonreír, ya de pie, y con el dorso de la mano se limpió el hilo de saliva que empezaba a gotearle en la camisa. Cojeando avanzó hacia Federico.

—Es don Jesús, el velador.

—Muy buenos días, ingeniero.

Federico sintió los dedos pegajosos de una mano que lo apretaba, y en cuanto pudo retiró la suya bruscamente.

—Me permití cogerlo, ingeniero, porque sé que es gente de fiar. Anoche ya se quedó cuidando la herramienta y va usted a ver cómo no va a tener nada que sentir del viejo. ¿Verdad, tú?

—Seguro, ingeniero. Nomás me da lo que sea para comer; ahi cualquier cosa, lo que sea su voluntad.

—Es un buen velador —insistió Álvarez. Lo dijo aquella vez, porque lo pensaba, porque lo sentía, y lo volvía a decir ahora delante del hombre de la corbata a rayas porque lo seguía pensando y sintiendo—. Era un buen velador.

Los buenos veladores no se dan en maceta ni se encuentran a la vuelta de una esquina. Que sean honrados, responsables de sus obligaciones y que no quieran ganar un dineral, hay pocos y no andan en la calle de obra en obra buscando chamba, la tienen ya en una fábrica o están contratados de por vida por una constructora. Es una suerte encontrar a un velador que valga la pena. Y don Jesús —Dios lo haya perdonado— lo era. De qué otro modo iba a explicarse si no que Álvarez lo llamara siendo que Álvarez era el maestro de confianza del ingeniero Zamora y al escoger un velador se jugaba no sólo su prestigio de buen maestro, sino el pan de su familia. Desde luego un hombre puede cambiar y de honrado convertirse, por causas que nunca se saben bien a bien, en un pillo; pero a todos les consta que don Jesús, además de honrado —con sus vicios, claro, no hay hombre perfecto —era simpático, de sangre liviana con los albañiles: y eso es muy importante porque si un velador la lleva mal con la gente de la obra, la gente no rinde lo mismo y en consecuencia la obra no marcha como Alvarez estaba acostumbrado a que marcharan todas las obras del ingeniero Zamora. Lo cierto era eso: don Jesús era de fiar cuando empezó a trabajar en Cuauhtémoc, y para Álvarez lo fue hasta que lo mataron. En lo personal no compartía la opinión, muy valiosa si se quiere, de que el velador se convirtió en un pillo; pero tampoco quería decir —déjeme hablar, por favor— que el hijo del ingeniero Zamora mintiera adrede. Lo único que sí le interesaba dejar claro era un punto muy importante para defender su prestigio: él contrató a don Jesús, pero el hijo del ingeniero Zamora dijo «está bueno, que se quede», y salvo una ocasión en que el ingeniero Zamora discutió con él, nunca más se volvió a hablar del asunto. En esa ocasión lo único que Álvarez hizo fue poner en alto la honorabilidad del viejo, y aunque ahora reconocía que el ingeniero aceptó de mala gana la permanencia del velador en la obra, constaba por declaración expresa del propio ingeniero que éste cejó en su empeño no porque Álvarez lo forzara, ni porque Álvarez hiciera presión, sino seguramente porque el ingeniero consideró que correr a don Jesús era tanto como desconocerle autoridad a su hijo, cosa que le importaba por encima de todo. Que el hombre de la corbata a rayas escribiera, pues, que Álvarez no tenía ninguna responsabilidad si por las averiguaciones se descubría que don Jesús era un redomado pillo. Álvarez se resistía a creerlo. Don Jesús era incapaz de robar una cartera. O bueno, sí lo era, pero ya se trataba entonces de un don Jesús distinto al que él llamó a la obra. En lo relacionado a los escándalos con Isidro, con Sergio García y su hermana, la tal Celerina, nada podía declarar porque nada sabía. El era maestro de obras, no niñera; daba órdenes dentro del trabajo y para cosas del trabajo, pero nada más. Si afuera de la obra hubo algún lío que más tarde dio origen al crimen, él se lavaba las manos. Todo estaba dicho ya. No sospechaba de ninguno de sus trabajadores.

Jacinto no, Patotas no, Isidro menos; desde luego, el hijo del ingeniero Zamora tampoco: Patotas hablaba por hablar. Y de Sergio García era muy poco lo que sabía, prefería no hablar: lo apodaban el Cura, sí; era muy apretado; odiaba a todos los albañiles, incluyendo a Álvarez y, desde luego, a don Jesús. Tipo raro. No metería la mano en la lumbre por él. Por los demás, puede. Por Sergio García, alias el Cura, nunca.

Mientras Álvarez hablaba, el hombre de la corbata a rayas escribía las dos iniciales en una solitaria hoja de papel. Primero en el ángulo inferior izquierdo, repasando varias veces la pequeña letra S, retorciendo las dos terminales hasta formar con ellas dos semicírculos, dos ganchos que llegaban a unirse a la G para dar origen a una extraña figura encerrada después dentro de una circunferencia perfecta que el hombre de la corbata a rayas rellenaba con líneas verticales, horizontales, diagonales, con círculos concéntricos. Y rellena ya la figura, del tamaño de una moneda de veinte centavos, repetía arriba de ella el mismo par de letras, más grandes cada vez, más gruesas. S G, S G, S G. Todo el papel lleno con las iniciales, mientras el hijo del ingeniero Zamora —rígido, serio, grave, importante— trataba de recordar —decía— algún detalle que pudiera ser útil en el esclarecimiento de los hechos. No era fácil porque quién conoce cómo son verdaderamente los albañiles fuera de la obra, quién puede medir la gravedad de los problemas que surgen entre ellos dentro de la obra y de los que uno apenas si se entera. Sólo por casualidad se oye decir algo significativo, se escucha un rumor, pero son tantos los rumores y son los albañiles gente tan poco importante, tan mitoteros, que no se le puede dar importancia a lo que hacen o dicen a menos que lo que hacen o dicen tenga que ver directamente con su trabajo. Además. en los tres meses en que Federico se desentendió de la obra pudieron suceder muchas cosas importantes por lo que toca al crimen. Podía dar, eso sí, sus puntos de vista sobre los albañiles, pero eran muy generales: no hay peor gentes que los albañiles y / —Federico se interrumpió. Se mordió los labios. No debo perder la serenidad, pensó, debo seguir como al principio: rígido, serio, grave, importante—. Los campesinos, los auténticos campesinos, son muy diferentes: alternó con ellos cuando hizo sus prácticas de topografía, en el sur de la República, por eso podía asegurar que son gente buena, gente que no está maleada y que sobre todo no padece ese complejo de desadaptación tan característico de quienes dejan su pueblo, su pedazo de tierra, y se vienen a la capital deslumbrados por lo que oyen decir o impelidos por la necesidad. La ambición que produce el deslumbramiento y la necesidad de ganar más dinero son los dos móviles de su éxodo. La realidad que encuentran en la capital es totalmente opuesta a la que habían imaginado. Viene entonces el desengaño y la frustración. Sería muy interesante —¿no le parece?— que los especialistas abordaran el problema. A cualquiera le interesaría leer una psicología del albañil —¿a usted no?—, un estudio serio que explicara cómo tras el desengaño se vuelven hipócritas y desleales. Es natural que se odien entre ellos mismos porque como en un espejo, cada albañil ve reflejado en su compañero su propia frustración. Por eso lo insulta. Nada más está esperando que el otro pobre se dé la vuelta para pegarle una cuchillada. Y si se piensa un poco se concluye que el muerto se merecía la cuchillada tanto como el asesino. Así son. El problema está en que no hay manera de civilizarlos porque cualquier cosa que una gente decente les dice la toman como desprecio: no aceptan consejos. Por ejemplo, los enfurece ver que un ingeniero recién recibido y mucho más joven que ellos sepa más. No les cabe en la cabeza, no lo entienden, y tratan de vengarse a toda costa recurriendo al saboteo de la obra, a no cumplir las órdenes, a hacer las cosas al revés; incluso hasta ponerle un apodo al ingeniero, como si con ese apodo insultaran a toda la sociedad. Nada tiene de raro, entonces, que al suceder crímenes como el de don Jesús, un pobre albañil que ni siquiera sabe escribir su nombre tenga la ocurrencia irrisoria de gritar que el ingeniero es el asesino. Se comprende. No hay siquiera por qué ofenderse.

En una segunda hoja de papel volvieron a aparecer las iniciales: S G.

Federico encendió un cigarro y arrojó el humo de la primera fumada lentamente. Sonreía. Todo está saliendo muy bien. El hombre de la corbata a rayas tenía delante a un joven ingeniero, inteligente, capaz de ver las cosas con serenidad; muy centrado en sus ideas, además, muy seguro de sí mismo y, sobre todo, radicalmente opuesto a esa figura del Nene que se cae en una cepa y que no sabe dar una orden. Cualquier otra persona que no fuera Federico se habría dejado llevar por la ira, y con razón. Federico no porque entendía cuál era el verdadero problema de fondo, porque tenía intuición social. Y en lugar de presentar una demanda o de exigir la retractación pública del Patotas, se mostraba muy comprensivo e incluso aportaba sus conocimientos antropológicos para contribuir a la explicación de los motivos del crimen.

Las circunferencias de humo se disolvieron antes de llegar al techo.

Ahora el hombre de la corbata a rayas se pondría de pie, le estrecharía la mano calurosamente, le empezaría a hablar en otro tono.

Pero el hombre de la corbata a rayas ni siquiera levanto la vista. Dirigió apenas una mirada de soslayo a Federico y señaló golpeando el índice contra la hoja de papel uno de los muchos pares de iniciales:

S G

Sentado en la acera de enfrente jugaba con un niple de cobre: lo arrojaba hacia arriba y sin moverse trataba de atraparlo por detrás de la espalda. Había transcurrido un cuarto de hora desde que la sirvienta salió por segunda vez a la reja y le dijo:

—Que lo espere un ratito, que ahorita viene.

Primero se había puesto a leer la «Lesson five» del tercer tomo del método de inglés de J. Hamilton, pero pronto la luz de la tarde resultó escasa y cerró el libro. Lo guardó en el petaquín de herramientas y sacó el niple de cobre. Cuando Federico abrió la reja se levantó:

—¿Qué quiere?

—Perdóneme que lo moleste a estas horas, ingeniero. pero no quise que pasara de hoy... No le dije nada en la obra porque no me gusta que se hagan malas interpretaciones, usted sabe. Va a pensar que soy un chismoso, ingeniero, pero no es cierto; pude venir mucho antes pero no vine porque todavía tenía esperanzas de encontrar la tarraja: luego las cosas se desaparecen por culpa de uno y es mejor estar seguro antes.

Sonreía para defenderse de la mirada fija de Federico: los zapatos recién boleados, el pantalón de casimir, la hebilla dorada del cinturón con las iniciales S G, el cuello luído de la camisa, el cabello envaselinado, la medallita de plata, los lentes oscuros, gruesos, con un estrellón en el vidrio del ojo izquierdo.

S G apretó el niple que tenía entre las manos y retrocedió. Quedó fuera del haz luminoso que se proyectaba desde la casa.

—¿Y para eso quería verme?

—Pues sí, ingeniero. Don Jesús se hace el que no sabe nada, pero yo le juro a usted que la dejé allí. No es que lo acuse. En realidad Jacinto es el de todo, ya me lo tengo bien fichado, pero como el maestro Álvarez es su cuate entre los dos hacen lo que se les da la gana y ni quien proteste. Y ya son muchas cosas. Primero las pinzas, a los dos días que llegué, en cosa nada más de que fui y volví. Nadie me daba la razón, al contrario, se burlaban. Jacinto con que no, cuando que yo lo vi agarrándolas hacía un ratito y no le dije nada porque todavía no me lo calaba. Pero bueno, lo de las pinzas pasa, no valen tanto. La tarraja ya es otra cosa, ingeniero... y el material, en lo que a usted le toca. Nada más póngase a hacer cuentas y a revisar y verá que no le miento: estos tipos están acarreando con todo poco a poquito: hoy un bulto de calhidra, mañana uno de cemento, las conexiones, unos tabiquitos. Ni trabajo les cuesta porque el del camión de materiales es su amigo. Pasado mañana vaya a saber usted qué es lo que se llevan. Yo sé que es feo venir de chismoso, pero si yo no se lo digo, quién. Hasta creo que hice mal en callarme tanto tiempo, porque por discreto ahora me volaron la tarraja. Ahí sí ya no.

S G se guardó el niple en la bolsa del pantalón.

—Es la pura verdad, ingeniero: todos saben muy bien que Jacinto y el maestro Álvarez están acarreando el material aprovechando que el velador es medio zafado; o en combinación con él; nada raro se me haría que don Jesús anduviera también en esas sinvergüenzadas. Los demás se quedan callados porque les conviene, pero yo no soy de sus mantenidos y eso es lo que les da coraje. No me importan las burlas, pero ahora sí que si no vengo a verlo a usted va a llegar el día en que no voy a tener ni herramienta ni material para trabajar.

—¡Y qué quiere que haga!

—Pues que intervenga, ingeniero, y que los obligue a que me devuelvan mi tarraja. Es de ley. Y ya le digo que no sólo vine por lo mío sino para prevenirlo a usted también.

—Compre otra tarraja y déjese de chismes. A mí no me gusta que vengan a meterme en líos de viejas de vecindad.

—Le digo que no es sólo por lo que a mí me toca.

—Atienda mejor a sus cosas. O si no está contento, váyase, lo que sobran son albañiles.

—Yo soy plomero, ingeniero.

—¡Bueno, pues plomeros! ¡Sobran plomeros!

—Sí sí, estoy contento con el trabajo, usted no me entiende; pero sin la tarraja no puedo hacer nada.

—Cómprese otra.

—Son más de quinientos pesos.

—Entonces lárguese.

S G movió la cabeza de un lado a otro y al sonreír despectivamente mostró la hilera blanca de sus dientes. Permaneció inmóvil, sin quitar la vista de Federico. Todavía sonreía cuando dijo:

—Olvídelo pues, ingeniero, ya veré qué hago. De todos modos muchas gracias.

Indudablemente el hombre de la corbata a rayas sospechaba de Sergio García. Álvarez y los albañiles interrogados uno por uno, no necesitaron ponerse de acuerdo para obligarlo a reconsiderar sus primeras suposiciones y hacer recaer la sospecha de asesinato en el joven plomero que mordiéndose los labios, aquella tarde, se perdió en la penumbra del Pedregal de San Ángel: la cabeza inclinada hacia adelante, el petaquín de herramientas en la mano izquierda, el brillo de su cabello envaselinado. Al día siguiente llegó a la obra como si nada hubiera pasado y nunca más volvió a hablar de la tarraja, ni nunca tampoco se atrevió Federico a investigar si realmente los albañiles se llevaban el material de la obra: por miedo a no mantener durante el tiempo que durara la discusión el gesto duro delante de Álvarez, de Jacinto, del ingeniero Rosas y de su padre, pero sobre todo por temor a que éste le preguntara por la libreta de control y los acuses de recibo que Federico guardó en quién sabe qué cuadernos y libros dejados por aquí o por allá. Sin pruebas fehacientes y con sólo el plomero de testigo, la acusación resultaría contraproducente porque pondría en evidencia su incapacidad para dirigir una obra y daría lugar a un sermón insoportable semejante al de la otra noche; él de cara al restirador, tronándose los dedos, sintiendo la mano de su padre apretarse en su hombro, y huyendo de esa voz familiar que lo instaba a comprender que por encima de las recriminaciones existía la constante preocupación de un hombre de experiencia por ayudarlo a dar los primeros pasos en el ejercicio profesional. La mano se apartaba de su hombro sin haber logrado que Federico volviera la cabeza para decir: «está bien, papá, todo lo voy a hacer como tú quieras».

Federico no volvió la cara cuando su padre terminó de hablar.

—Lo que menos he querido es entrometerme en tu trabajo. Ni entrometerme yo, tal y como te lo prometí, ni dejar que el ingeniero Rosas se entrometa. La mejor prueba la tienes en lo del velador. No necesitabas conocerlo de antes para intuir que a esas personas nunca se les debe dar trabajo. Ese don Jesús es un viejo alcohólico, hijo, está loco, yo ya lo conozco. Pero muy bien, tú lo admitiste y yo no dije nada porque ante todo respeto tus decisiones como si fueran mías. A eso me refiero. Y con esa misma confianza con que yo te hablo quiero que me digas qué es lo que piensas, para darte yo una explicación, si la hay, y no vayas a formarte ideas equivocadas; por el bien de la obra y por el bien tuyo, Federico. Si tienes problemas con Álvarez o con algún albañil, si hay una dificultad, si tienes una duda que no sepas resolver, háblame. Es mejor que yo sepa las cosas antes a que quedes en ridículo delante de la gente, ¿me entiendes? Para mí es muy molesto enterarme por otro conducto y que Álvarez venga a decirme que diste mal una orden o que no las das y por tu culpa no llega la arena y hay tres albañiles parados.

Después, las frases amables: nada más te tengo a ti, nunca te he negado nada, tus caprichos son órdenes.

Aun en el caso de que Sergio García tuviera razón, era mejor dejar las cosas como estaban. Total, qué tanto podían llevarse, ¿tres, cinco, diez bultos de cemento?, ¿quinientos tabiques? Lo de la tarraja podía ser una mentira preparada por el plomero para armar un escándalo. A Federico no le convenían los escándalos.

Que hagan lo que quieran. Digan lo que les dé la gana. Yo no volveré a poner un pie en la obra. Váyanse todos al demonio.

—¿Cuántas varillas, ingeniero?

—Cuatro.

—¿Está seguro? Por qué no habla por teléfono o se trae los planos. No la vayamos a meter.

—¡Dije cuatro, Álvarez!

No podía dormir. Cuatro varillas, seis varillas, ocho varillas. Vuelta y vuelta en la cama sumando, restando, separando las cobijas, volviéndolas a acomodar, poniéndose de rodillas para ablandar la almohada; bocabajo, bocarriba; de pie en el cuarto, caminando, acostado otra vez confiado en que no iba a suceder nada porque el concreto nunca falla; estarían cimbradas ya, o no lo estarían y aún sería tiempo. Vuelta y vuelta en la cama sumando, restando, separando las cobijas.

Cuando Federico llegó a la obra, su padre discutía con Álvarez y Jacinto.

—Nosotros no hacemos más que cumplir órdenes. Por qué íbamos a obrar por nuestra cuenta nada más así.

—¡Por imbéciles!

—Usted nos conoce bien, ingeniero.

—Ahora sé que son un par de inútiles... ¿Es que ni siquiera una cosa tan de sentido común les entra en la cabeza?

—Ya le digo que su hijo dio la orden. A mí me extrañó y hasta le volví a preguntar.

—No nos quiera cargar el muertito así porque sí.

—Espérate tú... Le pregunté si eso es lo que decían los planos, ingeniero.

—Ni a un machetero recién bajado del cerro se le ocurre.

—Usted no nos cree, pero su hijo /

—¿Qué tiene en la cabeza, Álvarez? ¿Piedras?

—Pregúntele pues; órale.

Federico avanzó. Hasta ese momento lo vio el ingeniero Zamora.

Don Jesús salió de la bodega acompañado de Isidro. Caminaron hasta la primera columna, desde donde los albañiles escuchaban.

—Ahorita mismo me descimbra esas columnas. Y no cuente con la raya del sábado —se volvió hacia Federico hasta quedar de espaldas a Jacinto y a Álvarez. Jacinto se adelantó y le tocó el brazo.

—Pregúntele a su hijo.

—¿Ya viste lo que hicieron?... No se les puede dejar solos.

—¿No es cierto que usted dio la orden, joven?

—Si hubieras venido ayer no habría pasado esto.

—¡Pero si aquí estuvo hasta que empezamos a doblar las varillas!

—¿Qué pasó? Todavía no entiendo.

—Perdieron todo el día armando las columnas como se les antojó.

—Explíquelo a su papá, joven. Usted le dijo al Chapo que iban de a cuatro.

—¿Qué yo dije qué?

—¡Quítese de aquí!

—Que usted dijo que iban de a cuatro, con estribos a cada cincuenta.

—¡¿No me oyó?! —volvió a gritar el ingeniero Zamora dando un empujón a Jacinto. Jacinto estuvo a punto de caer, pero Álvarez lo detuvo a tiempo. Se soltó del brazo de Álvarez para avanzar, colérico

—¡No lo niegue, joven!

—Yo no di ninguna orden.

—Aquí está el maestro y aquí estoy yo, y están todos los demás que lo oyeron.

—Ya párale, Jacinto.

—Que lo digan los otros, ingeniero.

—¡Sácalo!

Álvarez obedeció obligando a Jacinto a retroceder, pero sin quitar la vista de Federico, quien bajó los ojos y los dirigió después hacia la bodega como invitando a su padre a que mirara hacia allá.

—Ya me trajeron todo el cemento.

El ingeniero Zamora no dejaba de mirar las columnas cimbradas.

—Desde luego tú no diste esa orden, ¿verdad?

—Cómo crees.

Humberto, Marcial y Patotas comenzaron a desclavar los travesaños mientras Álvarez gritaba: —Muévanse, muévanse.

Federico y el ingeniero Zamora caminaron lentamente en dirección a la calle, sin hablar. Al llegar a la banqueta el ingeniero Zamora cogió a su hijo de un brazo.

—¿Por qué no me cuentas las cosas?

—¿Qué cosas?

—Lo que pasa en la obra. Esto.

—No sé de qué me hablas.

—Ya te he dicho muchas veces que hay que estar sobre los albañiles y no dar ninguna orden hasta no estar completamente seguro.

—¿Entonces piensas / Un momento, papá, ¿en serio crees que yo cometí esa tarugada?

—Solamente te estoy diciendo que me cuentes las cosas.

—Pues aunque no lo creas no soy tan bestia. Y ahorita mismo si quieres voy a obligar a que Álvarez reconozca /

—Deja las cosas como están.

—¡No señor! —gritó Federico—. Tú le crees más a Jacinto que a mí, pero te juro que yo no vine ayer. Te avisé.

—No me avisaste nada.

—Te dejé un recado en la oficina, papá.

—Qué ganas con mentir.

—¡Es la verdad!

—Está bien... Ahora es problema tuyo volver a ganarte su confianza, si es que te la han dado alguna vez.

—Te da gusto, ¿eh? Piensas que soy un mentiroso.

—No pienso nada —el ingeniero Zamora abrió la portezuela de su automóvil.

—¡Pues yo sí! —gritó Federico apretando los puños—. No creas que no sé que andas con la puta que te vendió el terreno.

El ingeniero Zamora puso el motor en marcha y arrancó. Cuando el automóvil llegó a la esquina, Federico se pasó las manos por la cabeza metiendo los dedos entre el pelo. Al volverse hacia el terreno se encontró con la mirada vidriosa de don Jesús.

Huyó de esa mirada. Huyó del edificio. Huyó de los albañiles. Huyó de su padre. En Guadalajara o en Monterrey encontraría trabajo en cualquier despacho de ingenieros. Pero pasaron tres meses.

—La obra sigue siendo tuya, Federico. Puedes regresar cuando quieras.

La noticia circuló entre los albañiles.

—El Nene va a venir otra vez.

—No es cierto.

—¿A poco?

Don Jesús enseñaba sus dos dientes y estiraba la palma abierta de su mano temblorosa:

—Ahi lo que sea su voluntad, ingeniero; présteme aunque sea para las medicinas.

Tuvo que dejar la obra porque decidió dedicar todo su tiempo a una tesis profesional: un estudio muy laborioso sobre cascarones del que sería inútil hablarle al hombre de la corbata a rayas porque era un asunto muy técnico. En tres meses no trabajó más que en eso, y no podía saber si en esos tres meses ocurrió alguna dificultad seria entre don Jesús y Sergio García que sirviera ahora como base para apoyar cargos concretos contra el plomero. Estaba enterado de que los albañiles chuleaban a la hermana de Sergio García, pero ninguna vez, ni antes ni después de los tres meses, vio a don Jesús acercarse a la muchacha. Además no era lógico que Sergio García descargara sus celos de hermano en un pobre viejo que a lo que más llegaba era a decir dos o tres cosas de viejo rabo verde y se acabó; a mucho más se atrevían Jacinto y Patotas, y Sergio García no saltó el día en que encontró a Patotas cogiéndole las trenzas a Celerina, mientras Celerina le tiraba una patada y corría hacia la calle. Pudo ser que como Sergio García era corto de vista no se dio cuenta, o también que estando Federico presente no se atrevió a armar un escándalo y se guardó el coraje para otra ocasión mejor. De cualquier modo fue don Jesús y no Patotas el que amaneció muerto, y por la saña con que fue cometido el crimen había que ir retirando las sospechas contra el plomero y pensar en cualquier otro albañil que tuviera más razones para matar al velador. Al fin de cuentas Sergio García era un trabajador serio. Tenía educación. Tenía cultura. Estudiaba inglés en las tardes. Estuvo en un seminario. ¿Por qué no interrogar a Patotas, o a Jacinto? Federico —rígido, serio, grave, importante— podía con mucho gusto seguir hablando todo el día, pero con perdón del hombre de la corbata a rayas consideraba equivocada la manera como se estaba llevando a cabo la investigación.

—¿De qué más quiere que le hable?

—Dijo usted que durante tres meses dejó de dirigir la obra.

—Sí, para preparar mi tesis.

—¿Muy a su pesar?

Más bien con remordimientos de conciencia porque su padre se sentía viejo y necesitaba de él. En la compañía no había gente capaz. El ingeniero Rosas y el ingeniero Gustavo Gil no eran profesionales graduados. El ingeniero Rosas sólo estudió tres años en la universidad y el ingeniero Gil era uno de tantos prácticos que jamás han abierto un libro y que ni siquiera saben lo que es una integral. Desde luego son gente útil, pero una Compañía como la Compañía Inmobiliaria Anáhuac, Sociedad Anónima, necesita de ingenieros que estén al día en nuevos procedimientos de construcción, en nuevas teorías de elasticidad, en todo lo que a adelantos técnicos se refiera. Y no por nada, pero Federico era el único que podía sacar a flote a la Compañía. Sin embargo, necesitaba terminar su tesis y así se lo dijo a su padre cuando su padre le rogó que se hiciera cargo del edificio que querían construir. En ese tiempo Federico tenía otras proposiciones: un grupo de amigos, muy jóvenes y sin mucho sentido de la profesión, pero con urgencia de trabajar, le pidieron que los encabezara: querían abrir un despacho de ingeniería. Por otro lado, uno de sus maestros le propuso ir a dirigir la construcción de la presa «El pocito", sobre la corriente del río Tamarindo, afluente del Coatzacoalcos: obra importante que llamaría la atención por su gran cortina en arco de gravedad. Desechó ambas proposiciones y aceptó colaborar con su padre porque, después de todo era su padre, y... —usted entiende— dijo Federico abriendo los brazos con el ademán de quien se sacrifica.

Si más tarde abandonó la obra durante tres meses fue porque organizó a los albañiles en tal forma, y en tal forma encarriló los trabajos que de allí en adelante el edificio podría levantarse solo. Terminaría su tesis, prepararía su examen profesional, recibiría su título. Pero no marcharon las cosas como él esperaba. Su padre no le dijo nada, pero lo leyó en sus ojos: la obra andaba mal, todo era un desorden. ¿Por qué no vuelves, Federico?

—El trabajo sigue siendo tuyo.

¿Qué se puede hacer en esos casos?: sacrificarse.

—No te preocupes, papá, yo me encargo.

Federico se puso en pie.

—¿Está claro ahora?

Regresó por eso. Era increíble lo atrasada que iba la obra. El ingeniero Rosas no supo manejar a los albañiles, no pudo meter en cintura a Álvarez; en sus narices desapareció medio millar de azulejos. Disculpas, pretextos, mentiras. Como siempre. Pero Federico estaba de regreso. Ahora todos iban a trabajar. Tuvo que ser muy enérgico y por eso los albañiles, resentidos, tergiversaban la realidad tratando de sorprender al hombre de la corbata a rayas. Les dolió que los tratara con mano de hierro.

—Que quede claro, no lo digo por odio.

No aborrecía al muerto tendido en el piso de mosaico del hospital Juárez; levantado después por uno de los mozos que se hace ayudar de otro para echárselo al hombro como un costal. Jadeando, el mozo primero cruza la sala y llega hasta donde está el médico legista rodeado del grupo de estudiantes que han ido a aprender cómo se clava el bisturí en el cadáver 48 de la mesa número cuatro donde el mozo primero colocó a don Jesús. La mano presiona el bisturí y el bisturí la piel. Una línea recta, de sangre, se dibuja en el cadáver mientras un estudiante somnoliento cree ver en el rostro amoratado del viejo la misma mueca de dolor que sacudió a Federico cuando don Jesús volvía en sí del ataque y limpiándose la baba comenzaba a decir que los maestros de obras y los ingenieros y los hijos de los ingenieros le hacían los mandados. A quién se le ocurre ir a esas horas a la obra. ¿No oyó lo que cuentan los albañiles? Era culpa suya no hacerles caso, ingenierito imbécil; mala suerte o buena suerte —según y cómo se miren las cosas— tuvo Federico de no encontrarlo con Isidro. Cualquier otra noche de la semana pasada, al acercarse a la bodega, hubiera podido oir los gemidos de Isidro y la voz del velador repitiendo el nombre del peón de quince años: tiernito tiernito. Mejor todavía: ayer la Celerina estuvo allí, detrás de esa puerta, secándole el sudor con su pañuelo blanco; muy asustada la pobre escuincla porque nunca pensó que don Jesús se fuera a poner así de malo: dónde que no regresa Isidro y que no hay ningún albañil que vaya corriendo a la caseta o al restorán Don Cuco para llamar por teléfono a la Cruz. Ella quiso ir, pero don Jesús la detuvo. Se le pasaba ya, poco a poco, gracias a ella enviada por Dios como un ángel, uno más de los miles de ángeles que envió cuando lo iban a fusilar o cuando los endemoniados lo acorralaron en la barranca, o cuando tantas veces lo quisieron matar. Pero ningún ángel tan bonito como ella, con esos ojos, con ese pelo trenzado tan negro, con esas manos tan suaves tan suaves que nada más con sentirlas a través del pañuelo blanco le quitaban el dolor y le devolvían la vida —¡qué rete tarde y no regresa Isidro!— Fue ayer. Y ahora el que llegaba era el Nene. ¿A poco le gustaba? No, iba a recontar el material, ingenierito estúpido, para eso traía la lámpara. Sólo a Federico se le podía ocurrir hacer un recuento de material en la noche. Formular una lista completa que a la mañana siguiente entregaría a su padre para demostrarle que tenía las cuentas en orden y para que así su padre se convenciera de la competencia de Federico como ingeniero residente y buen administrador, pero también para que los calculistas de la Compañía pudieran elaborar, con los datos aportados por Federico, un presupuesto final de la obra que sería examinado en sesión de Consejo el día último de mes a las once de la mañana. Urgía. Por eso necesitaba hacer el recuento. Hacerlo de noche. Durante el día, con todos los albañiles enfrente, con Álvarez observándolo, no podía ponerse a contar tabique por tabique, ni medir distancias para calcular cuántos metros cuadrados tendría que pagarles a los yeseros, ni dibujar un croquis con las modificaciones para establecer la diferencia entre el material proyectado y el material puesto realmente en la obra a partir del sexto mes: porque durante su estancia el ingeniero Rosas rindió un informe exacto, exageradamente minucioso, que su padre le mostró después, varias veces, diciéndole que era así como Federico debería llevar el control de la obra ahora que regresaba a hacerse cargo. No iban a recordar la primera época, llena de dificultades y de disgustos; desde el momento en que su hijo tomó conciencia, le pidió perdón y con toda su alma fue perdonado por él —cómo iba a sentir rencor si Federico era su único hijo y deseaba verlo triunfar—, todo quedó olvidado. Rosas se encargó de poner al corriente la memoria de la obra. Con muy buena letra, en hojas numeradas, redactó un informe que después de pasado a máquina por la secretaria hacía fácilmente localizable cualquier dato de cualquier renglón relativo a

metros cuadrados
cantidades de material
costo unitario de material
mano de obra

de todo lo hecho a partir de los primeros trabajos (limpia de terreno, excavaciones, cimentación, etcétera) hasta el momento en que Federico volvió a figurar como residente. Un resumen completísimo acompañado del calendario de la obra —el proyectado y el real— y de los trabajos parciales, semana por semana. Quién sabe qué método siguió Rosas para elaborar ese resumen que destacaba, en uno de sus capítulos, lo referente a las cantidades de material faltante, sustraídas sin duda alguna por los albañiles. Son cifras astronómicas —dijo Rosas (pedante cabrón)— que ameritan una investigación. No la quiso ordenar el ingeniero Zamora para no hacer público el descuido de su hijo. El pondría dinero para absorber las pérdidas, pero que sirviera de lección a Federico. Federico prometió tener al día la libreta de campo, vigilar a los albañiles, llevar un registro de material, calcular diariamente las cantidades de obra y presentar cada semana, junto con las listas de raya, un informe de los trabajos realizados. Si todo se lleva en orden desde el principio —y haremos de cuenta que tú comienzas a trabajar— no sólo resulta más fácil el trabajo, sino que en cualquier momento, mediante una simple operación aritmética, se puede determinar lo que se lleva gastado ¿Entendido? Federico contestó que sí y prometió hacer las cosas como su padre le aconsejaba. Sencillísimo. Pero no lo hizo. Le faltó orden, método, constancia, costumbre, paciencia, interés. Un día olvidó la libreta, otro día no fue a la obra, otro día tenía prisa; dejó pasar una semana; dijo después lo hago, porque en ese momento los albañiles lo observaban, desgraciados hijos del mal dormir no dejan trabajar, quién sabe cómo lo miraban y qué cosas estarían murmurando por lo bajo, ¡así no se puede! Y cuando su padre le preguntaba —no tenía por qué saberlo el hombre de la corbata a rayas—, Federico contestaba que todo marchaba perfectamente, que la libreta estaba al día.

Cerraba la puerta, regresaba a su cuarto pensando, resolviéndose a no dejar pasar otra semana sin poner en orden la libreta siguiendo el método de calcular las superficies y multiplicarlas por las cantidades de material que entra en cada medida unitaria; después contar las piezas o los volúmenes de material existente y restarlos del material recibido, con un coeficiente de desperdicio. La cifra resultante deberá coincidir con las cantidades de obra determinadas por él. Era muy sencillo hacerlo con el mosaico, con la piedra, con el azulejo y con las losetas de la entrada, pero no con el cemento, la cal, la arena, el yeso, porque entonces el cálculo debía basarse en las proporciones empleadas para hacer la mezcla de los aplanados o de los firmes y él no estaba seguro de los tantos de arena que entraban por cada bulto de cemento, ni tampoco de qué cantidad de revoltura —suponiendo que encontrara un método para determinar la proporción de sus componentes— se utilizaba por cada metro cuadrado de mosaico. En el informe del ingeniero Rosas se daba el punto por conocido, y no lo encontró en sus apuntes de clase, ni en el cuaderno de procedimientos de construcción número uno, ni en el cuaderno de procedimientos de construcción número dos; decidió entonces a su buen entender fijar una cifra que supuso bastante próxima a la realidad y que lo llevaría a resultados aproximados pero válidos, suficientes para reconstruir los datos de cada semana en su libreta de campo y hacerle creer a su padre que esas eran las cifras exactas. Todo, antes que consultarle a él sus dudas o preguntarle al maestro Álvarez. Sin embargo, primero necesitaba ir a la obra a medir y a contar distancias y cantidades de material. Tal vez don Jesús —si le ofrecía algunos pesos— lo ayudara. Aunque corría el peligro de que el viejo loco lo traicionara y al día siguiente dijera a los albañiles que el ingenierito estúpido llegó en la noche a contar loseta por loseta, bulto por bulto, mosaico por mosaico. En la noche, je je, porque no se atrevió a hacerlo durante el día por temor a que Álvarez o Jacinto se burlaran al verlo en el papel de pobre imbécil que no sabe calcular a golpe de vista o a pasos la superficie de un cuarto, que necesita tocar con el dedo cada mosaico y utilizar el metro para determinar cualquier distancia; por temor a que le preguntaran pues qué está haciendo ingeniero, y él se viera obligado a decirles la verdad, o Álvarez la adivinara, o llegara su padre en ese momento y descubriera que Federico le había mentido una vez más. Por eso mejor en la noche, a escondidas. Que el velador pensara lo que quisiera; a lo mejor veía muy natural que Federico hiciera el recuento. Y si no, ¡qué! Con qué derecho se burlaba don Jesús, con qué derecho se reía. Con el derecho que dan los años, nada más. Y por si no es suficiente, con el derecho del más listo, del que se atrevió a tomarle el pelo, del que nunca le ha tenido miedo a nadie, menos al Nene. Sí señor: el alcohol anima. También anima la mariguana, ¿no quiere un cigarrito? De una vez la verdad: la cartera se la robó él; la tarraja del Cura se la robó él. Y que anotara de una vez en la libreta quince bultos de calhidra que le vendió a un albañil de otra obra. Todavía más.

Federico tenía miedo —no lo podría adivinar el hombre de la corbata a rayas—. El viejo llevaba en la mano un martillo y se acercaba, sin dejar de hablar, mariguano de remate. Era miedo y asco —eso sí: el hombre de la corbata a rayas podía saber que Federico le tenía asco a don Jesús—. Pero necesitaba hacer algo, y pronto: pegar la carrera o plantarse por primera vez en su vida para aguantar la embestida y vaciar sobre un loco degenerado la ira acumulada durante semanas y semanas de oirse nombrado con un apodo, menospreciado por hombres de condición inferior que nunca debieron salir de su pueblo porque es únicamente en su pueblo donde pueden ser felices —nuevamente rígido, serio, grave, importante—, sembrando su pequeña parcela, con la vista pegada al surco que se extiende hasta la hilera de nopales, levantada hacia la carretera para ver pasar el automóvil a ciento veinte, decirle adiós con la mano, reconocer que su mundo termina en la carretera y que es inútil prolongarlo, salirse de los límites para ir a la ciudad a buscar trabajo donde una paga de tanto es insuficiente y donde todos los esfuerzos para incorporarse a la civilización son inútiles y al mismo tiempo causa de un resentimiento que les embota el cerebro y que en vano tratan de lavar cada sábado con pulque. Los pobrecitos albañiles. Se les tiene lástima, o asco. Odio no.

—Que quede claro, por favor.

Pero a Federico le temblaban las manos en el momento de apagar el cuarto cigarrillo en el cenicero colocado a dos metros de él: de tal modo que cada vez que Federico necesitaba sacudir la ceniza, debía levantarse, caminar un paso y desandar luego ese paso para regresar al sillón.

—¿Qué más, señor? —Se mordía las uñas delante del hombre de la corbata a rayas, y se las mordía delante de don Jesús, retrocediendo al darse cuenta de que el velador avanzaba y avanzaba con el martillo en la mano: obligando a Federico a subir por las escaleras, de espaldas, con las manos extendidas contra el lambrín, y contra don Jesús después: las palmas hacia adelante —no no, no no— sin entender lo que sucedía, como si viviera una pesadilla; subiendo así hasta el primer, hasta el segundo piso. Varias veces la espalda de Federico se golpeó contra un muro antes de llegar al baño del departamento 201. Don Jesús gritó. Gritó también Federico cuando el viejo levantó el martillo para descargar el golpe. Fue la explosión de un pobre degenerado loco infeliz enfermo que se pasó la vida recorriendo el país, de pueblo en pueblo; tantas veces explotado por quienes le daban trabajo sólo por unos días y se negaban después a pagarle o le pagaban unos cuantos pesos apenas suficientes para mal comer durante la semana o el mes que transcurría antes de lograr encontrar un nuevo trabajo; tantas veces explotado por los ingenieros de una mina, por el latifundista hipócrita, por el dueño de la pensión de automóviles que consideraba hacerle un gran favor dejarlo vivir en el cuarto de tablas, siendo que para don Jesús —a su edad— era el peor de los trabajos: porque tenía que levantarse a abrir las dos rejas de la pensión cada quince o cada diez minutos, a cualquier hora de la noche; cuando estaba a punto de coger el sueño era precisamente cuando sonaban en su cuarto los timbrazos o el claxon del pensionista furioso contra el velador por lo mucho que tardaba en llegar a abrir. En el cerebro de don Jesús se grabaron los insultos para rebotar ahora, como impulsados por un resorte, contra el ingenierito estúpido que instintivamente agitó el brazo para desviar la trayectoria circular, violenta, del martillo empuñado por el viejo. El arma no rozó siquiera la mano de Federico: fue a dar contra el remate del azulejo, a la altura de la ventana. Ahí está el estrellón. Fue así, evidentemente. El golpe reculó en la mano de don Jesús: aflojó los dedos y el martillo cayó al suelo. Federico se agachó para levantarlo pensando únicamente en defenderse porque el viejo temblaba de ira y manoteaba al aire; pero al tenerlo en su mano, al sentir el poder del arma, al utilizarla para contener a don Jesús, al descargar el primer golpe y el segundo y el tercero y todos los que vinieron después cuando el velador yacía desplomado y era innecesario continuar descargando golpes contra un muerto, fueron el ñe ñe, las risas, las burlas, el pobre-imbécil tarugo niñobien hijo de su puta madre, las fuerzas desatadas que lo convirtieron en un criminal. Cuando vio la mancha de sangre extenderse por el cráneo abierto del viejo volvió a sentir miedo. Cerró los ojos. Lloró mientras bajaba las escaleras y pensó en huir, ahora sí definitivamente. Pero de la obra a su automóvil y de su automóvil a su casa, Federico se hizo hombre. Se limpió las lágrimas. Se lavó las manos, los brazos. Se tomó un equanil. Ya vine, papá. Ya vine, mamá. Se acostó. No había pasado nada. Fue una pesadilla. Jacinto... Jacinto mató a don Jesús.

Valverde se rascó el bigote.

—Ojalá. El ingeniero Zamora tiene mucha lana.

Se oyó el ruido de las fichas de dominó al chocar entre sí, y unos segundos después el golpetazo seco de la mula de seis.

5

—¿Y piensa que yo le voy a creer?
—¡Piense lo que se le antoje!
—Pero admite que estaba en la obra a esas horas.
—No admito nada, ya déjeme.
—Todo el santo día trajo esa idea dándole vueltas en la cabeza. Sabía que don Jesús se quedaba solo...
—Yo no lo maté.
—No lo encontró en la bodega, oyó ruido y subió.
—No tenía por qué matarlo.
—Lo oyó pujar. Estaba en el excusado.
—¡Cállese!
—¡Pues hable de una vez!
—Ya le dije todo.
—No me ha dicho lo que hizo el lunes.
—Pierde su tiempo, no voy a hablar más.
—¿Su nombre completo?
—Sergio García Estrada.
—¿Domicilio?
—Mercedes Gómez veintiocho, interior cinco... Mixcoac.
—¿Oficio?
—Técnico en instalaciones sanitarias.
—¿Técnico?... Escriba plomero... ¿Edad?
—Veintisiete años.
—Nacido en...
—Ahi en Mixcoac.
—¿Cuánto tiempo lleva de trabajar de plomero?
—Como cinco años.
—¿No ha trabajado en otra cosa?
—En una imprenta. Unos meses nada más.
—¿Y antes?
—¿Y antes?
—Estudiaba.
—¿Qué estudiaba?
—Estaba en el seminario.
—Iba para cura...
—Sí señor.
—¿Por qué no siguió estudiando?
—No pude seguir.

—¿Por qué?
—Porque no... ¿Tengo que contestar a fuerza?
—Es importante.
—Yo no creo que sea importante.
—Usted conteste: ¿por qué se salió del seminario?
—Me sentía mal de la vista.
—¿Nada más por eso?
—Sí.
—¿Está seguro?
—Y porque tenía que mantener a mi familia.
—Dijo que tenía dos hermanas.
—Sí señor.
—Celerina y Concha.
—Sí señor.
—Concha es la que está casada, ¿verdad?
—Sí.
—Y su marido no puede mantenerla o qué. ¿Trabaja?
—Es chofer.
—¿Qué clase de chofer?
—De camiones... camiones de pasajeros.
—¿De qué línea?
—Ahorita anda sin chamba.
—¿Y usted lo mantiene?
—Viven en mi casa.
—¿Qué edad tiene su hermana Celerina?
—Catorce años.
—¿Cumplidos?
—Sí señor.
—Muy bien. Quedamos entonces en que usted estudiaba en el seminario y se salió porque tenía que mantener a sus hermanas y al cuñado ese que no encuentra chamba.
—Tienen tres hijos.
—¿No hay más familia a la que tenga que mantener, amigo García? Padres, tíos...
—No tenemos padres.
—¿Murieron?
—Hace diez años.
—¿Los dos al mismo tiempo?
—Primero mi papá, y al año siguiente mi mamá.
—¿De qué murió su padre?
—En el taller, una sierra le rebanó la mano.
—¿De eso murió?
—Es que no lo curaron bien en la Cruz; luego quién sabe qué le hicieron en el Seguro y se nos murió.
—Pero ahora les pasan una mensualidad.
—Al principio nos daban cuatrocientos, pero hubo mu-

chos líos y ahora no nos dan nada. Mi cuñado se está encargando de arreglarlo.

—Y su madre, ¿de qué murió?

—Estaba enferma desde hace mucho.

—¿De qué?

—No sé. Le daban jaquecas muy fuertes.

—Correcto, amigo García... Dígame una cosa. De no haber tenido necesidad de mantener a sus hermanas y a su cuñado /

—Antes vivían aparte, pero cuando se quedó sin chamba se las vieron muy duras y me dio lástima con los niños. Yo mismo le ofrecí mi casa.

—Entiendo, sí. Lo que yo quiero saber es si de no existir ese contratiempo usted habría seguido en el seminario.

—Le digo que también fue porque estaba enfermo de la vista.

—¿No veía bien o qué?

—No, no veía bien.

—¿Y ésa es una razón para que uno no pueda ser cura? Me parece que con esos lentes, asunto arreglado, ¿o no?

—Es que me afectaba a la cabeza.

—A ver a ver, cómo está eso.

—No podía estudiar.

—Le dolía la cabeza.

—Mucho.

—¿Lo vio algún médico?

—El doctor que atendía a los seminaristas.

—¿Qué le dijo?

—Que no debía hacer esfuerzo mental.

—¿Ni aún poniéndose los lentes?

—Ni aun con los lentes.

—¿Cuándo los empezó a usar?

—Al año de que entré, pero luego me tuvieron que aumentar la graduación y me dijeron que si seguía estudiando iba a necesitar lentes más gruesos cada vez...

—Y que se enfermaría del cerebro.

—Me dolía mucho la cabeza.

—¿Tomaba aspirinas o...?

—No se me quitaba con nada. Eran dolores muy fuertes.

—Como las jaquecas de su madre. Quiero decir / Bueno... ¿el médico no le explicó nada de su enfermedad?; qué era exactamente, en qué consistía.

—No señor.

—Unicamente que era cosa del cerebro y que no podía seguir estudiando.

—El nada más dijo que con que no estudiara mucho.

—Entonces fueron los curas del seminario los que no quisieron que siguiera allí. Y esa fue la razón por la que se salió, más que por la obligación de mantener a sus hermanas.

—Fueron las dos cosas juntas. El padre Miguel me dijo que si yo quería podía quedarme, aunque hiciera un año en dos o en tres llevando nada más unas cuantas materias.

—¿Y por qué no se quedó?

—Tenía lo de mis hermanas.

—Pero de no tener lo de sus hermanas se hubiera quedado.

—No sé.

—¿Se hubiera quedado?

—Puede ser que sí.

—¿Por qué duda?, ¿por qué se contradice?

—No me contradigo.

—¿Es que hubo algún cura en especial que se empeñó en correrlo?

—No sé qué tiene que ver esto con la muerte de don Jesús.

—Nada en realidad, amigo García. Se lo pregunto por pura curiosidad... Pero en fin, lo dejaremos por la paz si usted quiere. Solamente dígame una cosa: ¿hubo algún cura que se empeñó en correrlo?

—No entiendo qué quiere decir.

—Es muy sencillo. Pienso en un hombre bien intencionado, desde luego, que se da cuenta de que usted está perdiendo su tiempo. Si ya de por sí la carrera es larga, lo será más para usted; por qué no mejor vuelve al mundo y busca un trabajo manual, fácil, que no le represente ningún cansancio mental. Me parece un consejo muy sensato. Yo le hubiera aconsejado lo mismo.

—Usted no entiende.

—¡Pero hubo ese cura, amigo García!

—¡Nadie me corrió!

—Le aconsejó que se fuera; se lo dijo con muy buena voluntad.

—Lo decidí yo mismo.

—Claro, pero después de escuchar consejo. Los seminaristas tienen un cura que los aconseja, ¿no es cierto?; que les dice que no piensen en las chamacas, que no se anden tentaleando; esas cosas...

—Hay un confesor.

—Bueno, un confesor. ¿Quién era su confesor?; ¿el Padre Miguel?

—El Padre Jiménez.
—¡Ése!: el Padre Jiménez. ¿Qué opinaba de usted el Padre Jiménez?
—No sé.
—¿Quería que siguiera o no?
—No me entendía muy bien...
—No lo entendía, dice usted... ¿Por qué no lo entendía, amigo García?
—Más bien era que no creía en mi vocación.
—¡Y lo atormentaba!
—No, pero me ponía a hacer otras cosas. Sabía que yo era bueno para la mecánica y la plomería y me mandaba a arreglar los excusados, a cambiar unas llaves, a instalar un tinaco.
—¿Y usted?
—Obedecía.
—Pero contra su voluntad. Con mucho coraje, con rabia. Aborrecía al cura Jiménez.
—No, no lo aborrecía, era mi confesor.
—Pues porque era su confesor.
—Al contrario. El me ayudaba a dominar mi mal carácter.
—¿Mal carácter?... No parece que tenga mal carácter... Sí, sí, ya entiendo; en cierto modo todos tenemos mal carácter. Una cosa nada más, ya para no seguirlo molestando: ¿cuántas veces se violentó usted contra el cura Jiménez?
—Ninguna.
—Entonces en dónde está el mal carácter. ¿O es que se desquitaba con los seminaristas?
—Tenía mis disgustos, como toda la gente.
—¿Recuerda el nombre de algún seminarista al que aborreciera en especial?
—No aborrecía a ninguno.
—Pero tenía sus disgustos.
—Ya se lo dije.
—Comprendo... Y el médico del seminario, ¿qué decía?
—¿Qué decía de qué?
—De esos pleitos suyos. Me imagino que no han de ser muy normales que digamos en un seminario donde se supone que todos son buenos muchachitos.
—El médico no tenía por qué decir nada. ¡Y no eran pleitos, señor! Ya déjeme en paz.
—No lo estoy confesando, amigo García. A mí me puede hablar con toda franqueza. Los accesos de cólera

son normales, cualquiera los tiene.

—¡No eran accesos de cólera!

—Bueno, pero cuando menos levantaba la voz: como ahorita.

—Ya le dije que tengo mal carácter.

—No se preocupe, eso no es tener mal carácter. Simplemente /

—Los dolores de cabeza me ponen muy nervioso.

—Desde luego, desde luego... por eso le pregunté qué decía el médico. No me conteste, no hace falta... ¿Los dolores de cabeza le siguen dando igual que antes?

—A veces.

—Y cuando los tiene se pone muy irritable, ¿verdad? No aguanta que nadie se ponga a discutir con usted.

—No.

—Y si lo molestan se enfurece.

—Me enojo.

—Se pone colérico.

—Me enojo nada más.

—Siente ganas de romperle la cara al impertinente.

—¡Solamente me enojo!

—¡Hasta de matarlo!

—¡No!

—No; desde luego, claro que no. Es un modo de hablar, amigo... amigo García.

—Sergio García.

—¿Su nombre completo?

—Sergio García Estrada.

—¿Cuándo conoció al velador Jesús Martínez Avilés, señor García Estrada?

—En la obra.

—En qué obra, ¿en la de Cuauhtémoc?

—Sí señor.

—¿Está seguro?

—Claro que sí.

—Entonces, según usted, el maestro Álvarez miente.

—No sé qué dijo Álvarez.

—Dijo que don Jesús y usted trabajaron juntos en otra obra del ingeniero Zamora.

—No es cierto.

—¿Nunca antes trabajó para el ingeniero Zamora?

—Sí, pero no conocí a don Jesús.

—¿Hizo usted las instalaciones de una casa habitación de la calle Hortensia... Hortensia setenta y cinco?

—Sí señor.

—¿Se acuerda en qué año?
—Hace como dos años, más o menos.
—¿Y no era don Jesús el velador de esa obra?
—No.
—¿Quién era entonces?
—No me acuerdo; pero no era don Jesús.
—¿Está seguro?
—Sí señor.
—Haga memoria, a lo mejor ya se le olvidó.
—No, lo conocí en Cuauhtémoc.
—Trabajó en Hortensia sólo los dos primeros meses.
—No es cierto, él no era el velador.
—¿Entonces quién?
—Ya le dije que no me acuerdo, pero no era don Jesús.
—¿Por qué está tan seguro?
—Porque sí... porque don Jesús es de los tipos que no se olvidan.
—¿Qué quiere decir con eso?
—Nada.
—¿Cómo nada? Dígalo, señor García Estrada, yo pienso lo mismo: indudablemente hay tipos que no se olvidan, unos por malos y otros por buenos. Para usted don Jesús fue de los malos, desde que lo conoció en Hortensia setenta y cinco.
—Ya le dije que no lo conocí allí.
—Entonces Álvarez miente.
—Si dice eso, sí.
—Y miente también el ingeniero Zamora. Todos mienten.
—No sé por qué me quiera acusar el ingeniero Zamora.
—¿Acusarlo? Yo no pronuncié esa palabra. El ingeniero Zamora dijo únicamente que don Jesús fue el primer velador que tuvo en Hortensia setenta y cinco. Y usted mismo acaba de asegurar que hizo allí las instalaciones... desde el principio, ¿no?
—Sí, pero no estaba don Jesús.
—Sí estaba, señor García Estrada. Tan estaba que usted tuvo un serio disgusto con él, ¿ya no se acuerda? Yo puedo ayudarle: delante de todos acusó a don Jesús de haberle robado la tarraja.
—Eso no fue en Hortensia.
—Lo llamó mariguano.
—No fue en Hortensia.
—Lo amenazó, estuvo a punto de matarlo.
—No es cierto; eso no es verdad. No sé quién se lo dijo, pero no es verdad.

—¿A quién quiere engañar, señor García Estrada? ¿A mí?, ¿a usted mismo?

—Yo no conocía a don Jesús. Nunca tuve un pleito con él.

—¿Repetiría lo mismo delante del ingeniero Zamora?

—Delante de él y de quien sea. No pude amenazarlo porque él nunca trabajó en Hortensia.

—¿Sabía que lo corrieron por ratero y mariguano? El ingeniero Zamora le hizo caso a usted.

—Sería a otro.

—¿No se llama usted Sergio García Estrada?

—Sí.

—¿Vive en Mercédez Gómez veintiocho, interior cinco?

—Sí.

—¿Soltero?

—Sí.

—¿Técnico en instalaciones sanitarias?

—Sí señor.

—¿Sabe lo que pienso?

—¡Piense lo que se le antoje!

—Pienso que para haber estudiado tanto, es usted muy ingenuo. ¿No se da cuenta de que se perjudica a sí mismo? ¿O es que quiere hacerme creer que con eso de los dolores de cabeza /

—Puede pensar que estoy loco, ¡no me importa!

—¡Ni por un momento, que barbaridad!... Todo lo contrario.

—¡Yo no maté a don Jesús!

—Pero admite que estaba en la obra a esas horas.

—No admito nada, ya déjeme.

—Sabía que don Jesús se quedaba solo. No lo encontró en la bodega, oyó ruido y subió. Lo oyó pujar. Estaba en el excusado.

—¡Diga de una vez por qué me acusa!

—Momento, momento; todo vamos a hacerlo con mucha calma. Tome asiento, por favor. ¿No gusta? Le hace bien para los nervios... ¿O quiere un vaso de agua? Lo que usted guste, estamos para servirlo.

—¡Búrlese!

—Yo quiero ayudarlo, amigo García, en serio. No se volverá a hablar aquí de Hortensia setenta y cinco. Perfectamente: don Jesús no trabajó en Hortensia setenta y cinco. Usted lo conoció en la obra de Cuauhtémoc. Muy bien... ¿Qué pensó, amigo García, cuando conoció a don Jesús?

—Nada.

—¿No pensó nada?

—Qué podía pensar; era un velador y se acabó.
—¿Pero no le causó alguna impresión especial?
—Bueno...
—¿Qué le hizo sentir? ¿Asco, repugnancia?
—Muchas gentes son así.
—¿Y qué impresión le causan las gentes así?
—No sé. Tal vez lástima.
—Tal vez lástima... ¿por qué?
—Será porque están tan amolados.
—¿Se le hizo que don Jesús estaba muy amolado?
—Sí.
—Sintió compasión.
—No sabría decirle exactamente.
—¡Pues diga que sintió una gran compasión por el viejo y se acabó!, le conviene. Sabiendo que usted fue seminarista yo se lo creo. Todo mundo sabe que a los seminaristas les enseñan a ser compasivos con el prójimo, ¿qué no?
—Eso no se enseña.
—¡Ah!, entonces surge espontáneamente, digamos. Un cura es ya de por sí un hombre de buenos sentimientos, o cuando menos aparenta serlo.
—¿Qué insinúa?
—Nada, olvídelo; no tiene caso. Al fin y al cabo al salir del seminario usted ya no tenía la obligación de ser hombre de buenos sentimientos. Don Jesús le fué indiferente. Allá él, ¿verdad? En la lucha por la vida cada quien cuida sus propios intereses.
—Yo no he dicho eso.
—¿Qué piensa entonces? Me gustaría saberlo.
—¿Qué pienso de qué?
—De esto que estamos hablando.
—No sé a quien se refiere.
—A don Jesús, amigo García, no lo olvide; siempre a don Jesús: ese pobre diablo que ve en usted a la única persona decente y de buenos sentimientos que hay en la obra. Tanta confianza le inspira que aunque tarda en decidirse se acerca y le pide dinero. Usted no se lo puede negar, claro está, y le presta veinticinco pesos.
—Ya le dije que nunca le presté dinero.
—A pesar de que muchas veces le pidió.
—A todos les pedía.
—Y nadie le prestaba, pobre hombre.
—Quería el dinero para emborracharse.
—Cómo sabe si nunca le prestó.
—El mismo lo decía.
—Entonces lo conocía bien.

—Lo fui conociendo en la obra.
—Y ya después con el trato diario ¿qué opinión se formó de él?
—Ya se lo dije: que era un pobre hombre digno de lástima y que estaba enfermo.
—¿Se refiere a los ataques?
—Sí.
—¿Usted lo vio alguna vez en un ataque?
—No, pero los demás me contaron.
—¿Quiénes eran los demás?
—Los albañiles.
—¿Qué decían los albañiles?
—Nada...: pobre viejo.
—Le tenían lástima.
—A cualquiera le daba lástima.
—Eso es: lástima. No otra cosa, ¿verdad? Digo: no era un viejo que asustara, no era el coco.
—No señor, solamente un pobre hombre.
—Pero un pobre hombre al que usted no le prestaba dinero, ¿cómo está eso?
—Ya le dije que nadie le prestaba.
—Sí, ya me dijo. Y lo entiendo para los demás, pero con usted me extraña, amigo García. Usted estudió para cura, se sabía de memoria la parábola aquella, cómo se llama... la del buen samaritano. Hay una parábola del buen samaritano, ¿verdad?
—Sí señor.
—¿La recuerda? ¿Cómo va?
—¿Cómo va qué?
—La parábola, hombre. ¿Quiere contármela?
—¿Para qué?
—Usted empiece, me interesa.
—No tiene objeto.
—Eso es lo de menos.
—Es una tontería.
—¿De veras le parece ahora una tontería la parábola?
—¡Ponerme a contársela!
—Me interesa.
—Puede leerla en cualquier parte.
—Quiero su versión. No importa que nos estemos aquí toda la noche.
—¡Acabe ya, por favor!
—La parábola del buen samaritano, amigo García, lo estoy esperando.
—No tiene nada que ver con don Jesús.

—Eso no importa.

—A qué quiere llegar, dígame.

—Vamos.

—¡A qué quiere llegar!

—Vamos.

—Era un hombre al que asaltaron unos bandidos en el camino y lo dejaron medio muerto.

—¿Y luego?

—Nadie se detenía a ayudarlo; todos pasaban de largo.

—¿Por qué?

—No sé, tendrían mucha prisa... Hasta que pasó un samaritano.

—Un momento. Lo encontraban tirado en el camino, dice usted, desangrándose, me imagino; gritando, quizás hasta con un ataque... y se seguían de largo. ¿Por qué se seguían de largo? ¿Qué explicación hay?

—Ninguna, es cosa de todos los días.

—Y cómo juzga usted a los hombres que ante un caso así no tienen compasión.

—No los juzgo.

—Yo tampoco, porque en ese caso, pienso yo, los hombres que pasaban de largo más que no tener compasión, podían tener miedo. A lo mejor el desconocido aquel estaba fingiendo, esperando que alguien se le acercara para, ¡zas!, asaltarlo. ¿Usted qué piensa?

—Puede ser, no me importa.

—¿No le importa? A mí me hace pensar en don Jesús, ¿viera? ¿No se podría explicar así la actitud de todos ustedes para con el velador? Quiero decir: ¿que más que nada le tenían miedo?

—Es muy distinto.

—Claro, usted conoce mucho mejor que yo la parábola, amigo García. Seguramente tiene un sentido muy diferente.

—Claro que sí.

—¿Qué pasó después?

—El samaritano lo curó y lo ayudó.

—Es decir, según yo: venció el miedo que todos los demás tenían y lo curó y lo ayudó, como usted dice... ¿No cree que lo que le hizo falta a don Jesús fue ese buen samaritano? Usted debió serlo; debió vencer su miedo. Después de todo había estudiado para cura y lo primero que le enseñaron en el seminario fue amar al prójimo por encima de todas las cosas. ¿No es así? Los curas le decían: ¡amar al prójimo es nuestra misión!

—Esa es.

—Y usted entró de cura porque le entusiasmaba esa misión.

—Sí señor.

—Y aun cuando después no pudo seguir estudiando por sus hermanas y por su enfermedad y por lo que guste y mande continuaba convencido de que lo único que le daba sentido a la vida era esa misión: ¡amar al prójimo!, ¡amar al prójimo!, ¡amar al prójimo!

—Sí señor.

—Por eso es falso de toda falsedad decir que usted salió aborreciendo a los curas del seminario y renegando de lo que le enseñaron. Salió muy triste.

—Aunque no me crea, me dolió irme.

—Claro que le creo. Le dolió mucho pero se dijo: no importa, no podré ser cura, pero me empeñaré en llevar la palabra de Dios a todos los hombres que me encuentre en mi camino.

—¡Sígase burlando!

—Escúcheme, amigo García, en ningún momento he querido burlarme de usted. Al contrario, admiro su carácter. Sólo un hombre de su talla es capaz de no sentir rencor contra los albañiles que lo insultan, ni contra el cura Jiménez, que en vez de dejarlo rezar y estudiar como usted quería lo ponía a instalar excusados y a cambiar tinacos. Lo admiro. Sale del seminario resignado y sin resentimientos. Conoce a don Jesús y es para él el buen samaritano del cuento ese.

—¡Qué es lo que pretende ahora!

—Lo admiro de veras.

—Se burla. Bien sabe que yo no fui buena gente con el velador.

—¿Por qué no lo fué, amigo García? ¿Había olvidado sus ideales o es que en realidad nunca los tuvo y salió del seminario aborreciendo al cura Jiménez y a sus compañeros? Como aborrece a todos los demás: a sus hermanas, al zángano de su cuñado, a los albañiles...

—¡No aborrezco a nadie!

—¡A don Jesús!

—¡No lo aborrecía!

—Ni cuando le robó la tarraja.

—El no trabajó en Hortensia.

—No hablo de Hortensia. Hablo de la tarraja que se le extravió en Cuauhtémoc... Qué casualidad, ¿verdad? Parece como si se especializara en perder el aparato ese; por qué no las pinzas o el desarmador. No señor: dos veces perdió la tarraja.

—Una vez nada más.

—E inmediatamente pensó que don Jesús se la había robado.

—Fue Jacinto.

—Acusó a los dos. Fue a acusarlos con el hijo del ingeniero Zamora. ¿También ya lo olvidó?

—No lo he negado. Fui a hablar con él.

—¿Y él qué le dijo?

—No le dio importancia.

—¿Y usted qué hizo?

—No podía hacer nada.

—Pero por qué no.

—Si el ingeniero no me creía, menos me iban a creer los demás.

—Y se hizo el ánimo de considerar perdida para siempre su herramienta.

—Perdida no, me la robaron.

—Se la robó don Jesús.

—Yo sabía que Jacinto fue el de todo, pero no tenía modo de demostrarlo. Necesitaba el apoyo del ingeniero.

—Pero él no le creyó.

—Sí me creyó, pero les tuvo miedo a los albañiles.

—¿Ah, sí?

—Porque no era únicamente la tarraja. El se dio cuenta de que también se estaban llevando material.

—¿Cómo está eso de que se dio cuenta? ¿Es posible que dándose cuenta se quedara cruzado de brazos?

—Estoy hablando del hijo del ingeniero Zamora.

—Sí, sí, yo también.

—Pues entonces no lo conoce. El les tenía más miedo que yo a los albañiles.

—Miedo de qué.

—De que su padre llegara a saber que le tomaban el pelo.

—¿Y usted de qué les tenía miedo?

—Yo no les tenía miedo.

—En qué quedamos por fin.

—Bueno, es que eran muchos y todos estaban contra mí.

—¿Por qué?

—Porque así son.

—Prefirió entonces comprar otro chisme de esos a armar un lío.

—Otra tarraja; sí señor.

—¿Cuánto cuesta aproximadamente una tarraja?

—La que compré, usada, la conseguí en cuatrocientos.

—¡Cuatrocientos pesos! Lo que quiere decir que el miedo que usted les tenía a los albañiles valía cuatrocientos pesos.

—Preferí comprarla a armar un lío.

—¿No era mucho dinero para usted?

—Sí señor.

—¿De dónde lo sacó? ¿Tenía ahorros, robó a alguien, se sacó la lotería?

—La compré en abonos; todavía no la acabo de pagar.

—De todos modos es demasiado dinero.

—Piense lo que quiera.

—No, amigo García, no se trata de lo que yo pueda pensar, sino de que usted diga la verdad.

—Le estoy diciendo la verdad.

—Bien, compró la tarraja, ¿y luego?

—Luego nada, seguí trabajando.

—Muy curioso, ¡siguió trabajando! Le roban la tarraja, se gasta cuatrocientos pesos para comprar otra y se cruza de brazos, feliz de la vida.

—Así soy.

—¡Y qué demonios se siente ser así!... Digo: que iba pensando usted cuando regresaba a la obra después de gastar cuatrocientos pesos que le hubieran servido para muchas otras cosas más urgentes: para comprarse un traje, para los niños de su hermana que dice que quiere tanto, o simplemente, para botarlos por ahi.

—Ya le dije que sólo di el enganche.

—Sí, y yo le vuelvo a decir que es mucho dinero. No sé, pero no creo que le sobre dinero... Bueno, ¿qué pensaba?, ¿no tenía coraje contra Jacinto y don Jesús?

—No exactamente.

—No exactamente...; entonces, qué: deseos de vengarse, un odio de los mil demonios.

—¡Otra vez con el odio!

—Se lo dejo en coraje, pues. Si Jacinto y don Jesús eran los ladrones, y usted lo sabía, y usted no hacía nada, me imagino que al verlo llegar tan campante lo trataban como a su trapeador.

Nunca me importaron sus burlas.

—¿No le importaban, o no le afectaban?

—Dije que no me importaban.

—Pero afectarle, desde luego que sí.

—Sí.
—¿Y entonces?
—Me aguantaba.
—Muy a lo mártir.
—¡Muy a lo que a usted no le importa!
—Está bueno, está bueno, no se sulfure, amigo García. Siéntese. ¿No quiere fumar? ¿O prefiere un vaso de agua? Ya sabe que estamos aquí para servirlo.
—No sé qué tanto quiere de mí.
—Quiero la verdad, ya lo sabe. La verdad, para poder ayudarlo.
—¡Pues déjeme en paz!
—Está bien, como quiera, lo dejaré en paz, ya no se preocupe... Nada más dígame una cosa: ¿de qué modo exactamente le afectaban a usted las burlas de los albañiles y en especial las de don Jesús?
—De ninguno.
—Usted dijo... Voy a explicarme mejor: ¿qué le daban ganas de hacerles?
—Nada.
—¿Ni siquiera pensaba en ofrecerle a Dios el sacrificio de tener que aguantarlos?
—¡No tiene ningún derecho a reirse de mí!
—El que no tiene derecho a evadir mis preguntas es usted, entiéndalo, y responda: ¿no le ofrecía a Dios ese sacrificio?
—No.
—¿Deveras deveras?
—¡No!
—Eso está muy malo... ¿Tampoco se le puso al brinco a Jacinto?
—Nunca.
—¿Ni a ése que le dicen el Patotas?
—Nunca.
—¿Y a don Jesús?
—Don Jesús era un anciano.
—Entonces, a don Jesús menos que a nadie porque era un anciano, dice usted, y no quería abusar... Pero ganas no le faltaron.
—No como usted se imagina.
—¿Cómo cree que me imagino las ganas que usted tenía de romperle la cara?
—Así.
—¿En ganas de romperle la cara?
—Sí; pero yo nunca pensé hacerle daño a don Jesús.

—Sin embargo, en la obra de Hortensia lo amenazó con un martillo.

—¡Nunca estuvo allí!

—Ah, perdóneme... olvidé que no íbamos a hablar de Hortensia. Olvídelo... Ibamos en que don Jesús era para usted un anciano digno de lástima y de ayuda.

—No dije que de ayuda.

—Pero sí de lástima.

—Sí señor.

—¿Y Jacinto?, ¿y el Patotas? No son unos ancianos, al contrario, están bien dados... ¿Era porque los veía más fuertes que usted por lo que les tenía miedo?

—Sí señor.

—¿Les tenía miedo?

—Sí señor.

—Muy bien, pero muy bien, amigo García; empezamos a entendernos. Reconoce que les tenía miedo.

—Ya se lo había dicho.

—Pero si no anduviera mal de la vista, si estuviera más fuerte, los hubiera puesto en su lugar a la primera burla.

—Sí señor.

—Habría obligado a Jacinto a que le devolviera la tarraja.

—Sí señor.

—Pero les tenía miedo.

—Sí señor.

—Mucho, mucho miedo.

—Sí señor.

—Cuando lo de la tarraja, ¿no pensó ir a la policía?

—No quería que se armara un lío.

—¿Por qué?

—Porque si me corrían después, tardaría en conseguir trabajo y perdería mucho más de los cuatrocientos pesos.

—¿Pero por qué lo iban a correr a usted?

—A mí y a los demás. El ingeniero Zamora no se anda con contemplaciones.

—Mjmm.

—Por eso me aguanté.

—Ya veo... Bueno, íbamos en que no le tenía miedo a don Jesús sino más bien lástima. Explíquese mejor.

—Era un anciano y estaba enfermo.

—Pero eso no le quitaba lo ratero ni lo lépero. ¿Es cierto que era un lépero?

—Sí.

—¿Lépero en qué sentido?

—Mal hablado.

—¡Ah, decía groserías! ¿Cómo qué clase de groserías?... ¿bruto, tarugo, imbécil?

—No, de las otras.

—¿De cuáles otras?

—De las grandes.

—¿Mentadas de madre?

—Sí, como todos los demás albañiles.

—¿Y usted no?

—No, yo no.

—Así que don Jesús era muy mal hablado... Decía chinga tu madre, ¿por ejemplo?

—Sí.

—¿Y qué más?

—De ésas.

—Sí, pero de cuáles. A ver, dígame usted una. Cualquiera.

—Para qué.

—Quiero oirlas.

—No era lépero nada más porque decía malas palabras, sino porque contaba historias bajas.

—¿También decía cabrón?

—Sí.

—Y puto. Hijo de tu puta madre. O me cago en tu puta madre.

—Sí.

—¿Usted nunca ha dicho una mala palabra? ¿Nunca ha mandado a nadie a la chingada?, así, con todas sus letras... Pero no se ponga colorado, amigo García. Está bien, nunca ha dicho malas palabras, ¿por qué?

—Es rebajarse.

—Y cómo juzga a los que las dicen.

—No los juzgo.

—¿Y a don Jesús?

—Es muy arriesgado juzgar a los demás.

—¿Arriesgado?

—Ante Dios.

—¡Ah, sí!, ante Dios. Eso es pecado, ¿verdad?

—Sí señor.

—Pero uno siempre juzga, no tiene remedio. Aunque creo que la cosa está así para ustedes: es pecado cuando se juzga en voz alta, pero cuando uno juzga y se queda callado, no. ¿O me equivoco?

—No señor.

—Así es entonces.

—Sí.

—Bueno, y en esos términos, ¿cuál era su juicio personal, secreto, de don Jesús?

—Ya se lo dije.

—¿Cuál, amigo García?

—Era un anciano digno de lástima.

—¿Nada más?

—Nada más.

—¿Aún después de lo de la tarraja famosa?

—Sí, porque Jacinto tuvo la culpa.

—Entonces qué parte tuvo don Jesús.

—Le ayudó... El día que me la robaron, Jacinto obligó seguramente a don Jesús a que la escondiera en la bodega. Y luego que la vendió me imagino que Jacinto le pasó algo.

—Según eso, don Jesús fue una víctima.

—Era una víctima de los demás.

—Vuelve a contradecirse, amigo García. No es usted tan tonto.

—Le estoy diciendo la verdad.

—Y admite que nunca ayudó a don Jesús.

—No se lo merecía.

—Pero cómo, si era una víctima. ¿Por qué no se lo merecía?

—Quería el dinero para emborracharse; ya lo he dicho mil veces; o para comprar mariguana.

—Admitiendo que así fuera...

—¡Así era!

—...usted debió acercarse a él para convencerlo de que dejara el vicio. De acuerdo con sus ideales, tenía la obligación de redimir al viejo.

—Traté de hacerlo una vez.

—¿De veras? ¡Debió decírmelo antes!, es muy importante. A ver, a ver, cuénteme, cómo estuvo.

—A poco de que lo conocí me acerqué y traté de convencerlo de que dejara la bebida, nada más.

—En Hortensia.

—En Cuauhtémoc.

—¿Y él?

—Se burló de mí, claro. Fue inútil. Quedé en ridículo.

—Pero cuénteme bien cómo estuvo, amigo García.

—Esperé a un momento en que estuviera solo y empecé a /

—¿En dónde estaban?

—En la bodega.

—¿Sentados?

—¿Qué tiene que ver?

—¿Sentados?

—No me acuerdo, creo que sí... o no, él estaba tendido en su petate.

—En la bodega de Cuauhtémoc.

—Claro.

—¿Qué en Cuauhtémoc no dormía en un catre?

—Eso quise decir, en el catre. Es igual.

—No, no es igual.

—Me equivoqué

—Bueno, siga. ¿Qué más?

—Pues nada más: le dije que la bebida le hacía daño, y que la mariguana era fatal, sobre todo a sus años; que por eso estaba enfermo... Hasta me ofrecí a ayudarlo para que consiguiera ir al Seguro. Total, me pasé una hora hablándole, y nada... Al principio ni chistaba, estuvo callado callado, parecía muy enfermo... Ah, ya me acordé, sí, estaba acostado en el catre, tapado con una cobija y tiritando de frío.

—¿Y qué pasó?

—Pues me engañó, creí que ya lo estaba convenciendo porque a todo me decía que sí con la cabeza, pero apenas terminé se soltó riendo y se puso a gritarme leperadas. Me levanté y me fui.

—No volvió a insistir.

—Nunca, para qué.

—Ni le dijo nada al maestro Álvarez, ni al ingeniero Zamora.

—Al ingeniero Zamora no le importaba.

—¿El padre?

—Sí... No... el hijo. No tenía para qué decirle nada.

—¿Y al maestro Álvarez?

—Tampoco.

—Eso fue mucho antes de que le robaran la tarraja.

—Cuando apenas comenzábamos la obra.

—Álvarez era la persona más indicada para ayudarlo a usted a convencer a don Jesús, ¿no le parece? Por qué no le dijo su plan.

—Nunca me llevé bien con Álvarez.

—Esa pudo ser una buena ocasión.

—Pues sí, pero no le dije nada. Se hubiera burlado de mí.

—Tratándose de don Jesús, no creo.

—Usted no lo conoce. A él y a los demás les divertía que don Jesús fuera así.

—¿Cómo es así?

—Vicioso, mal hablado... Toda la tarde se quedaban con él, festejándole sus majaderías y dándole alas para que les contara más indecencias.

—Usted se iba.

—Luego luego.

—¿Nunca se quedó por pura curiosidad?

—Qué va. Me daba mucho coraje.

—¿Porque ya había sucedido lo de la tarraja, o por qué?

—Por todo: por como eran los albañiles, y por Isidro.

—Qué bueno que hable de Isidro.

—Don Jesús lo estaba pervirtiendo. Le daba malos consejos, y los albañiles, en vez de evitarlo, se reían.

—¿Por qué no intervino usted?

—Ya había decidido no meterme en la vida de los demás.

—¿Ni en la vida de Isidro?

—Nada iba a conseguir. El sólo le hacía caso a don Jesús.

—De todos modos usted debió hacer la lucha para salvar al muchachito.

—Pues no la hice.

—¿Y no se arrepiente?... Conteste, amigo García, ¿no se arrepiente?

—No... no sé... ¡Por qué me juzga como si todavía estuviera en el seminario! ¡Hace cinco años que salí ¡Soy un hombre común y corriente, como los demás, no soy un santo!... Pero tampoco soy un criminal.

—Según lo que le dice su conciencia, ¿no fue un crimen dejar a Isidro en manos de don Jesús?

—No podía hacer nada.

—No quería hacer nada.

—Era inútil.

—Era un crimen.

—Era inútil... ¡inútil!, ¡inútil!

—Yo sé: es terrible la impotencia. Cada vez entiendo mejor su odio para don Jesús.

—No lo odiaba.

—¿A pesar de que estaba pervirtiendo a un niño de catorce años?

—¡No lo odiaba!

—¿Y cuando don Jesús abusó de su hermana?

—Eso no es cierto.

—Usted sabe muy bien que sí.

—¡Son mentiras! Inventaron esa historia para achacarme el crimen.

—No hemos inventado nada, al contrario, queremos ayudarlo.

—¡Es una calumnia!

—Amigo García, no se haga el inocente. Hay testigos de que usted trató salvajemente a su hermana Celerina. ¿Va a negarlo también?

—¿Quiénes son esos testigos?

—Su hermana Concha y /

—¡No es cierto!

—¿A qué horas llegó a su casa Celerina; el domingo?

—Sí, llegó tarde, pero /

—¿A qué horas?

—Como a las diez.

—Llegó a las doce y media.

—No. Llegó a las diez, y por eso me enojé.

—¿Por eso la golpeó hasta sacarle sangre?

—No la golpeé. Me enojé nada más. Sabía que llegó tarde porque andaba con Isidro a esas horas.

—Tiene una cicatriz

—Yo no se la hice. Se resbaló y se pegó en el fregadero.

—Su cuñado dice otra cosa.

—¡El no estaba allí!

—Y su hermana Concha.

—Ella estaba dormida en su recámara.

—El caso es que la golpeó.

—No le pegué. Sí, estaba furioso pero no por lo que usted dice, sino porque ese día la vi salir del cine con Isidro.

—¿Y por qué no le reclamó en ese mismo momento?

—Los vi desde el camión; me bajé en la siguiente parada, pero ya no los encontré. Me fui a mi casa a esperarla, y como tardó mucho me puse muy enojado.

—No era para tanto. Qué tenía de malo que su hermana anduviera con Isidro. ¿No acaba de decir que Isidro le daba lástima?

—Esa es otra canción.

—Es la misma, amigo García.

—Bueno, pero no porque me diera compasión, tenía yo que ver con buenos ojos que anduviera con mi hermana. Máxime después de todas las indecencias y los malos consejos que le daba don Jesús.

—Celerina podía ser un buen motivo para que Isidro volviera por el buen camino. ¿No era una buena muchachita?... Ahí está.

—Usted no entiende esas cosas.

—¡Y usted miente, García! Porque esas relaciones llevaban más de dos meses.

—Yo no me enteré hasta el domingo, cuando los vi salir del cine.

—¿Anduvo en babia dos meses? ¿Se le hace lógico?

—No me importa si es lógico. Lo supe el domingo, y lo único que hice fue prohibirle que volviera a ver a Isidro.

—Después de que don Jesús había abusado de ella.

—¡Eso es mentira!

—Celerina llegó llorando y se lo dijo a Concha y a usted.

—¡Mentira!

—Pero si Celerina lo confiesa.

—¡Es mentira!

—Por favor, García, razone; fíjese con quién está hablando; no va a componer las cosas mintiendo... Pero si hasta usted mismo la mandó a Toluca con su hermana Concha... el mismo lunes en la mañana.

—Para que no volviera a ver a Isidro.

—¿Para eso?

—De todos modos iban a ir. Mi tía Magda estaba enferma.

—¡Verdaderamente es risible! ¡Usted cree que puede tomarme el pelo así como así!

—No voy a dejar que me enrede.

—No lo estoy enredando.

—Ya sé cómo se las gastan. Hacen confesar al que se les antoja.

—Le he estado demostrando lo contrario. Quiero ayudarlo, pero necesito que usted sea sincero y deje a un lado esa falsa dignidad que no viene al caso... Admita que sabía que don Jesús abusó de Celerina. No le va a pasar nada. Se perjudica si no lo hace, entiéndalo... Se hace más sospechoso.

—No me importa.

—Tiene que importarle, señor García Estrada. Usted lo sabía. En todo el lunes no dejó de pensar en eso... A ver, dígame, qué hizo el lunes. Desde en la mañana: qué hizo el lunes.

—Pierde su tiempo. No voy a hablar más.

—Le conviene hacerlo.

—¡No voy a hablar!

—Se perjudica... Entiéndame, García, se perjudica.

—Déjeme... Háganme lo que quieran. Yo no maté a don Jesús.

6

—También él, que se vaya al demonio.

—Y tú qué me ves, escuincle.

Isidro cogió la pala y se alejó corriendo.

—Fíjese lo que pasó —comenzó Isidro, tronándose los dedos con un ademán copiado al viejo—; de pura suerte me tocó estar ahí —El mismo modo de tronarse los dedos, el mismo modo de hablar, el mismo sonsonete de burla al nombrar al Nene; hasta el gesto al escupir era el mismo, y nadie lo creería pero las facciones de la cara de Isidro al irse endureciendo por la cal y por la tierra de la obra, se estaban transformando en las facciones de don Jesús. El ceño sobre todo. Las arrugas primerizas de la frente anunciaban ya el par de surcos pronunciados, y una como huella transversal, idéntica a la del viejo, partía de la ceja derecha y llegaba hasta una cicatriz que de tenerla Isidro habría hecho jurar al médico legista, al agente del ministerio público y al hombre de la corbata a rayas que éste era el rostro de muchacho de un don Jesús resucitado, por cuyas venas corría la misma sangre del grupo IV envenenada de paludismo y alcohol, bombeada por un corazón enfermo de sobresaltos, herido por impresiones de acontecimientos vividos o inventados en el momento de contarlos con ademanes iguales a los que trazaban esta anécdota intrascendente que más que por Isidro parecía narrada por el viejo: con su misma saliva, demasiada saliva que en los momentos del ataque epiléptico, informó el médico legista al hombre de la corbata a rayas, es forzada por la respiración anhelante a regresar a la boca donde se convierte en una masa espumosa teñida a veces con sangre; demasiada saliva que le permitía a don Jesús, y ahora a Isidro, hablar hablar hablar interrumpiéndose sólo durante unos segundos para volver la cabeza hacia un lado y escupir en la tierra sin preocuparse nunca de averiguar en dónde caía el gargajo ni de hacer el ademán de adelantar el pie para aplastarlo. Isidro utilizaba los ademanes, las palabras, la saliva del viejo, para relatar la anécdota del Nene. Y fue por tratarse del Nene y de Isidro burlándose del Nene por lo que aquella tarde el velador permaneció inmutable, sin sonreír aprobatoriamente a las observaciones de burla en las que insistía Isidro durante el curso de su relato. Ya no estaban las cosas para reírse del Nene. Todo tiene un límite. Nadie aguanta tanto. Cualquier maldita noche de éstas, a las doce, a las doce y media, a la una de la madrugada (Quiero la hora exacta —dijo el hombre de la corbata a rayas) ocurrirá lo inevitable. No asesinarán a Jacinto, no asesinarán al Patotas. Asesinarán a don Jesús. viejo enfermo, perro flaco al que se le han venido cargando las pulgas desde la noche en que mataron a su padre, al regresar de Querétaro—. Y fíjese que entonces él que se voltea y que se queda así un ratito y que me dice: «Tú qué me ves, escuincle".

Isidro cogió la pala y se alejó corriendo.

A eso fue el pobre del Nene a la obra: a caerse en el hoyo, a darle la razón a Álvarez, a sufrir humillaciones delante de su padre, a encontrarse con la mirada de don Jesús, quien repitió dos veces su propia sentencia:

—Yo no agarré la cartera, ingeniero.

Federico apretó los puños y murmuró en voz baja:

—Caaabrones...

La culpa fue del ingeniero Zamora. Él que sabe. Nunca vio la mirada de su hijo clavarse en Don Jesús. Y Patotas sí, varias veces.

—¡Déjenme hablar!

—¿Qué dice?

—¡Me corto los güevos si no fue el Nene!

—Ya cállate.

—¡Cállenlo!

Ah Dios, por qué. También Patotas necesitaba reventar de alcohol, de resentimiento, de ocho cincuenta al día y luego nueve cincuenta y aquel quítate puerco, en un camión.

—Que hable, que hable.

—¿Para que diga idioteces?

—Para que explique que se trae con eso del rojo encendidón.

La culpa fue del ingeniero Zamora. El ingeniero Zamora mandó a su hijo a construir en la avenida Cuauhtémoc, casi esquina con Concepción Béistegui, la tumba de don Jesús.

Un muladar bardeado. En letras de chapopote: SE VENDE. INFORMAN: TELEFONO 27-92-34.

La señora Sáenz viuda de Camarena cruzó la pierna y se inclinó para alcanzar con el cigarro la llama del encendedor que le puso delante el ingeniero Zamora. Las cuentas del collar quedaron suspendidas en el aire y luego tintinearon al golpear en el amplio triángulo de su pecho descubierto. Sonrió por segunda vez.

No que no quisiera vender, al contrario: necesitaba urgentemente ese dinero. Desde que murió su marido esa había sido su gran preocupación —vender, vender—; pero unas veces porque no le daban lo que valía, otras porque ella andaba fuera de México y otras porque, en fin, las cosas se van dejando para después y el tiempo vuela, el terreno seguía abandonado, convertido en un basurero. Dos años antes se entendió con un corredor que se las daba de muy dinámico, pero no resultó nada. Todo mundo conoce cómo son los corredores: nada más andan tras su tanto por ciento, y cuando saben de un negocio mejor por otro lado, sin ninguna clase de vergüenza dejan pendientes sus demás compromisos y no vuelven a enseñar la cara. Después de todo, fue mejor. Para qué regalar así como así veinte o treinta mil pesos. Prefirió esperar. No tenía prisa... Bueno, ahora sí porque quería ir a Europa en una excursión e invertir el dinero en algún negocio menos complicado. Novecientos pesos metro era el último precio: baratísimo, nada más porque tenía urgencia de vender. Un edificio de departamentos, en ese terreno, sería el gran negocio. Su marido se murió pensando en eso. Y no le dejó más. El terreno, la casa en que vivía y lo del seguro. Como quien dice, nada... Para una mujer es muy difícil meterse a construir. No no no no no, ni pensarlo, ya se lo habían aconsejado muchas veces. No. Las compañías —con algunas excepciones, desde luego— hacen siempre un presupuesto, de tantos miles de pesos, y al final de cuentas viene resultando con que la obra costó el doble, por una o por otra razón. ¿O no es cierto? Mejor vender.

Volvió a sonreír mirando fijamente al ingeniero Zamora. Se llevó la mano al escote y sin cuidarse de erguir el busto se inclinó para apagar en el cenicero la colilla del cigarro.

Estaba encantada de poder tratar con una persona tan fina.

Se compuso el peinado, a la altura de la nuca.

Tal vez ochocientos cincuenta-metro, pero no menos. En caso de que la Compañía se interesara verdaderamente y sólo por tratarse de una persona tan fina.

Sonrió.

Esperaría su llamada. 27-92-34. Hasta luego.

Sonrió.

La mano del ingeniero llegó por fin, resbalando por la costura del sofá, siguiendo por la orilla de la mesa para coger el vaso de ginebra, levantarlo, beber, colocarlo nuevamente en la mesa para proseguir su viaje, hasta la rodilla que asomaba por entre la abertura de la bata.

La espalda de la señora Sáenz viuda de Camarena se dobló hacia atrás, en arco.

—Ochocientos-metro, gordito lindo.

—Todo lo que he hecho en la vida, Federico, todo, todo, absolutamente todo ha sido para ti. Con tus amigos no vas a ganar nada. Las cosas no son tan fáciles como crees, hijo. La ingeniería no es un juego. Cuántos de tus compañeros desearían una oportunidad igual. Lo que pasa es que todavía no lo piensas bien. Mira los planos. Tú solo vas a dirigir lo que es una verdadera obra, no a hacer composturas o casitas que no representan nada ni como experiencia ni como negocio. Dile cualquier cosa a De la Garza. Záfate. Le darás un gusto enorme a tu madre. No te imaginas el trabajo que me costó convencer al Consejo. A la Compañía no le interesaba comprar un terreno que vale más de medio millón porque en estos tiempos, como están las cosas, cualquier inversión es muy arriesgada. Te digo que no le interesaba construir. Pero yo los convencí pensando nada más en lo que para ti significaría esta experiencia. Piensa en eso, Federico.

Quitaron dos tramos de la barda prefabricada para que pudiera entrar el camión, mientras dentro del terreno siete peones azotaban los picos contra la basura y paleaban el cascajo hacia los ochenta y siete viajes del camión por las calles de la ciudad, rumbo a los tiraderos de Ixtapalapa. Todos los días, durante las primeras semanas: el puntual llegar, cargar y salir de ese mismo camión y de otros cargados de arena, de tabique, de cinco toneladas de cemento.

Los macheteros tumbados sobre la carga, de cara al cielo, se ponen de pie cuando el camión dobla a la derecha, al llegar a la obra. De un brinco saltan al suelo; abren el montacargas y empiezan a pujar agobiados por el peso de los bultos sobre sus espaldas. En el terreno han tirado ya los reventones, han abierto las cepas, las han apisonado. El haz de varillas que corren horizontales hasta su primer quiebre a cuarenta y cinco grados, que bajan diagonalmente y recobran la horizontal poco antes de terminar violentamente dobladas en los ganchos de anclaje, esperan a las once de la mañana el visto bueno del ingeniero. A las doce el concreto cae de uno y otro bote en los dos extremos de la trabe de cimentación. Las palas se mueven empujando la masa plástica de grava-arena-cemento-agua hacia el centro, repartiéndola en capas iguales, mientras con un trozo de varilla Jacinto la bate para impedir el fraguado prematuro, para acelerar el acomodo de la grava. El último bote arroja su carga. Humberto se limpia el sudor de la frente. Camina hasta la llave de agua. Se agacha. Con el cuello doblado, la boca formando trompa, una mano dando vuelta al volante, chupa interminablemente al mismo tiempo que un hilo de agua le escurre por la barba, por el cuello, bajo la camisa gris. Separa la boca y el chorro cae en el charco donde aún tiene puesto el pie que quita al fin y mueve hacia un lado, sacudiéndolo ligeramente. Los dedos perlados por el agua asoman por entre las correas de su huarache. Humberto mira hacia donde se oculta el sol, atrás de la barda; sigue con la vista el recorrido de las nubes y se queda quieto, con la cabeza en alto, cuando cree localizar allá muy lejos el trozo de cielo que techa su pueblo: Zimapán, Hidalgo.

—¿Ya llegaron los plomeros?

Han armado, desarmado y vuelto a armar —¡qué de problemas!— las columnas. Las ocho varillas erectas se ven desde la calle, rebasando la cimbra que moja Isidro para que la madera se hinche y los tablones aprieten entre sí. El ruido de la revolvedora apenas dejar oír los gritos de los albañiles. Jacinto baja la palanca para detener la máquina y los botes se van llenando; van ya en los hombros de una hilera de peones caminando de la revolvedora a la primera columna. El primer peón de la hilera se detiene al llegar a lo más alto del andamio; inclina un poco el hombro derecho; con las dos manos sujeta el bote por el trozo de madera clavado a la lámina, por dentro, a manera de asa; con un ligero balanceo lo impulsa para poder entregárselo al peón que está en la orilla del andamio, y son éste y Patotas quienes lo vacían en el cajón formado por la cimbra. Unos segundos más tarde el bote vacío regresa a las manos de su dueño, mientras el segundo peón de la hilera se dispone a realizar la misma operación. Unos bajan, otros suben por el par de vigas inclinadas: en silencio. La cadena no se interrumpe; únicamente cambia de dirección cuando se ha terminado de colar el primer tramo de la primera columna. Ahora cuelan la segunda, la tercera, la cuarta. La quinta.

Los albañiles se congregan formando grupos. Jacinto, en cuclillas, sopla a la lumbre y dirige la mirada al fondo de la obra donde Sergio García termina de armar la tubería de alimentación. A su derecha, su ayudante unta pintura en la cuerda de un tubo. Sergio García se siente observado pero permanece de perfil, sujetando con una mano el mango de la llave inglesa y con la otra ayudando a que los dientes de la herramienta se afirmen en el cople de fierro. Pone una rodilla en tierra y con todo el cuerpo da el apretón definitivo; otro apretón, pujando, para cerciorarse de que el cople ya no puede girar. La risotada de Jacinto llega hasta los dos plomeros. El ayudante se acerca a Sergio García. Algo le dice. Sergio García levanta los hombros y gira sobre sus talones hasta quedar de espaldas a los albañiles. No se vuelve a oír la risa de Jacinto, pero un largo silbido de admiración acompaña a Celerina cuando la muchacha cruza frente al grupo, en dirección a donde está su hermano. Cuando unos minutos más tarde vuelve a pasar cerca de los albañiles, es Patotas quien le sale al paso. Sonriendo se arrima a la muchacha, tanto que Celerina tiene que dar un brinco, pisar un charco y salir corriendo a la calle seguida por una risotada unánime. De cara a los albañiles, Sergio García se frota las manos contra el pantalón. Las risas se disuelven y Sergio García vuelve a poner una rodilla en tierra.

Federico regresó a relevar al ingeniero Rosas después de tres meses de ausencia: un miércoles en que colaban la losa del tercer piso.

Álvarez se limpia el sudor con su gran pañuelo rojo, dándose ligeros golpes en las sienes. Lleva el sombrero echado hacia atrás de tal modo que se alcanza a ver la huella dejada en su frente por la costura, un centímetro más abajo del nacimiento de su cabello lacio, peinado hacia atrás. Baja el brazo derecho y cruzándolo por delante comienza a guardar el pañuelo en la bolsa izquierda del pantalón: no introduce toda la mano, solamente lo empuja con las falanges mientras Federico avanza, y no termina de guardarlo porque Federico tiene ya la mano extendida. Álvarez avanza un paso y tiende la suya para estrechársela. El cabo del pañuelo rojo cuelga de la bolsa del pantalón.

—¿Qué hay?

—Pues aquí, ingeniero, dándole como siempre.

Ni Álvarez ni Federico dicen más. Federico dirige una mirada de conjunto a la obra antes de levantar la vista y fijarla en lo más alto de la estructura donde aún está, adornada con papel de china, la cruz del tres de mayo.

También Álvarez contempla la cruz hasta que un grito agudo los impulsa a torcer el cuello en un movimiento idéntico, paralelo, hacia abajo, hacia la derecha, hacia la izquierda: buscando el lugar de donde procede el grito que ha paralizado a los albañiles y movilizado las miradas en dirección a donde don Jesús cae, de barriga, encima de un cajón, después de golpearse contra la barda y rebotar hacia adelante. Queda con la cabeza colgando, pero la siguiente convulsión lo hace rodar al suelo. Ya en tierra el cuerpo de don Jesús se agita, frenético. Humberto se empeña en sujetarlo, de la cintura primero, de las piernas después: no sabe de dónde ni cómo porque el velador se convulsiona como una víbora atrapada. Es Jacinto quien lo agarra por fin de la cabeza; se la levanta bruscamente y gracias a un hábil ademán logra prensar el cuello del velador entre sus piernas; cierra los muslos. Ahora Humberto ya puede atenazarle los tobillos y Sergio García los brazos. Apretando el rostro congestionado de don Jesús a la altura de la boca, Jacinto consigue introducirle un pedazo de madera entre los dientes. Después lo suelta. Lo sueltan también Humberto y Sergio García. El viejo ya no patalea. Han cesado las convulsiones, aunque le sigue saliendo espuma de la boca. Resuella, inconsciente. Sus ojos abiertos quedan fijos en el rostro de Federico, quien se vuelve de espaldas y sin pensarlo apoya una mano en el hombro de Álvarez.

—No pasa nada, no pasa nada —dice Álvarez.

Federico levanta la cabeza: el ingeniero Rosas llegó de pronto, está frente a él. Federico intenta sonreír. Camina unos pasos. Tartamudea sin lograr terminar una frase.

—Se impresionó —dice Álvarez al ingeniero Rosas.

Todo es amarillo. Campanitas. Amarilla barda, amarillo cielo, amarillo, amarillo. El zumbido de un trompo...

Y Federico, deteniéndose de la barda con los brazos estirados, vomita contra la grava.

Al día siguiente, el ingeniero Rosas entrega a Federico una libreta con la relación de los últimos pedidos. Dos millares de tabique, tres carros de arena, una tonelada de cemento —¡ah!— y un carro de confitillo que falta anotar.

Jacinto canta el corrido de Gabino Barrera mientras levanta los muros. Gabino Barrera dejaba mujeres con niños por dondequiera; por eso en los pueblos por los que pasaba —se interrumpe para gritarle a Isidro— se la tenían sentenciada. Isidro llega corriendo con el bote de mezcla a medio llenar; lo vacía en la tabla. Jacinto mete la cuchara y la levanta rebosante. Inclinándola por la punta derrama el contenido sobre la séptima hilada. Abre un canal en la mezcla. Se inclina después a su izquierda, coge un tabique, lo arroja hacia arriba y lo atrapa con la misma mano cuando tiene los ojos puestos en otro sitio. Acomoda el tabique sobre la mezcla preparada, prensándola y haciéndola escurrir por las dos caras del muro. Mucho antes de que caiga al suelo, el brazo de Jacinto cruza hacia la cara posterior del muro y de abajo arriba, raspando los tabiques ya colocados, recoge la mezcla sobrante y hace lo mismo de su lado cuando da la impresión de que no va a lograrlo a tiempo. El sobrante recuperado es suficiente para llenar el hueco que separa al último tabique del anterior. Con el mango de la cuchara golpea rítmicamente a aquél. Vuelve a escurrir un poco de mezcla, pero ya no intenta recogerla. La palma de su mano barre la cara libre del tabique y su voz —¡qué pelado más entonado, debía cantar en el radio!— se oye por toda la obra. Gabino Barrera murió como mueren los hombres que son bragados.

Los muros van cubriendo así el esqueleto de la obra. Desde la acera oriente de la avenida Cuauhtémoc se ve ascender imponente la mole rojiza. Una mujer embarazada, con un niño de la mano, atraviesa la calle y observa durante segundos a los dos albañiles que a la entrada del edificio se tiran golpes remedando a los boxeadores profesionales.

Con cincel y martillo, Sergio García abre en el baño del departamento 201 las ranuras verticales donde se empotrará la tubería. También con cincel y martillo su ayudante agujera la trabe: golpea inclemente y hace saltar un gran trozo de concreto en el momento justo en que la mano de Patotas le cae como una garra en el hombro. El ayudante se vuelve, doliéndose del apretón; amenazante, blande el martillo.

—Qué trae —grita, ya en pie.

—Qué traes tú... ¿Quién te mandó abrir esos agujerotes?

—A usted qué le importa.

—¡Yo lo mandé! —interviene Sergio García.

Patotas abre las piernas y pone los brazos en jarras. Acuden Álvarez y Jacinto.

—Les dije que no tocaran las trabes —explica Álvarez.

—¿Y por dónde pasamos el tubo?

—¡Pásatelo por los güevos! —grita Jacinto.

Sergio García no se da por aludido, como si únicamente discutiera con Álvarez.

—A ver, a ver, por dónde lo pasamos.

—Ese es asunto tuyo. Yo nada más te digo que las trabes no se tocan.

—Y qué hacemos si no dejaron pasos.

—No avisaste.

—¡Claro que avisé! Yo mismo vi cuándo el ingeniero marcó los puntos en el plano.

—Pues espérate a que venga el ingeniero.

Llega Federico. Federico ordena que se permita a Sergio García abrir los agujeros necesarios en las trabes o en las columnas, pero indica que inmediatamente después de colocada la tubería, los tapen, los resanen bien.

—Se va a resentir el edificio —dice Álvarez—. Chicos boquetotes, mire nomás. Ahora sí que son como puñaladas para la obra.

Cabizbajo, Federico baja las escaleras.

—Se va a resentir el edificio.

A las seis de la tarde, don Jesús le dice a Isidro:

—Las cosas sienten; ¿sabías eso? Cuando serruchas una tabla es igual que cuando le arrancas una rama a un árbol. Igual que si le quebraras la pata a un perro; como si a ti te troncharan un dedo.

—¡Voy!... ¿por qué?

—Porque así es. Nomás ponte a pensar y verás. ¿A poco no le tienes cariño al edificio?

—¿Cariño?

—Sí, de eso que te lo quedas mirando y lo quieres.

—¿Pero por qué?

—Por muchas cosas... Yo hasta me pongo a hablar con él. Y vieras, Isidro, me oye el cabrón. Hasta me contesta. No con palabras así como las de nosotros, sino con ruidos y rechinidos y una bola de modos que él tiene para platicar: ahí están los olores. Cuando huelo mucho a yeso es que me está diciendo: hace frío. Y voy y me echo encima la cobija. Ahorita que todo está en silencio nos está hablando... Espérate tantito; shshshsh... ¿No oyes nada?

—¿Qué?

—Ese ruido.

—¿Dónde?

—Óilo.

—Es el aire.

—Claro que es el aire, pero óilo cómo zumba. Óilo. ¡Algo me quiere decir!

—¡Voy!, ¿qué cosa?

—Todavía no sé. Es cosa de ponerse a averiguar... Si por eso te digo que lo quiero.

—Allá usted.

—No, no, tú también quiérelo, porque si no es por el edificio, cuándo me vas a conocer a mí, cuándo vas a conocer a la Celerina.

—Bueno, por ese lado...

—¡Pues de eso es lo que te estoy hablando!... Las cosas tienen vida, Isidro; lo sé desde cuando era como tú; me acuerdo que tenía un cuchillo, y en un cuchillo todavía es más eso que te digo: agarrándolo fuerte, así, hasta se le sienten las pulsaciones.

Y mientras el sol se esconde por detrás del edificio, mientras el viento deshilacha las nubes, don Jesús cuenta a Isidro de cuando carimarcó a un cristiano, en tiempos de la bola.

—Yo le tengo cariño a este pinche edificio, Isidro.

Llegó la vitricota. Llegaron los muebles de baño. Los electricistas tienden las venas por donde correrá la luz. El agua circula ya por todas las tuberías. Sudan los mosaicos húmedos.

—Se va viendo el final, se va viendo el final.

Violentamente azotada por la cuchara, como si la impulsara un látigo y no el brazo desnudo de Patotas, la mezcla para el aplanado golpea contra el muro, se adhiere a él, pero parte escurre en forma de grandes lagrimones que la cuchara recoge y vuelve a azotar: rebota en la cara de Patotas a las diez de la mañana, sigue rebotando a las cuatro de la tarde cuando desde la calle se puede ver al albañil sentado en el andamio, a quince metros de altura. A su derecha está Marcial. Se ponen de pie. Ahora alisan el aplanado mojándolo primero con el agua de un pequeño bote y frotando después la plana en rítmicos movimientos circulares. Al agacharse para recoger el bote, Marcial tropieza con la artesa, pierde el equilibrio, levanta los brazos y de uno de ellos, a la altura del codo, lo sujeta Patotas.

—¡Jijo de su madre!

Miran hacia abajo.

—Ya merito.

Federico se alejaba en su automóvil, cuando al llegar a la Diagonal San Antonio soltó una mano del volante y para buscarse el pañuelo la metió en la bolsa trasera del pantalón. Rechinan las llantas al recorrer en redondo la glorieta. Regresa a Cuauhtémoc.

Federico no se cuida de estacionar bien el automóvil, ni de subir la ventanilla; deja la portezuela a medio cerrar. Cruza corriendo la calle y entra en el edificio. Lleva una mano metida en la bolsa trasera; la saca para rascarse la nariz, la desliza por el cabello hasta tocarse la nuca, se golpea la barba: siempre con la vista en el suelo. Entra a uno de los departamentos del primer piso, pero no pasa de la estancia; truena los dedos, gira sobre sus talones. Pensativo, vuelve a detenerse al llegar a la bodega. Abre la puerta empujándola y mira hacia el cajón que está inmediatamente a la izquierda, donde estaba sentado un cuarto de hora antes. Sacó la cartera. Dio un billete de cinco pesos a don Jesús. La volvió a guardar. No la guardó. La dejó encima. Federico mira a don Jesús. El velador se pone de pie y avanza cojeando; pregunta:

—¿Qué pasó?

—Busco mi cartera.

La cartera. Quién sabe. Se la llevó. Ahí no está. Quién sabe. Después de que salió Federico, entró Álvarez y al poco tiempo Jacinto.

—Quiero mi cartera.

Nadie sabe nada. Álvarez entró, sí, pero no la vio; ahí estaría. También Jacinto fue a la bodega, pero antes que Álvarez, no después. Llegó directo a la caja de refrescos, destapó uno —aquí está la corcholata— y se lo bebió casi sin respirar porque tenía mucha sed. Ni siquiera habló con don Jesús. El viejo estaba tendido en el catre, durmiendo o dizque durmiendo. Se despertó cuando entró Álvarez, unos cinco minutos después o tal vez menos porque Álvarez y Jacinto no se cruzaron en el camino. Álvarez fue por el nivel. Si Federico hubiera dejado la cartera en el cajón, Álvarez la habría visto porque el nivel colgaba precisamente del clavo que está arriba del cajón. Cualquiera se fija en una cartera.

—A la mejor se le cayó en la calle, ingeniero —dice Álvarez—. Acuérdese.

—No, no... la dejé aquí.

—Acuérdese bien.

Federico entra. Don Jesús se pone de pie.

—¿Tiene las remisiones?

El velador asiente con la cabeza y camina hasta el fondo de la bodega. A un lado de los bultos de cemento, a unos centímetros de la alcayata de que penden unos pantalones y una camisa, se encuentra el clavo en el que don Jesús acostumbra colgar las notas. Lo hace inmediatamente después de que se las dan para no andar luego con que dónde las dejé. El velador separa las notas sin cuidarse de que la cabeza del clavo rasgue el papel, pero las alisa antes de entregarlas a Federico. Son tres remisiones: una del cemento, otra de la vitricota y otra de los muebles de baño. Sentado en el cajón, Federico copia los totales en el reverso de una tarjeta de visita que se guarda en la bolsa izquierda de la camisa junto con las remisiones dobladas en cuatro. Todavía no se levanta. Muerde el disparador de su pluma atómica mientras mira a Don Jesús ponerle delante un trozo de papel de estraza escrito con lápiz tinta.

—Son cinco pesos de la escoba... Y si tiene usted la bondad, présteme ahi aunque sean otros cinco para que mi hija se compre unos trapos. Ya ve usted cómo es su madre, la ve hecha un garabato y no le da un centavo; y eso que la desgraciada gana bien.

—Rayó el sábado —dice Federico guardándose la pluma atómica.

—Pero ya estamos a miércoles, ingeniero.

—Pues espérese al otro sábado.

Federico estira la pierna para poder meterse la mano a la bolsa de atrás sin tener que levantarse. Desde donde se encuentra, don Jesús puede ver el fajo de billetes apretujados. Primero saca uno de a cien y después uno de a cinco. Deja el de a cinco en su rodilla y utiliza las dos manos para volver a su lugar el billete grande. Entrega los cinco pesos a don Jesús. Don Jesús revisa el billete por sus dos caras y mueve la cabeza de un lado a otro. Federico se levanta y ya de pie se guarda la cartera. Federico pone la cartera en el cajón y se levanta. Federico se levanta y ya de pie se guarda la cartera. No: Federico tiene las llaves del auto en la mano izquierda y la cartera en la derecha. Juega con las llaves arrojándolas hacia arriba. Las llaves caen al suelo. Al agacharse deja la cartera en el cajón. Recoge las llaves. Se las guarda y sale sin decir una palabra más. La cartera con los tres mil pesos sacados del banco esa mañana queda en el cajón.

Don Jesús protesta:

—Yo no agarré la cartera, ingeniero. Soy honrado, pregúntele al Chapo.

Álvarez palmea la espalda del viejo.

—Si es cierto... No es capaz de una cosa así. Yo creo que la tiró en la calle, ingeniero. Acuérdese bien.

—Caaaabrones.

Los de la vitricota preguntan si comienzan de una vez o hasta el lunes, para dar tiempo a que el herrero termine de colocar las ventanas. A los yeseros les urge saber hoy mismo si siempre van a llevar lambrín los corredores o si enyesan todo. Los electricistas ya terminaron desde cuándo y mandan decir que en la oficina no les quisieron pagar porque el recibo no tiene el O.K. ¿Hasta cuándo van a traer el azulejo de los baños? El tanque de un excusado llegó quebrado, pero no lo van a querer cambiar porque Sergio García firmó de conformidad. Ya no se va a ocupar la cimbra, nada más está estorbando, ¿a dónde la mandan?

Las pequeñas piezas rectangulares de la vitricota, de diferentes tonalidades de amarillo, ascienden en líneas paralelas desde el repisón de piedra de la fachada hasta el pretil de la azotea donde un operario, con la mitad del cuerpo en el vacío, frota con la mano las últimas piezas colocadas; luego derrama en ellas el chorro de agua que queda en el bote y que al escurrir dibuja una mancha triangular en la fachada. Desde dentro, Patotas traza, con yeso, círculos y cruces en los vidrios de los ventanales. Federico cuenta las cruces y los círculos y anota la cifra total en el forro de un libro. A uno de esos círculos alguien le ha agregado los dos ojos, las cejas, la nariz y la boca de un muñeco que ríe.

Desde la acera oriente de Cuauhtémoc, Federico se detiene a contemplar el edificio. Lo examina, lo mide, lo siente erguirse como un gigante que despierta, que esa tarde estrena su brillante traje amarillo de vitricota, que lo mira con los ojos del muñeco de yeso, que le vuelve las espaldas cuando Federico le da la vuelta a la manzana en su automóvil. Asoma la cabeza por la ventanilla y sin proponérselo mira hacia la cruz del tres de mayo. Sólo la adornan ya dos pequeñas tiras de papel de china y unas flores marchitas.

—Quiten esa cruz —dice al día siguiente Federico.

Pero Álvarez se olvida, no da la orden. La mañana en que Isidro encuentra muerto al velador en el baño del departamento 201, la cruz continúa fija en lo más alto de la obra.

7

A las cuatro de la tarde venían ya de regreso por el mismo camino de tierra sin que el chofer esquivara los hoyos que el camión iba encontrando a su paso. Algunas veces, después de un violento rebote, algo como una muelle rota tronaba abajo y Jacinto golpeaba desde el montacargas la lámina de la cabina.

—A ver si te fijas; no traemos nalgas de hule.

El chofer sacaba la cabeza por la ventanilla y pelando los dientes gritaba:

—¡Pues ya te las vas comprando!

A medio kilómetro de distancia, en lo más alto de la loma, se alzaba el pequeño caserío. Desde él, un sólido cerco de piedra bajaba perpendicularmente al camino, pero unos cincuenta metros antes de llegar doblaba hacia la izquierda y cien metros más adelante volvía a subir rumbo al poblado. Sembraban maíz. El viento doblaba las milpas en la misma dirección del viaje. Era un pueblo triste, pero no parecía un pueblo pobre. Los cinco sauces frondosos agrupados cerca de las primeras casas eran como un testimonio de fertilidad. El cielo anunciaba lluvia.

Se volvieron a oír golpes en la cabina y el chofer frenó bruscamente unos metros adelante de la desviación que llevaba al pueblo.

Después de saltar a tierra, Jacinto asomó la cara por el marco de la ventanilla.

—¿Que hoy no vas para Ixtlán? —le preguntó el chofer.

—Quería ver si el ingeniero gusta venir a la casa, a echarse un curadito.

—Estamos de fiesta, o qué.

—No, nomás.

—Pues ya oyó, ingeniero —dijo el chofer girando la cabeza—, aquí Jacinto nos invita un pulcazo.

El ingeniero se levantó el sombrero que le cubría los ojos, pero sin abrirlos, sin enderezar el cuerpo que hasta ese momento parecía haber encontrado la postura más cómoda, respondió:

—Otro día. Hay mucho quehacer en el despacho.

—Para otro día ya se echó a perder el curado que tengo. Venga a darle una probadita aunque sea, ingeniero. Los demás están alborotados.

El chofer movía la cabeza en ambas direcciones para observar alternativamente a Jacinto y al ingeniero.

—Cosa de un momentito, no le quitamos su tiempo. Y verá cómo no se arrepiente, nadie hace mejor curados de piña por aquí... ni por aquí ni en todo lo que es el Bajío... ¿O no, tú?

El chofer asintió con la cabeza.

—Muy cierto; este Jacinto es bueno para eso, no nada más para nivelar el tránsito... Usted dice, ingeniero.

El ingeniero abrió los ojos y se enderezó para observar la estrecha y empinada vereda que llevaba hasta las casas del lomerío.

—No podemos dejar aquí el camión —dijo.

—Eso es lo de menos, lo metemos hasta allá arriba. Ya usted sabe que esta carcachona se trepa hasta en los árboles. Usted nomás diga que sí y yo me encargo.

El ingeniero alzó los hombros y movió las manos en señal de asentimiento.

En el momento de subir al montacargas, Jacinto gritó a sus compañeros:

—¡Ya dijo que sí!

Un alarido general siguió a las palabras de Jacinto mientras el chofer metía reversa, gritaba «échenme aguas» y hacía girar el volante para tomar la vereda. Los tumbos se multiplicaron —subían en primera, con el motor protestando— y se alcanzaban a oír desde la cabina las risas de los trabajadores. En los lugares en que la vereda se estrechaba obligando al camión a inclinarse peligrosamente, el chofer hundía el acelerador hasta dentro y tras un vacilante bamboleo recobraban la vertical.

Llegaron, por fin.

El camión se detuvo a unos metros de la segunda casa seguido de dos perros que avanzando y retrocediendo dentro de la nube de polvo ladraban a las ruedas delanteras. Jacinto fue el primero en bajar y encontrarse con la mirada recelosa de una niña como de diez años que se mordía las yemas de los pulgares y avanzaba hacia el camión arrastrando sus pies descalzos. Jacinto no le dio tiempo a hablar:

—Córrele; dile a tu madre que prepare el pulque. Y a ver si Chon tiene carnitas o algo para taquear; pero jálale.

La niña bajó la vista. De la boca se llevó los dedos a los ojos. Parecía que iba a llorar.

Jacinto se había vuelto hacia el ingeniero y extendía el brazo:

—Aquella es su humilde casa; acérquese... Y tú, qué, ¿estás sorda? Córrele que el ingeniero trae hambre... Acérquese, ingeniero.

Avanzaron. El llanto de la niña los hizo volver la cabeza, pero antes de que le dijeran algo ella echó a correr en dirección al camino, con las manos en la cara.

—¡Y ora qué le picó!... Ya verá cuando la agarre.

Dos de los trabajadores que aún permanecían junto al camión, limpiándose el sudor de la frente, sacudiéndose el polvo, siguieron con la mirada la estampida de la niña. El chofer se emparejó al ingeniero y ahora caminaba a su lado, detrás de Jacinto. Éste aceleró el paso para tener tiempo de gritar, poniéndose una mano a modo de bocina:

—¡Isidro!

Y por segunda vez, más fuerte:

—¡Isidroooo!

Estaban a unos cuantos metros de la entrada, frente a la cerca que rodeaba la casa formando un patio donde varias gallinas, cacareando, se revolcaban en la tierra y donde un perro yacía dormido a la sombra del sauce. Una hilera de macetas decoraba el muro de adobe, y la jaula de un gorrión colgaba a la derecha de la única ventana.

Envuelta en un rebozo, una mujer salió de la casa y atravesó corriendo el tramo que la separaba de Jacinto en el instante en que éste quitaba la tranca. La dejó caer en el suelo al ver llorar a la mujer.

—¡Qué barbaridad!

—¡Virgen del Sagrario!

Su hijo Isidro, su muchachito, el condenado escuincle que solito solito se traía asoleados a sus hermanos y a los mocosos del pueblo, el prieto vaciado, listo como su padre y salidor como su padre, su Isidro —¡me lleva la chingada!— se estaba muriendo allá adentro. Andaban jugando y sin querer su hermana lo descontó de una pedrada. Ella y el otro grandulón, el de Juan José, jugando jugando descalabraron a Isidro y eran unos chorrotes de sangre que no se le querían quitar ni por todos los santos del cielo.

—¡Virgen del Sagrario!

Jacinto entró corriendo en la casa mientras el chófer y el ingeniero cambiaban miradas.

—Una desgracia.

—A ver si podemos llevarlo a Ixtlán, ingeniero... ¿no le parece?

En un petate estaba Isidro. Solamente se le veían las piernas porque la mujer de Jacinto, inclinada sobre el niño, de espaldas a la puerta, lo cubría con su cuerpo. Cuando el chofer y el ingeniero entraron Jacinto tenía las dos rodillas en tierra y frotaba con sus manos las del niño como para darles vida. A su derecha, la mujer del rebozo retenía el llanto sorbiendo y tres niños que no sumarían juntos trece años se repegaban a la pared de adobe mirando fijamente hacia la entrada. Había sangre en el petate, en la cobija, en los papeles y trapos desperdigados por el cuarto. Había sangre también en el muro posterior y en las manos que Jacinto mostró al chofer cuando se levantó para decirle que era inútil llevarlo a Ixtlán:

—Está muerto.

El alarido de su mujer subrayó sus palabras. La del rebozo se adelantó para separarla del cadáver, pero ella sacudió enérgicamente los hombros y sin dejar de gritar y de llorar juntó su cara a la de Isidro. Entonces la del rebozo fue por los demás niños; empujándolos de las espaldas los encaminó hacia la puerta.

—Vamos, vamos...

No lloraban. Sin quitar la vista del cadáver de su hermano atravesaban el cuarto. El chofer les acarició la cabeza cuando cruzaron frente a él, y el ingeniero fijó su mirada en el mayor: tendría seis años; una camisa hecha garras, mal fajada, huía de su pantalón remendado; en el talón de su pie izquierdo florecía una gran costra de sangre; le temblaban los labios, le escurrían los mocos, le brillaba el sudor en su cabeza rapada. El niño se detuvo en la puerta esquivando a la mujer del rebozo que llevaba de la mano al menor mientras con la otra se apretaba las narices. La mujer se devolvió por él, pero el niño la volvió a esquivar y corriendo hasta donde estaba su madre la abrazó por la espalda y empezó a llorar quedamente.

Jacinto había salido. El chofer y el ingeniero lo vieron cruzar a grandes zancadas el patio y llegar hasta la vereda por donde regresaba la niña de diez años. Ella no vio a Jacinto hasta que éste la sujetó de un brazo. Con la mano empuñada del otro le descargó un golpe en la mejilla. La niña cayó al suelo. Allí Jacinto le dio un puntapié a la altura del pecho. Otro más en el costado. Y la hubiera seguido golpeando de no llegar corriendo el chofer y el ingeniero a sujetarlo.

—No seas bruto, Jacinto.

—Suéltenme. Esta desgraciada...

—No seas bruto.

Mató al chamaco más vivo del mundo. Él lo quería más que a esa mugrosa escuincla y que a todos sus demás hijos juntos, porque se le parecía a él, porque no era chillón, ni remilgoso, ni pegado a su madre. Se le miraba ya el entendimiento avispado y por eso se lo llevaba a explicarle cómo es la gente y cómo es que el sol se deja ver por un lado y se mete por el otro. Una noche se quedó toda la noche en el cerro con Isidro nada más para cumplirle la curiosidad que el chamaco tenía de ver las estrellas y sentir el frío del monte y oír al coyote. ¡Y cuando le enseñó a cazar víboras!, con aquel valor que ni para el doble de su edad, y cuando lo llevó a romperle todito el hocico al chamaco grandulón de Juan José. Le partió la boca. Era de asombrarse ver cómo tiraba golpes y patadas y cómo el escuincle grandulón no veía la suya; porque Isidro era de los escurridizos, sabía meter la trompada y salir y volver a meterla. Y era chiquión con su padre, además. El único chiquión. Si no se quiso ir a Guadalajara o a México fue porque ni modo de llevárselo, pero ni modo tampoco de dejarlo allí: cómo se iba a pasar tanto tiempo sin verlo. Lo atoraba en el pueblo. Tenía sus planes para después; cuando Isidro estuviera grande, entonces sí, a dejar las tarugadas de andar cargando tránsitos y estadales y metiendo estacas por una paga que apenas da para comer. Se llevaría a su chamaco a trabajar en lo que fuera y en donde fuera. Tenía sus planes, pero miren que esa malhaya escuincla hija de su pelona, con una piedrota...

Jacinto extendió el brazo para alcanzar el jarro de curado de piña.

—¿Por qué tenía que ser Isidro, ingeniero? Por qué Isidro y no la Rosa o cualquiera de los otros... Así lo siento. La vieja ya lo sabe. ¿Verdad, vieja? ¡Viejaaa!, ¡viejaaa, te estoy hablando! Dile al ingeniero lo que era Isidro para mí. Órale, dile. Nomás de él tenía la seguridad. Porque ahí la ve tan aplastada, pero usted no sabe... A mí no me hacen pendejo. Desde antes de que me la trajera para acá ya se metía con todos. El panzón le hizo a la Rosa. Tú lo conociste, Darío, o llegaste a oír hablar de él ¿no? El panzón fue. ¿Verdad que fue el panzón, vieja? Ya que ganas con porfiarme. Mírela, ingeniero, muy sorda muy sorda... Y ése que está ahí, Miguel, ése se lo hizo Nicanor Salinas. Y los otros dos, sabe quién se los hizo, ni ella puede decir, pero míos no son. Mío sólo era Isidro. ¡Déjame, Darío! ¿Sabe por qué estoy tan seguro del Isidro, ingeniero? Nomás porque fue cuando andábamos por Yuriria;

un mes enterito que la condenada no pudo ver más cara que la mía. No estoy borracho, ingeniero. Nada más le pido que me conteste: ¿por qué tenía que ser Isidro? ¿Qué fregados le hice yo de malo a la Virgen del Sagrario para que me quitara a Isidro?

Y me vine a México.

Tenía por acá un amigo: un tal Heliodoro Gómez que le daba a la carpintería. Nos conocimos de muchachos y a la hora de salir del pueblo sabía bien dónde encontrarlo en esta ciudad tan grande, porque resulta que justo unas semanas antes de venirme me lo hallé en Guadalajara, en un viajecito que hice. Andaba yo por ahi y que me lo encuentro. Y quihubo, y pues quihubo. Ya me dijo que estaba viviendo en México; me dio su dirección y todo. Entonces cuando me bajé del flecha roja no me costó trabajo dar con su casa, allá por Peralvillo. Estaba poniendo un taller de carpintería. Luego luego se ofreció a ayudarme. Al otro día de que llegué me llevó con un maestro albañil y ese mismo día empecé a trabajar, sin preguntar antes cuánto iban a darme ni nada. Nomás me importaba tener chamba. Fue suerte porque yo sé de cuates que llegan igual y como yo llegué y andan los pobres cuatro o cinco semanas de vagos, con la cosa de que les caen los primeros fierros y se los gastan en una pulquería. Gracias a Dios yo no soy de ésos. Ni aunque ande sin trabajo y bien amolado soy de los que se tiran al vicio. También por eso me fue bien. Estuve trabajando con ese maestro que digo cosa de un año, hasta que justamente en una pulquería conocí al Chapo Álvarez de puritita casualidad. Él tampoco es de los que chupan por vicio: aquella vez fue a la pulquería a celebrar el diablo de uno de sus albañiles, creo. Un detalle muy de tomársele en cuenta porque no le aunque su autoridad, su buena ropa y todo, entra a cualquier pulquería y alterna con su gente de igual a igual. Eso no lo hace cualquier maestro. Yo llegué a «La revoltosa» acompañado de un amigo de por aquellos tiempos. Entramos por entrar, para ultimar algún asunto, no con la intención de tupirle. Nos sentamos en una mesa, pedimos nuestro trago, nos trajeron, empezamos a platicar, y en ésas estábamos cuando mi amigo se voltea para otra mesa y se pone a gritar: «Pero miren quién está ahi». Resulta que uno de los que llegaron con Álvarez era su cuate. Ya tenían años de no verse. Vinieron los abrazos; qué te haces, dónde andas; lo de rigor. Sin sentirlo ya estábamos en la otra mesa saludándonos de mano con ése que era el Chapo Álvarez y que al rato se quiso ir. Pero no lo dejaron, claro; ahora tocaba beber a la salud de los dos que se volvían a ver después de muchos años. Casi no se hizo del rogar. Pidió las otras y se quedó ya ni me acuerdo hasta que horas. Lo tenía sentado junto a mí, con su chamarra fina, sus pantalones caros, sus zapatos bien boleados, su sombrero, y me hablaba como si nos conociéramos de viejo. De esa platicada salió todo. Me ofreció trabajo en una de sus obras y desde entonces no he trabajado más que con él. Soy su hombre de confianza porque desde el principio le gustó mi seriedad. Cumplía las órdenes y hacía cumplirlas al pie de la letra. No se me escapaba nada. Un día me dijo: «Tienes mucha idea para la construcción, le inteliges bien». Y es cierto. Siento las cosas. Sé cuándo un muro necesita aquí un amarre y cuándo no. O cuándo un castillo va con cuatro varillas o con seis. Agarré pronto el modo. Fui matado para el trabajo. Me pegaba a la chamba y no me iba de la obra hasta no dejar las cosas terminadas. Por eso el Chapo estaba contento conmigo y por eso me hizo su hombre de confianza. A veces nos íbamos los dos a echar unas cervezas para calmar la sed. Él me llegó a contar cosas muy suyas que nunca le contó a nadie: de una hija que se le fue con un electricista, de un hermano que andaba al otro lado... Y yo también: con la garganta remojada se me soltaba la lengua y no tenía para cuándo acabar contándole de lo mío. El Chapo me oía con atención lamiendo su vaso o interrumpiéndome con mucha educación para pedir las otras y luego mirarme de nuevo: «Sí, ¿qué decías?» Decía esto y aquello, le contestaba yo cambiando de conversación. Siempre el trago como que le suelta a uno la lengua y nos hace acordarnos de cosas que para qué. De hombre a hombre, el Chapo me daba consejos; me decía: el muerto al hoyo, hay que seguir tirando. Y eso sí: no me dejaba pagar. Cuando yo metía la mano a la bolsa él ya tenía fuera el fajo de billetes y me hacía a un lado y preguntaba cuánto se debe. Ni a las putas me dejaba pagarles porque según decía, entre dos amigos siempre debe pagar el que tiene más lana. Para entonces ya no vivía en Peralvillo. Me cambié a la colonia Moctezuma, por el rumbo de Álvarez, a un cuarto que me alquiló una vieja. A Heliodoro Gómez lo dejé de frecuentar; ya sólo lo veía de casualidad allá cada cuándo. La última vez fue hace como un año: al pobre me lo encontré bien jodido porque según supe después, empezó a alternar la chamba con esto y entre pleitos y borracheras cada tercer día no daba con el norte. Me pidió prestado, pero no le di un quinto porque lo vi de plano muy mal y pensé que si le prestaba la lana que me pedía dizque para pagar las rentas atrasadas de su taller, se la iba a gastar en la primera pulquería. Y se lo dije así para ver si se animaba a enderezar su vida como la enderecé yo; le hablé de lo traicionero que es el trago, pero él quería dinero y no consejos. Se enojó. Se fue. No he vuelto a verlo... De verdad es una lástima que la gente acabe así. Y a mí me pudo pasar lo mismo que a Heliodoro Gómez si no llego a conocer al Chapo, que me metió en la cabeza la idea de seguir tirando, no le hace la de golpes que le haya dado a uno la vida.

También hice amistad con el Patotas, y muy buena amistad: apadriné ¡al séptimo! de sus chamacos. Es muy buen tipo el Patotas. Por menso y por zonzo no pasará de media cuchara, pero es muy buen tipo, muy leal. Cuando yo ya no salía con Álvarez —no porque anduviéramos de pleito, sino porque Álvarez andaba en otros negocios— me iba con el Patotas. Llegaba el sábado, nos rayaba el Chapo y jalábamos para los baños de Escandón. Una buena regadera, harta vaselina, el tacuche de cada quien bien limpio, y no te oigo: qué vieja nos duraba. ¡A bailar toda la tarde!, luego al box, luego por ahi. Me gustaba andar con el Patotas porque aparte de lo jalador que es, le encanta la alegata. Hasta de política discutíamos. Él tomaba las cosas muy en serio; en un ratito se le calentaba la sangre y a veces terminábamos a mentadas de madre, armando tanto escándalo que el patrón nos echaba a la fuerza de la pulquería o de donde fuera.

Así era mi vida, pareja como la de cualquiera. Hasta ahora que se cargaron a don Jesús.

Por el Chapo conocí a don Jesús. en la mentada obra de Hortensia. No sé muy bien cómo fue que llegó ahí: parece que la mujer de don Jesús conocía de antes ai Chapo Álvarez y en una oportunidad le pidió chamba para su viejo. Al Chapo se le hizo fácil decir que sí, y se la dio de velador. Luego yo supe por mi lado que don Jesús acababa de salir del manicomio, y fui y le dije al Chapo:

—¿Ya sabes?

—Sí, ya sé —me dijo—. Qué tiene.

—Para ti puede que nada —le dije—, pero quién sabe lo que diga el ingeniero Zamora.

—Nos urge un velador —me dijo.

—Sí pues, pero éste está lurias —le dije—. La de malas y cualquier día nos madruga a todos... ¿Por qué le diste chamba?

—Está fregado —me dijo.

Y deveras daba lástima el pobre viejo. Ya cuando lo vi de cercas fue otra canción: se me hizo inofensivo, no como los locos locos. Puede que hasta ni loco esté, pensé yo. Una cosa es tener vicios y otra que a un fulano le falte un tornillo. Además, pensé yo, si todos los locos son así de pacíficos, nada tiene de peligroso que anden sueltos. Está bien que trabaje. Por mí no queda. Le dio gusto al Chapo Álvarez saber cómo pensaba yo. Me lo dijo. Y nos pusimos a hacerle buen ambiente. Al principio no abría la boca; se nos quedaba mirando como perro desconfiado, como con miedo a que en cualquier chico rato le fuéramos a decir: se acabó la chamba, lárgate. Pero cuando vio que nos portábamos deveras bien, se dejó de desconfianzas y soltó la lengua. Primero todo era darnos las gracias y decirnos que de no ser por nosotros, a esas horas estaría otra vez en el manicomio, o en la calle, de vago, expuesto a morir de hambre. Ya después nos contaba de sus problemas con su mujer y su hija. Su mujer estaba todavía de buen ver. En tiempos de la obra de Hortensia iba muy seguido por allí. Con todo y que andaba greñuda se veía bien; muy buenota que está, decía Patotas. Nunca llegué a averiguar si el Chapo y ella se conocían de tiempo atrás, pero daba la casualidad que la mujer de don Jesús nunca se iba de la obra sin despedirse de Álvarez. A veces nada más de lejecitos: hasta luego maestro y se acabó. Pero otras veces —hablo de cuando Hortensia— los veía yo bien entrados en la plática. Desde luego no me aguanté la curiosidad de saber qué pensaba el Chapo de la vieja, y se lo pregunté sin más ni más. Se rio. Me dijo que no pensaba nada, que qué podía pensar. Pero cuando le hice un chiste se trabó del coraje y ya nunca más volvimos a hablar de la condenada vieja. El Chapo era delicado para ciertas cosas. Es, porque yo creo que eso no se le quita ni con chochos.

Que yo me acuerde, en la obra de Cuauhtémoc sólo una vez se apareció la mujer de don Jesús, cuando ya el viejo le había contado a todo el mundo los enredos de la condenada con un portero de no sé dónde. Dizque su vieja y el portero —¡vaya usted a saber si es cierto!— lo metieron al manicomino para poder acostarse en la misma cama sin tenerse que estar escondiendo de don Jesús. A lo mejor era verdad, pero en todo caso mejor averiguarlo, porque con las mismas palabras con que nos decía esto, nos decía de unos endemoniados que lo querían matar. El caso es que ese día que fue la mujer de don Jesús a la obra de Cuauhtémoc, se portó muy bien con su marido: le llevó unas enchiladas, sus cigarros, quién sabe cuántas cosas, y lo estuvo apapachando. Don Jesús se estaba apenas reponiendo de dos ataques del día anterior; andaba bien malo. Así le pareció a ella porque a la hora de irse fue con Álvarez a pedirle que por favor cuidara mucho de su viejo, que si se ponía malo le avisara. Yo la oí. De veras parecía apurada. Andaba muy limpia ese día, por cierto: sin greñas, con un vestido nuevo, y ¡ah qué buenas piernas!, me decía Patotas, como para otro hombre menos viejo y menos enfermo que el velador. De lo poco que el Chapo me contó de ella fue de que trabajaba de criada, lavando y planchando ajeno. Parecía decente. Quién sabe de dónde sacaba don Jesús sus razones para no bajarla de ofrecida y putona, y no entiendo cómo Álvarez lo dejaba decir eso, siendo que el Chapo —ese día cuando menos— la miraba con gusto. Ahí estaban los dos, la mujer de don Jesús y el Chapo, bien entretenidos en la plática; porque eso ya era plática, no me vengan a mí con cuentos, ya no estaban hablando de don Jesús; hablaban de otra cosa y de seguro muy interesante, porque desde donde yo estaba, echándoles un ojo, veía a la mujer hacer ademanes y rascarse una pierna hasta acá y risa y risa, y el Chapo risa y risa también, apretándole mucho tiempo la mano a la hora de despedirse.

Que yo me acuerde ese fue el único día que la mujer de don Jesús se apareció en la obra de Cuauhtémoc. Su hija iba más seguido, pero nada más de entrada por salida. Le llevaba algún tiliche, le daba al Chapo un recado de su madre —me imagino— y se iba.

Nunca le perdí la estimación al Chapo Álvarez. Patotas lo sabe. ¿Se la iba a perder a un tipo que me dice:

—Vete pensando en levantar tu casa, Jacinto...?

—Pero con qué ojos —le digo.

Eso fue en Hortensia. Me explicó que con las sobras de material, unas cuantas varillas que de todos modos se van a quedar arrumbadas, unos bultos de cemento, tabiques, arena, lo demás, y gente de confianza, en la orita nos levantábamos mi casa en ese terreno de la Moctezuma.

No le entré al toro esa vez, hasta que en Cuauhtémoc me volvió a decir:

—Órale, no tengas miedo.

Y ahí estuvo.

Decía que en Hortensia conocí a don Jesús y que al

poco tiempo le cogí voluntad: de esa voluntad que nomás se les coge a las personas jodidas. El día del primer ataque yo fui el primero en apurarme. Toda la santa tarde me estuve reanimándolo: lo llevé cargado, le di un trago cuando se despertó, hasta puse lana para sus medicinas. Que lo diga Patotas.

Pero cuando el ingeniero supo lo del ataque, se escamó. No quiso que don Jesús siguiera en la obra por más lucha y por más razones que le dimos el Chapo y yo. El curita fue el de todo el chisme. Le contó al ingeniero del ataque y le dijo que el viejo se tronaba sus cigarros de mariguana. Encima lo acusó de ladrón, de que le robó la tarraja..., y mentira, no le robó nada, pero a fuerzas quería el canijo curita botar al viejo y lo consiguió después de moler y moler al ingeniero con la taralata de que el viejo no era de fiar.

—No es de fiar —llegó y dijo el ingeniero Zamora—, es peligroso.

—Cuál peligroso —dijimos nosotros.

—Es un enfermo —dijo el ingeniero Zamora—, un día se nos muere, y mejor no quiero tener líos.

—No la chingue, ingeniero —dijo Alvarez—. No tiene a dónde ir, no tiene familia, no tiene a nadie.

Como que al principio el ingeniero se trabó un poquito con aquello de que don Jesús estaba más solo que las hilachas; pero sólo al principio. Esa gente como el ingeniero Zamora, decía Patotas, nomás cuida sus propios intereses; si por alguna insignificancia cree que algún fulano le puede acarrear dificultades, lo echa a patadas sin más ni más; no averigua si pasa algo, si el fulano está enfermo, si cualquier cosa, no señor, decía Patotas, todo el que estorba, todo el que parece pendejo, a volar. De a tiro lo miden a uno como mula de carga, decía Patotas.

Todavía el Chapo insistió:

—Don Jesús no tiene familia, ingeniero.

Pero el ingeniero se largó sin quitar una sola letra:

—¡Mañana no quiero ver aquí al velador!

Me gustó cómo defendió el Chapo a don Jesús, pero ya en lo personal me extrañó tanta insistencia con aquello de que el viejo no tenía familia. ¿Y su mujer?, pensaba yo. Después de todo tiene a su mujer y a su hija, por muy mal que le vaya no se quedará encuerado, no es para que el Chapo exagere tanto las cosas, a menos que por razones muy suyas quiera tener a don Jesús encerrado día y noche en Hortensia, sin modo de averiguar qué es lo que está haciendo su mujer y con quién.

—¿Por quién abogabas, Chapo? —le pregunté, más de vacilada que en serio—, ¿por don Jesús o por ti?

No le gustó. Me volteó la cara.

Al otro día ya estaba moviendo cielo y tierra para conseguirle una nueva chamba al viejo. Le costó trabajo, pero no paró hasta verlo de velador en una pensión de carros. ¡Por detalles así es por lo que digo que no hay en el mundo gente más buena que el Chapo Álvarez!

No volví a saber de don Jesús hasta que empezamos con la obra de Cuauhtémoc. Lo vi llegar más fregado que de costumbre y me quedé todo así cuando me dijo que el maestro Álvarez lo llamó para darle trabajo.

—Yo creo que no —le dije—, esta obra es del ingeniero Zamora y usted ya sabe, don Jesús. Mejor no le busque ruido al chicharrón.

Pero como si fuera sordo. Se sentó en un cajón y no se movió hasta que llegó Álvarez. Apenas andábamos desyerbando el terreno, no había bodega ni nada: la hicimos esa tarde precisamente; el Chapo no dejó ir a la gente cuando dieron las cinco, se puso terco en que levantáramos el jacalón para que ya don Jesús pudiera pasar ahí su primera noche. No íbamos a tener problemas con el ingeniero Zamora porque era su hijo y no él el que dirigía la obra; y el Nene dijo que sí, luego luego. Ni modo de llevarle la contraria al Chapo. Está bueno. Pero el Patotas y yo teníamos nuestro temorcito porque sí, claro, el Nene admitió a don Jesús, pero que se apareciera por ahí el ingeniero Zamora y a ver.

Patotas me decía:

—Se le va a armar a Álvarez.

Y yo decía:

—Sí, se le va a armar.

Pero no se le armó: ¡suerte que tiene el condenado! Bueno, suerte, pero también hay que reconocer que se capoteó bonito al ingeniero: le dijo que no encontraba veladores por ningún lado, y que urgía uno, que la chingada, que don Jesús ya estaba muy cambiado. Y lo que le cerró el pico al ingeniero: que fue su hijo el de todo: el joven Federico se apalabró con don Jesús y dio la orden... Ahora que, claro, si el ingeniero Zamora quería pasar por alto las disposiciones del muchacho, pues...

Total, para no alargarle más el cuento, el ingeniero dijo:

—Bueno, que se quede, pero no quiero líos.

—No va a haber líos —dijo el canijo Chapo.

Y ahí murió.

Puede tomarse a mal que yo diga que a los cuatro meses de empezada la obra de Cuauhtémoc andaba corriendo entre los albañiles el rumor de que el Chapo estaba bien entrado con la mujer de don Jesús, pero lo digo nada más para hacer ver que yo fui el primero en desbaratar el rumor. De un trancazo le cerré el hocico a Marcial cuando un sábado, mientras nos echábamos unas cervezas, sacó a la conversación una de chismes sobre la vieja del velador. Como quien no quiere la cosa empezó metiendo aguja para sacar hilo, preguntando que si nos fijamos cómo la otra tarde el Chapo se entretuvo un rato largo tentaleándola mientras ella se rascaba una pierna y ya se despedía y todavía no y esas cosas. Yo me acordaba bien pero dije que no para variar la plática. Humberto dijo que él sí se fijó, y de ahí se agarró Marcial. Una noche —nos contó— de pura casualidad se encontró al Chapo Álvarez. Le preguntó: a dónde va, maestro. Por ahí, le dijo Álvarez. Y en ésas estaban cuando llegó la vieja de don Jesús, muy arreglada, como quien va a una fiesta. Marcial hizo como que no sabía quién era, se despidió y como que se fue, pero no se fue, se quedó espiándolos y los siguió hasta donde vivía la mujer, y los vio entrar muy abrazados.

Como digo: le cerré el hocico de un trancazo porque todo eso no era de creerse y yo no iba a dejar que en mis narices un tipo como Marcial le levantara falsos a un amigo. El cabrón se fue de espadas sobre la hielera de la miscelánea donde nos estábamos echando unas. Los demás se hicieron a un lado creyendo que iba a haber pleito, pero Marcial no se atrevió a entrarle conmigo a los trancazos. Al ratito me pedía perdón y delante de todos se desdecía y juraba por su puta madre que nunca volvería a abrir la boca para malhablar del Chapo.

¡Nada más eso faltaba!, que malhablaran del Chapo cuando todos, empezando con Marcial y terminando con Isidro, le debían a mi amigo tener una buena chamba y muchos otros favores más como el de rayarles la semana entera aunque hubieran hecho san-lunes, como el de adelantarles centavos o prestarles de su propio bolsillo, como el de regalarles un bultito de cemento. Y ahora en vez de agradecerlo, le levantaban falsos ¡no estando él presente! A ver, que se atreviera Marcial a plantarse delante del Chapo y decirle en su cara:

—Conque con la vieja de don Jesús, ¿eh?

O que fueran a chismearle a don Jesús. A ver, si eran tan machos allí quería yo verlos. Pero antes se iban a ir a su casa con el hocico roto, porque mientras Jacinto viva no consentirá que nadie, ni siquiera el ingeniero Zamora, se atreva a decir una mala palabra contra el mejor maestro de obras que hay en el mundo.

Buena espantada se puso Marcial. Pero yo no quedé contento. Lo que le dije en la tienda, se lo repetí luego delante de Perico y delante de Humberto. Me miraban con los ojos pelones, sin resollar. ¡Cuidado con tocar al Chapo Álvarez!

—Nadie ha dicho nada —dijo Humberto.

—Nadie ha dicho nada —dijo Perico.

Isidro andaba allí de metiche.

—También esto va para ti, Isidro. El día que se te ocurra hablar contra Álvarez te las vas a entender conmigo, ¿oíste? Cuidadito con que le vayas al viejo con el chisme porque te aplasto la cabeza con el marro, ¿oíste? Te agarro del cogote y aunque chilles y patalees y te arrepientas y grites que ya no vas a volver a abrir la boca te zarandeo hasta cansarme y te machaco la chirimolla contra una columna. Y cuando caigas al suelo te doy de patadas y agarro todas las piedras que encuentre y te las rompo en la trompa. Me va a dar mucha risa verte chorrear sangre; verte la cara llena de sangre y de mocos, verte estirar la pata, ¿oíste? No te voy a tener lástima, al revés, de puro gusto me voy a ir a emborrachar. Tieso como un palo te vas a quedar toda la noche en la obra y nadie va a saber quién fue porque nadie me vio, nadie estaba en la obra, ni siquiera don Jesús porque don Jesús ya está en el infierno. La obra se quedó sin velador. Lo mataron y como tú me tenías miedo de no sé qué se te hizo muy fácil decirles a estos pelados que yo me lo eché porque le traía ganas desde hace mucho. ¿O por qué se te ocurrió acusarme? ¿Quién te metió esa idea en la cabeza? ¿Fue el maldito viejo? Pues para que lo sepas yo no quería quitarle la lana. Le aconsejé que la devolviera; eran fregaderas. No presumo de honrado, pero una cosa es llevarse unos cuantos tabiques y otra volarse tres mil pesos. Se lo decía por su bien. Lo iban a agarrar con la lana y lo iban a meter derechito en el bote. Pero no me hizo caso, se puso necio, me calentó la sangre; por eso lo amenacé. La cosa no pasó a mayores y mira que yo tenía motivos de sobra para querer desquitarme. Estaba hasta la coronilla, ¿y sabes por qué? No era por el dinero; le dije que lo iba a matar si se seguía metiendo contigo. Yo quería defenderte del viejo y tú nunca te diste cuenta sino que al contrario, ya ves, ahora dices que yo soy el criminal sabiendo que no lo soy. ¿Por qué?, si en vez de tenerme miedo me debías tener lástima. Ya me ves tan grandote y tan mandón, pues muchos sábados se me amontonaban los recuerdos y para quitármelos de encima me iba a tupirle como un borracho cualquiera; para espantarme la tristeza de sentirme así como me sentía de triste; para gozar ese calorcito que se le va trepando a uno hasta la cabeza y que le bulle adentro como si la cabeza fuera el horno de una ladrillera. Trago y trago y a todos se les figuraba que bebía por gusto al alcohol, pero era porque el alcohol me llenaba de fuerzas. Ya cuando estaba ahogado, cuando Patotas o Perico o Marcial o cualquiera me sacaban acercándome los hombros para que yo me colgara de ellos y ellos caminaran por mí y me llevaran hasta mi casa y me dejaran acostado, ya cuando pasaba el jaleo de la discusión y me quedaba solo, sentía una picazón en los ojos, me escurrían los lagrimones. Parece mentira, puedes reírte, yo no te voy a venir como el viejo a pedir lástima ni a ablandarte el pellejo para luego aprovecharme como se aprovechó él después de que te pidió que te quedaras a consolarlo toda la noche: ¡puto desgraciado! Al revés, Isidro: yo quería que te hicieras hombre hecho y derecho y aprendieras a ganarte la vida tú solito, sin necesidad de mendigar nunca trabajo ni de pedir prestado a todo el mundo. Para que te hicieras hombre te gritaba. Para que te hicieras hombre te mandaba de un lado para otro. Me gustaba traerte a raya y exigirte como a ningún peón le exigí nunca. Sentía una muina verde cuando te encontraba todo apachurrado, sentadote en las vigas. Me hervían los hígados de coraje y ganas me daban de agarrarte el cogote y apretártelo para verte patalear porque el aire se te acaba se te acaba se te acaba. ¿Qué tenías que venir a hacer a la obra? ¿Quién diablos te trajo aquí si hay mucho trabajo en otros lados? Por qué tu padre en vez de conocer a Álvarez no conoció a Juan de las Pitas y te mandó con él para que te ganaras los primeros centavos acarreando caca. Desde el primer día me caíste gordo. Quería verte reventar, oírte decir me largo y no volverte a ver en toda mi vida. Pero ahi estabas desde muy temprano, puntual, corriendo corriendo como una rata para cumplir con todos los mandados, hasta con los más idiotas, nada se te hacía trabajoso, a todo decías que sí y se te escurría la baba o te ponías como un jitomate cuando yo te regañaba por dejar afuera la manguera, siendo que a mí la manguera me importaba una chingada. También me daba gusto oír a don Jesús contando sus cosas delante de ti; quería que se te pusiera la carne de gallina con las historias de aparecidos y que te aturdiera con sus leperadas. Qué risa me dio cuando me dijeron que andabas tras la hermana del plomero. Patotas y yo la pasábamos en grande moliendo a la escuincla, volteando a verte a ti; tú, rojo de coraje, haciéndote el distraído, el que no oyó nada, mirando para atrás y nosotros imaginándonos la de mentadas de madre que nos echarías. Más le seguíamos. Patotas le agarró una trenza a la Celerina para hacerte pegar una rabieta. Rabiabas. Más le seguíamos. Más lo seguía yo, después, porque sospechaba lo que pasó aquella noche en la bodega. ¿Por qué te quedaste a dormir con don Jesús, Isidro? ¿Que no te diste cuenta, o qué? ¿Te daba lástima? ¿Te gustaba el viejo? ¿Te gustaba el viejo, Isidro? Y qué pues con la Celerina. ¿No te gustaba más la Celerina? Así no vas a ser un hombre hecho y derecho; te vas a volver como el Cura, ya lo conoces, míralo: inconsolable porque se le quebraron los anteojos, ahora sí más ciego que un ciego; míralo: tiene que pegarse las herramientas a los ojos para saber si lo que coge son las pinzas o la verga de su ayudante. A dónde vas a llegar si sigues creyéndole todo a don Jesús nada más porque lo ves chillando. Y me arrepentí de haberte empujado a hacer amistad con él, cuando debiste hacerla conmigo porque yo nunca te iba a tocar tu pellejo de hombre, que es muy tuyo y que sólo a una vieja se le ofrece, ¿oíste?; el pellejo de un hombre es nomás para el pellejo de una hembra que también tenga lo suyo y a la que puedas dejar cuando se te dé la gana para largarte conmigo por ahi, a averiguar que tan lejos llevan las veredas y que tan largos son los caminos. Nunca nos quedaremos más de dos meses en un pueblo porque es como el hombre se echa a perder. Trabajaremos por nuestra cuenta, sin depender más que de los ingenieros. Yo maestro de obras y tú mi oficial. Nos las sabemos todas de todas. Ustedes nomás digan lo que quieren y nosotros a darle. Ni al Patotas vamos a invitar; él que se quede echando pestes contra los que tienen lana, nosotros vamos a ganar la nuestra para hacernos una casita en cada lugar bonito; o no hacer nada, mejor viajar como te digo de un lado a otro, entrándoles a las obras grandes cuando las haya, o agarrando chambas de lo que sea cuando llegue la de malas y tengamos que dormir en el cerro porque ni siquiera hay dinero para la fonda. A cazar víboras. Dos pesos por cada víbora muerta. Uno cincuenta, ni nosotros ni usted. ¿Ya te fijaste cómo se le hace, Isidro? Apenas oigas el zumbido, ponte abusado, que no se te escape ni una. ¿Oíste el coyote? Ese mero es. No tengas miedo, estás conmigo. Mira la luna. Cuenta las estrellas. A ver, quién tiene más que nosotros que tenemos todo el canijo cielo de techo, bien bonito en noches así. Ahora verás cuando seas más grande y nos váyamos para el sur. Vas a conocer el mar. Espérame aquí tantito, no te vayas a ir, ¿eh? Ahorita vuelvo. Tengo que arreglar un asunto pendiente y vuelvo. No me tardo.

—Me asustaste; ya andaba creyendo que eran ladrones. ¿Qué haces?

—Nada que te importe, viejo de la chingada.

—¡Uh! estás pedo.

—Bien pedo, y qué.

—Pues ahi abajo tengo una botellita, por si quieres echarte un trago, je je.

—No te hagas el pendejo. Te previne que dejaras en paz al escuincle.

—Qué traes.

—Te previne. Y cuando yo digo una cosa ya sabes que no la digo de hablada.

—Je je. Vamos para abajo. Je je.

—Te esoy hablando, puto infeliz. No voltees la cara.

—Espérate, Jacinto.

—Te advertí que lo dejaras.

—Yo no le hice nada, quién te dijo; yo no soy capaz de hacerle nada a nadie. Tú me conoces, Jacinto. Espérate, Jacinto. Oyeme. Espérate. Isidro anda con la Celerina. ¿Ya lo sabías? Ya lo sabías, ¿no? Yo lo aconsejé. Y es aventado el muchacho ahí donde ves. ¿Supiste? Déjame hablar. Te vas a reír. Je, je. Anda que se las truena por bajarle los calzones. Sí, de veras. Je je. El pobrecito no sabía nada de nada. Yo le tuve que explicar. Je je. Lo hubieras visto. Espérate, allá abajo tengo una botella enterita. Vamos a platicar tú y yo. Qué bueno que veniste. Tengo tres noches sin coger el sueño. Oyeme lo que te estoy diciendo. Cómo crees que yo. Son figuraciones tuyas. Si te digo que yo mero lo animé a que se aventara con la Celerina. Jacinto, ya hablando en serio; no te hagas payaso. ¿Me quieres asustar? No, no, deveras. Ya sé, je je, es por la lana. Bueno, está bien, vamos hablando, ¿cuánto quieres? Te voy a dar quinientos. Mil. Mil pesotes, Jacinto. Je je, qué dijiste. No. Sí. Los tengo allá abajo. No seas sangrón. Te doy dos mil si quieres. Los tres mil. No los he tocado. Están enteritos. Te estoy hablando, Jacinto. Espérate. Yo no le hice nada a Isidro. Por tu madrecita, Jacinto, por la Virgen. Estás borracho. No seas cabrón. Soy un pobre viejo miserable y jodido, mírame. Jacinto, no seas cabrón.

8

Isidro levantó la vista: los ojos de Jacinto. La volvió a bajar.

El hombre de la corbata a rayas puso sus manos sobre los hombros del muchacho y acercó el rostro hasta casi tocarlo con la nariz.

—Deja en paz a los aparecidos y explícate. ¿Tú lo viste? ¿Estabas ahí? ¿Alguna vez lo amenazó? ¿Me estás oyendo? Alza la cara. ¡Habla!

La mano derecha del hombre de la corbata a rayas soltó el hombro de Isidro, para oprimir después los cachetes del muchacho y hacer girar su cuello en dirección a Jacinto que de pie, con las piernas abiertas, los brazos cruzados por detrás, miró sin decir palabra cómo luchó Isidro por zafarse, cómo apretó los ojos, arrugó la frente, retorció el cuerpo.

—¡Habla!

El tirón de cabellos: los ojos de Jacinto. La cachetada.

—¡Habla!

Jacinto avanzó:

—¡Déjelo!

—Fue él... ¡Fue él! Don Jesús dijo que Jacinto iba a venir a matarlo una noche. Yo lo vi. Ahí estaba.

—¿Dónde estabas?

—Estábamos en la bodega y oímos un ruido arriba y don Jesús me dijo que me quedara allí mientras él iba a ver y fue y yo nada más me asomé y oí voces y subí y Jacinto le gritaba no sé qué y le dio un empujón y luego otro empujón y don Jesús le decía que por favor no lo matara pero Jacinto decía que lo iba a matar porque era un viejo condenado no sé qué y don Jesús decía que él no era un viejo condenado y con un alambre que traía en la mano le hacía así para que Jacinto no se le acercara pero Jacinto se le acercaba y entonces don Jesús se hizo para atrás y Jacinto cogió un fierro que estaba en el suelo y le quiso pegar pero le falló y luego don Jesús corrió para la escalera pero estaba atarantado y se metió al baño y allí Jacinto le dio de tubazos y le seguía dando cuando don Jesús estaba tirado en el suelo chorreando por la cabeza y yo me eché a correr porque me dio miedo que me fuera a ver Jacinto y no sabía para donde irme si para arriba o para abajo a la bodega pero a lo mejor se le ocurría a Jacinto bajar a la bodega a buscar el dinero que tenía escondido el viejo y entonces me metí en la cocina de abajo y oí cuando Jacinto llegó a la bodega y se puso a tirar todas las cosas o no sé qué estaba haciendo que se oía tanto ruido de cosas que tiraba y tiraba hasta que encontró el dinero o no lo encontró y se fue sin verme gracias a Dios porque yo tenía mucho miedo y no sabía qué hacer más que estarme escondido hasta que estuve seguro de que Jacinto ya no estaba y entonces entré a la bodega y vi todas las cosas tiradas y me puse a arreglarlas pero no acabé porque tenía mucho miedo y no me atrevía a ir arriba donde estaba don Jesús chorreando sangre ni salir a la calle porque si luego iba y decía que vi a Jacinto él me iba a matar a mí porque trae adentro los endemoniados esos que querían matar a don Jesús y que se le metieron a Jacinto pero que se me pudieron meter a mí y en vez de Jacinto matar yo a don Jesús por lo que don Jesús le hizo a la Cele. Me engañó. Me dijo que la llevara para darle consejos, y no era para darle consejos sino para hacerle lo que le hizo a la pobre.

—¿Dónde está Celerina?

—Se fue.

—¿Cómo que se fue?

—Le dio vergüenza —don Jesús sonrió, se rascó un cachete sin dejar de sonreir mientras Isidro se mordía los labios y preguntaba por la Celerina que sintió vergüenza al oir los consejos del velador. Nada tiene de raro: vergüenza, porque el solo pensar que se va a sentir bonito es para hacerle sentir vergüenza a la que no tiene costumbre de que le bajen los calzones y oye por primera vez explicaciones tan claras como las que le dio el viejo. Primero la convenció de que Isidro era un buen muchacho. Don Jesús lo quería como se quiere a un hijo o más, porque ni a un hijo le hubiera contado las cosas íntimas que le contó a Isidro: de cuando era muchacho y sufrió penalidades y decepciones amorosas de una tal Encarnación parecida a Celerina en lo bonita, pero no tan buena como la Celerina. ¡Lo que habría dado el viejo por tener la fortuna de conocer en su juventud a una muchacha así! Con una como Celerina no habría acabado en miserable viejo, pobre y enfermo que ya sólo vive esperando la muerte. No tuvo la suerte de Isidro. Las mujeres le jugaron chueco: empezando con Encarnación y terminando, shshsh, ¿sabes con quién?, con su vieja. Es un secreto; que Celerina no se lo fuera a decir a nadie, por favor, que la cosa quedara solamente entre ellos dos e Isidro. Su mujer —¿ya la conoces?— lo hacía tarugo nada menos que con Álvarez. Antes fue con otros; ahora era con Álvarez. ¡Y qué se puede hacer! Nada. Cuando se llega a viejo, nomás queda cerrar los ojos, callarse la boca; si acaso, tratar de olvidar y buscar en otras cosas las fuerzas para seguir viviendo. Secretos tan íntimos como ése le contó a Isidro y se los contaba ahora a la Celerina para hacerle ver que le tenía confianza. La muchacha dijo «pobre don Jesús» y don Jesús se aventó con lo más difícil. Para comenzar le dijo algo así como que las niñas ni sienten nada, por eso son niñas; luego empiezan a crecer y naturalmente a sentir. Cuando al pasar por la calle alguien les echa una flor, o cuando voltean y ven a un pelado mirarlas arriba de la cintura, sienten por primera vez un escalofrío, ¿a poco no?, y las piernas aguadas, ¿a poco no?, y la cara roja como un jitomate. Eso ya es señal, junto con lo de la sangre, que dejaron de ser niñas. Buena señal. Y que dijera Celerina si era cierto o no que además de la cara roja, las piernas aguadas y el escalofrío, sintió en una de ésas una especie de alegría y unas ganas de ir güiri-güiri con una amiga de fiar a decirle que ya los hombres se fijaban en ella. Al platicar con la amiga, le ganó la risa, ¿a poco no? La amiga rio también. ¡Felices las dos!

Isidro se impacientaba:

—¿Qué dijo Celerina?

—Espérate, no comas ansias. Te lo voy a contar todo, pero despacito. Como te digo: primero te puse por las nubes: un muchacho trabajador, serio y de lo más buena gente que hay. La mejor prueba de eso era que yo te quería como si fueras mi hijo. Y le expliqué que un padre nunca nunca será capaz de aconsejarle a un hijo suyo nada malo.

—¿Y qué dijo Celerina?

—Estaba mosqueada, pero se iba interesando en la cuestión.

Dejó de mover las manos, las cruzó por delante, se echó a reir con aquello de las dos amigas felices las dos, porque fue justo así como sucedió. ¡Qué come este viejo que adivina! Experiencia, mucho ver la vida y mucho conocer a las gentes. Cosa de tener setenta años y a los setenta años preocuparse por la felicidad de los jóvenes. Y para que viera que no era chiripada le iba a adivinar lo que Celerina hacía luego del güiri güiri con su amiga: se peinaba más, se ponía vestidos limpiecitos, se los apretaba bien de la cintura para hacer lucir los... ¿eh?, ¿a poco no?, y adrede agarraba la misma calle donde la chulearon la otra vez. ¡Otra vez adivinó don Jesús! Y de adivinanza en adivinanza le hizo ver que conocía hasta el último de sus pensamientos, de modo que ya no le fue difícil convencerla de que al otro día se dejara hacer de Isidro todo lo que Isidro le quisiera hacer. Lo pide el cuerpo y cuando el cuerpo pide algo es porque lo necesita. Uno tiene hambre y qué hace: come. Uno tiene sueño y qué hace: duerme. Si no se come, no se quita el hambre. Si no se duerme, no se quita el sueño. La peor desgracia que le puede caer a cualquiera es no poder dormir en las noches o no tener para comer. Celerina tenía suerte porque gracias a su hermano nunca pasó miserias como las que don Jesús pasó. Qué bueno, porque son horribles. Eso de estar una semana sin probar bocado, con las tripas gruñendo, en la mera sierra pelona donde no hay más que hierbas, con una sed de la la-la-la-la, es para volverse loco, para no deseárselo al peor enemigo. Pues así lo demás. No hace falta decirlo. Los pensamientos de cada quien se respetan; pero a poco no más de una vez su cuerpecito blando, sus manitas, sus piececitos, sintieron unas cosquillas muy chistosas y unas ganas de acercarse más a Isidro y decirle: órale, Isidro. ¿A poco no? Si nunca le dijo nada fue porque sus ganas andaban como destanteadas y porque no sabía con que era exactamente con lo que se quitaba el cosquilleo. Como los niños chiquitos que nomás saben llorar. No saben si tienen hambre, o si están orinaditos, o si les duele la panza, no señor, ellos chillan y la madre tiene que averiguar. A la juventud le pasa lo mismo. Por eso estaba allí don Jesús. Era viejo y podía hablarle claro a una muchachita tan buena como la Celerina: hay que darle gusto al cuerpo. ¿Cómo? Dárselo. Celerina no tenía más que dejarse: Isidro ya sabía el modo. Es listo el muchacho y no te hará pasar un mal rato. ¿Qué después entra vergüenza? Natural. Igual que a veces da vergüenza dormir hasta el mediodía o comer hasta retacarse. Claro. Pero es como el dicho: en el comer y el rascar todo es empezar. Así en esto. La primera vez es difícil, la segunda menos, la tercera mucho menos. Cuantas veces quieras siempre y cuando sea con Isidro: esto es muy importante. Una mujer sólo se debe dejar tentar por el hombre que la quiere derecho. A él se le da todo. Si no, déjalo; búscate otro buey. Pero claro, no; Celerina quería a Isidro. Se le leía en sus ojos. Sus dos ojos negros como capulines, estrellitas negras caídas del cielo, tenían escrito el nombre de Isidro.

—¿Así le dijo?

—Así le dije.

—¿Y por qué se fue?

—Le dio pena. Como cuando te dio pena a ti, Isidro, acuérdate.

El viejo lo detuvo.

—Me falta decirte una cosa.

—Déjeme.

Con un pronto movimiento del brazo Isidro se libró de la mano de don Jesús que lo apretaba. Abrió la puerta de la bodega. El viento frío lo hirió en la cara.

Quitarse la camisa y respirar hondo, sentir un nuevo aire dentro de sus pulmones, correr lejos por toda la avenida, más allá, mucho más allá de la glorieta, hasta donde ya no hay casas; seguir corriendo, subir por la carretera, meterse entre los árboles del camino, bajar la loma, irse lejos donde nunca más oyera hablar de Celerina, ni de don Jesús, ni de Jacinto.

Se frotó las manos en el pantalón: las tenía sucias de cal.

—Me falta decirte una cosa.

Tenía los zapatos manchados de yeso y de pintura. Los albañiles reían.

—A los que son como tú se les dice putos.

—Por qué no vas con el plomero, Isidro. A él también le gusta.

—Cóbrale a don Jesús.

—Sí, sí, que te pague; él tiene lana. Por lo menos a veinte pesos.

Ir con Álvarez.

—Ya no quiero seguir trabajando.

—¿Por qué?

—Porque ya no. Ya me cansé.

Llegó Patotas.

—Pobrecito, ya debe estar re cansado.

—Pídele de cuando en cuando unas vacaciones a don Jesús.

—De perdida, pásate a la Celerina. Ella de qué te sirve.

—Le sirve para disimular, déjalo.

Llegó Jacinto.

Fue la primera, la única vez que Jacinto no se burló. Calló a los albañiles:

—¡Lárguense!

Empujó a Patotas. Empujó a Perico. Empujó a Marcial.

—Voy voy compadre, a poco tú también le haces al/

Silencio total porque Jacinto avanzaba con las manos

abiertas: las dos palmas hacia el frente en actitud de volverlos a empujar. Los albañiles retrocedieron en dirección a la calle por donde pocos segundos después se alejaron, dispersándose. Las miradas de Isidro y de Jacinto se encontraron. Isidro se volvió de espaldas y caminó hacia la barda; contra ella empezó a golpearse la cabeza.

—Mira, Isidro, ya no hay nadie que se burle de tí.

Pero ni aun cuando Jacinto le pasó una mano por la nuca, Isidro dejó de dar cabezazos.

—Será mejor que te olvides de don Jesús. Dile de una buena vez que se vaya al diablo.

Volver la cara, el cuerpo, y abrazarse a Jacinto. Explicarle. No tenía él la culpa; fue sin querer porque, porque, porque don Jesús no era malo y estaba tan solo, tan jodido, tan solo, tan viejo, tan solo. Además, cómo decirle que no si únicamente era cosa de estar con él un rato dándole calor a cambio de tantísimos consejos que nadie le dio nunca porque nadie se preocupó nunca por Isidro. Con el viejo él era Isidro, tenía un lugar en la bodega, se sentía mejor que en el jacal apestoso donde la bola de escuincles chillaba toda la noche. El quería dormirse ya; qué bien muelen; tenía frío; la lluvia se filtraba por los agujeros de la lámina, goteaba detrás de él, tas-tas-tas-tas-tas; oyó un ruido, una voz, no era su padre porque su padre andaba quién sabe dónde y no iba a volver sino hasta después de las lluvias, tas-tas-tas-tas-tas, era su madre; su madre se levantó, lo movió de un brazo, le dijo: vète a dormir a casa de Pachita. Por qué con Pachita. Vete a dormir a casa de Pachita. Pero por qué. Estaba lloviendo muy recio. Dile que yo te mando. Por qué con Pachita. Tenía que cruzar por enfrente de la larga hilera de jacales, meterse en los charcos. Estaba lloviendo muy recio. Apúrate. Su madre le arrancó la cobija, le puso el sombrero, le echó la cobija en la espalda, lo empujó. Dile que yo te mando. Echó a correr bajo la lluvia, chapoteando en los charcos, y cuando miró hacia atrás la primera vez, su madre agitó la mano como diciéndole: apúrate, córrele, vete ya, lárgate a casa de Pachita. Al llegar al árbol de la banqueta volvió a mirar atrás y pensó que mejor que ir a casa de Pachita sería ir a platicar con don Jesús a la bodega de la obra donde no hay escuincles chillones, donde no se cuela la lluvia. A su madre le daba lo mismo. Sólo a veces le preguntaba: ¿dónde estuviste? Creía que ibas a casa de Pachita. Pero antes de que él inventara alguna disculpa, su madre ya estaba regañando a uno de los escuincles, o pidiéndole a él tres pesos. Cuando quieras venir a dormir me avisas con tiempo. No iba ni los sábados ni los domingos. Antes de conocer a Celerina, toda la santa tarde del sábado y todo el santo día del domingo, caminando sin rumbo, solo. Después con la Celerina.

Fue a ver a don Jesús.

—Qué bueno. Me da mucho gusto —le dijo el viejo arrimándole un cajón y poniendo en sus manos una tortilla calientita que Isidro mordió a tirones mientras pensaba en el modo de hablarle de su madre.

—Parece que no le gusta que yo duerma en la casa.

—¿Por qué?... Hazte un taco; éntrale a las carnitas, las acabo de comprar en Don Cuco.

—Es que mi padre anda fuera.

—Come, Isidro, come bien ahora que hay y que es domingo... Me gasté quince pesos... Pásame el jarro ese que está allá atrás.

Antes de ir al cine se dio una vuelta por su casa y encontró a su madre plática y plática con Pachita.

Hoy no vas a venir a dormir en la noche, ¿verdad?

—No —contestó Isidro.

—¿Ya saludaste a Pachita?

La vieja gorda le sonrió.

—Tu mamá dice que trabajas mucho.

—Ya me voy.

—El día que pienses venir a dormir, me avisas con tiempo.

Del cine fue otra vez con don Jesús.

—¿Qué tal la película?

Isidro puso los labios en trompa y los empujó contra la nariz en un gesto que le arrugó la cara.

—¿No se te sentó junto alguna chamacona y te hizo así...?

La mano de don Jesús acarició la pierna de Isidro. Después le pellizcó la barriga, varias veces hasta hacerlo reir. Isidro empezó a contarle la película.

—¿Y luego?

—Ah, pues el otro no sabía nada y cuando se enteró fue a la cantina ¡y a repartir mandarriazos contra todo el mundo!, y que se le avienta un fulano de los otros por detrás y que lo tumba. Y que él se levanta y rájale, se lo descuenta de un trancazo y luego le da al otro. Y entonces uno de los fulanos que saca la pistola; pero éste que se agacha y saca también la pistola y púmbale, lo mata.

—¿Y luego?

No tenía él la culpa; fue sin querer porque, porque, porque don Jesús no era malo y estaba tan solo, tan jodido, tan solo, tan viejo, tan solo.

Dejó de dar cabezazos contra la barda cuando sintió la mano de Jacinto acariciarle la nuca.

—Dile que se vaya al diablo.

Fue la primera, la única vez que Jacinto le habló así. A lo mejor ya traía en la cabeza la idea de matar al viejo y quería hacerse el buena gente con Isidro por si tocaba la casualidad de encontrar a Isidro en la obra la noche escogida por Jacinto para cometer el crimen. Necesitaba ganarse de antemano la confianza del muchacho y la mejor forma era ésa: defenderlo de los albañiles, hacer como que se ponía de su parte. O meterle miedo, ¿por qué no?, para cerrarle la boca y no dejarlo contestar una sola palabra a las preguntas del hombre de la corbata a rayas. Pero al parecer fallaron los cálculos de Jacinto. La acusación del peón de quince años resultó concluyente.

—¿Concluyente para quién?

—Léanse a Granados.

—Concluyente para todos. Ese asunto no tiene vuelta de hoja. Yo hacía cantar a Jacinto y sanseacabó.

—Léanse a Granados.

A Pérez Gómez le quedaban dos fichas; a Dávila, su compañero, tres. A Valverde dos, y a Suárez tres.

Pérez Gómez puso una de sus fichas contra la mesa y con los índices y pulgares la hizo girar hábilmente alrededor de su eje.

El eterno problema de toda investigación, referente a la espontaneidad de las confesiones de los inculpados, podría resolverse si los interrogados tuvieran el orgullo de su función que consiste en triunfar, por medio de la inteligencia y de la astucia, de los productos sociales de desecho que caen en sus manos, sin descender a su nivel utilizando prácticas reprobables que representan en el fondo el fracaso del investigador como tal. Se tiende cada vez más a utilizar medios científicos que absuelvan a la policía de la eterna sospecha de tercer grado y garanticen una mayor credibilidad de las confesiones. ¿Puede la ciencia moderna, singularmente la psicología, ayudar a resolver efectivamente este problema?

—¡Piénsala bien!

—No me queda más que el cierre. Tú llevas dos y tú llevas... tres. Bueno, venga: a pitos. ¡Cerrado!

—Se jodieron, Pérez Gómez. Aquí nada más hay siete, y

cuatro: once. Contra, ¡úpale!, quince... Quince para nosotros, apunta. Esto me está oliendo a zapato.

—¿Cuántos nos faltan?

—Cuarenta y cinco.

—En dos más los hacemos —dijo Valverde mientras volvía las fichas de cara contra la mesa.

Pérez Gómez se levantó.

—¿Dónde vas?

—Ahorita vengo.

—Espérate, ya vamos a acabar.

—No me tardo.

Aplastó la colilla de cigarro con la punta del pie y salió.

En presencia de Jacinto, el hombre de la corbata a rayas interrogaba a Isidro. Isidro estaba sentado en la única silla colocada estratégicamente en el centro del cuarto. Tenía las piernas juntas, las manos en las rodillas y la vista en el suelo. De pie, Jacinto miraba alternativamente a Isidro y al hombre de la corbata a rayas.

Resumiendo: la noche del domingo don Jesús se quedo solo con Celerina mientras Isidro iba dizque a comprar unas medicinas para el viejo. Cuando Isidro regresó, Celerina ya no estaba. Don Jesús le explicó que la muchacha había sentido de pronto mucha vergüenza y había salido corriendo. Pero también le dijo que se la dejó lo suficientemente aleccionada y convencida para que al día siguiente se dejara hacer de Isidro todo lo que Isidro quisiera. En vez de alegría, Isidro sintió remordimientos por haber permitido al viejo aconsejar a su novia. ¿No era él lo suficientemente hombre para conquistar a la muchacha por sus propios? ¡Y qué clase de viejo maldito sería don Jesús que en un dos por tres convenció a una muchachita tan buena! Indudablemente: Isidro sintió remordimientos y vergüenza. ¿Nada más? Vamos a ver, qué fue exactamente lo que sintió, lo que pensó cuando don Jesús, cogiéndolo de un brazo, tirando de él para que Isidro dejara de darse cabezazos contra las tablas de la bodega, murmuró nuevamente en su oreja:

—Me falta decirte una cosa.

Isidro no quiso oirlo. De haberse quedado más tiempo en la bodega en lugar de salir corriendo como alma que se lleva el diablo, don Jesús habría muerto la noche del domingo y no la noche del lunes.

—¡No es cierto! —gritó Isidro.

El hombre de la corbata a rayas guiñó un ojo a Pérez Gómez antes de que Pérez Gómez cerrara la puerta.

El investigador debe conocer, en primer término, la índole de la materia humana sobre la cual actúa; porque el mayor conocimiento del mecanismo psíquico individual lleva, como de la mano, al perfeccionamiento de la investigación. Esta cuestión se halla abierta al estudio todavía y no resuelta definitivamente pues son no pocos los factores sobre los cuales se discute aún. Por ejemplo, el momento en que se efectúa el interrogatorio en relación con el de la comisión del crimen. Este momento tiene gran importancia psicológica. La tesis clásica sostiene que los resultados del interrogatorio son tanto más eficaces cuanto más próximo está aquél al momento de la detención del criminal. Pero sucede, a veces, que el primer interrogador sea un pesquisidor ocasional o un funcionario mediocre, el cual bloquea con sus preguntas burocráticas la única posibilidad emocional del autor del delito. Los partidarios del interrogatorio inmediato sostienen que cuando pasa algún tiempo todos los delincuentes crean en su interior una especie de defensa psicológica que se une, naturalmente, a la circunstancia de haber podido construir, con el trabajo reposado de la imaginación, alguna coartada. Pero hay una corriente de psicología judicial que sostiene la tesis contraria. Según ella, conviene hacer esperar al detenido, antes de interrogarlo, durante algún tiempo; aislarlo, incomunicarlo durante uno o dos días dejándolo solo consigo mismo para que se impresione por el ambiente. De este modo, se dice, nacerá en el inculpado un sentimiento de culpabilidad que irá aflorando poco a poco. El criminal, en el momento de cometer el crimen, se halla amparado por una atmósfera pasional o, cuando menos, por un convencimiento de impunidad, previamente creados en su interior, que le justifican ante sí mismo. Hay quien recomienda que durante la incomunicación, tanto más rigurosa cuanto más eficaz se pretende que sea, se abra dos o tres veces la puerta de la celda presentándose allí el investigador acompañado por otra persona y, sin dirigirle la palabra al reo, lo examine como si se tratara de una diligencia de reconocimiento. Esto, dicen, perturba al detenido quien se creerá sujeto de una pesquisa en la que no había pensado. La imaginación del detenido trabajará entonces en el vacío creyendo que la policía se halla sobre una pista descuidada por él. Cuando el detenido ignora qué es lo que sabe la policía y qué es lo que no sabe, suele buscar, imaginativamente, todas las exculpaciones posibles a su acción. El interrogador debe adaptarse a la personalidad del interrogado. Si éste, por ejemplo, es un exhibicionista, adoptará la técnica de subestimar sus capacidades. Tal táctica pretende conseguir que el delincuente, por un deseo inconsciente de poner de relieve su personalidad, de demostrar su habilidad propia, concluya, fatalmente, dando algunos detalles comprometedores. En ocasiones puede bastar el silencio del interrogador, quien se limitará a registrar las respuestas o divagaciones del detenido manifestándose lo más lacónico posible. Nada hay como el silencio, dicen algunos, para quebrantar la firmeza de ciertos delincuentes. Si el imputado es un sujeto seguro de sí mismo, prevenido, casi impenetrable, habrá que proceder con cautela y astucia quebrantando, golpe a golpe, su sentimiento de seguridad. No será bueno combatirlo en su propio terreno, oponiendo prevención a prevención, desconfianza a desconfianza. Bastarían a veces detalles insignificantes para quebrantar su barrera defensiva, para romper todo el sistema psicológico dentro del cual se encuentra atrincherado. Si no dándole importancia se le hace ver, pongamos por caso, que ha incurrido en una contradicción, esta evidente y momentánea culpa puede producirle un inmediato sentimiento de inquietud. Hay detenidos que son inciertos, tímidos, más no muy bien dispuestos a entregarse si se les trata con dureza. El método violento provoca en ellos una fuerte actitud defensiva. Aquí puede ser eficaz el empleo de un tratamiento paternal, manifestando cierta simpatía hacia ellos, como si se inclinara uno a ver que han sido víctimas de las circunstancias. El interrogador evocará su propio pasado, inventando hechos inexistentes que podrían tal vez relacionarse con la situación del detenido. De este modo podrá llegar a crearse una atmósfera de sintonía afectiva dentro de la cual se verterá, posiblemente, la confesión de una manera casi amistosa.

—¡La noche del domingo! —repitió el hombre de la corbata a rayas.

Las manos de Celerina secaban con su pañuelo blanco el sudor que corría por la frente de don Jesús, mientras el viejo —poco a poco se iba sintiendo mejor— hablaba, ya no de lo buen muchacho que era Isidro, ya no de lo feliz que podía ser Celerina si se dejaba acariciar, sino de lo bonita que era Celerina con su pelo partido en dos, sedoso desde la punta de la trenza hasta la raíz: era como acariciar la noche y como acariciar el día el acariciar lo gordito de sus orejas. Por aquí pasa una hormiguita que le hace cosquillas a Celerina y que luego se va por el cuello, por la espalda; en el centro del cuerpo un violento escalofrío separa sus piernas cuando ya don Jesús no ríe. Nadie escuchará ese grito, gatita brava; grita todo lo que quieras, canija escuincla, nadie te va a oir. Las lágrimas le llenan de manchas la cara. Una de sus trenzas, deshecha, resbala por delante hasta el rasgón de su vestido de florecitas deshojadas.

A Isidro le dijo que la Celerina se fue bien instruida, y dijo verdad. Se fue roja como un jitomate porque estas pláticas siempre mosquean la primera vez y hasta les llegan a provocar sueños y alucinaciones. No hay que creerles. Si Celerina le contaba alguna barbaridad: abusado, son mentiras, son puras mañas. Isidro se tragará todo, pensaba el viejo; la mentira más grande en labios de don Jesús era y sería siempre la verdad más grande para Isidro: porque se parecía a él, porque tenía su sangre, porque la noche del domingo no eran las uñas de don Jesús las que rasgaban el vestido de Celerina, sino las uñas, las manos temblorosas de Isidro buscando desesperadamente la piel de Encarnación, las piernas únicas de aquella Encarnación que lo miraba desde la otra orilla del Lerma retándolo a cruzar el puente, a correr tras ella por entre los árboles de las huertas, más allá de la casa amarilla de los Guisa por donde desapareció finalmente sin dar respuesta a sus gritos y a sus lágrimas de muchacho tonto a quien encontraron tendido en la hierba, bocabajo, empecinado en permanecer allí porque sabía que no volvería nunca a ver a Encarnación, a menos que el tiempo diera una vuelta completa y una mañana de mucho sol, al acercarse al lugar donde Sergio García y su ayudante acomodaban la tarraja-hace cuerdas, viera a Celerina doblar y guardar los papeles de estraza en la bolsa de yute, echarse una trenza hacia atrás y sonreirle a Isidro y a él que la miraban desde diferentes sitios pero con un mismo modo de mirar y sonreir interrumpidos por el grito del plomero que obligó a Celerina a caminar hacia la calle sin volver ya la cabeza pero moviendo el cuerpo suavemente. Volvería al día siguiente; siempre, todos los días. El tiempo había dado una vuelta completa. El mismo modo de tronarse los dedos, el mismo modo de hablar, el mismo sonsonete de burla al nombrar al Nene; hasta el gesto al escupir era el mismo. Y era un mismo pensar en Celerina, en Encarnación. Eran las manos de Isidro las que apretaban los hombros de la muchacha, las que buscaban la piel de Encarnación, las que la encontraban al fin. No quería hacerle daño. ¡Tanto tiempo pensó en ella! ¡Tanto tiempo esperó! Era Isidro el que le suplicaba, el que le pedía perdón, el que le daba las gracias llorando; ella también llorando en su cama, volviendo a vivir el instante en que los brazos, las manos, el cuerpo asqueroso de don Jesús se convertían en los brazos, las manos, el cuerpo caliente de Isidro al que soñó a su lado dos días después de ver la película de Pedro Infante en la matiné del Ermita Celerina tenía miedo antes de entrar: no fuera a pasar por allí su hermano y los viera en la cola. Mejor vámonos. Pero Isidro no le hizo caso. La cola avanzaba: ya sólo faltan como cinco, como cuatro, como tres, como dos, como uno; y le compró unas palomitas. Vámonos mejor arriba, ya está empezando. Todavía no. Apagaron las luces. Salió Pedro Infante cantando una canción. Amorcito corazón, yo tengo tentación. Después salió esa muchacha güera tan bonita que se le repegaba a Pedro Infante y Pedro Infante miraba a otro lado, cruzaba los brazos, abría los ojos bien grandes, rete chistoso, mientras la mano de Isidro la acariciaba; ella no quería pero se dejó cuando en la pantalla Pedro Infante besó a la güera. No despegaba los labios Pedro Infante ni los despegaba Isidro del cachete de Celerina, luego de sus labios cerrados para rechazar el beso de don Jesús, cerrados para dejar que Isidro la besara largo, todo el tiempo que durara la película y la vida. Era inútil gritar. Pero le dijo a Isidro que nunca volvería con él al cine ni aunque se lo pidiera de rodillas en la calle; y también le dijo que si quería seguir viéndola le jurara portarse decentemente porque si no quién sabe qué fuera a pasar; a ella no le gustaba el manoseo, a su amiga sí —es re suave, manita—, pero su amiga era de lo peor porque no sólo se dejaba manosear del novio sino del primer pelado que le salía al paso y se la llevaba atrás de los árboles para acariciarla como quiso acariciar Isidro a Celerina: tuvo que pedirle perdón por haberse portado mal en el cine; creyó que le gustaba, por eso le pasó una mano por la espalda mientras con la otra adivinaba la forma de sus piernas como le hacía a la güera Pedro Infante, que cantará muy bonito y lo que tú quieras pero es bien mandado; lo bueno es que está en el cine nada más y no delante de ella como estaba Isidro, que la quería mucho, no sabía ella qué tanto porque ella no lo quería como él la quería ahorita, en este momento, y en las noches cuando se quedaba solo y pensaba en que ella estaría acordándose de sus besos, decidida al fin a darle gusto en cosas que no tuvieran nada de malo, como ir a saludar una noche al pobre de don Jesús: cochino viejo, ¡suélteme! Era inútil gritar. Ya no podía hacer nada. ¿Por qué no llega Isidro? Pero cómo iba a llegar Isidro, de dónde iba a venir si estaba allí, no se había ido. Esos ojos, la cicatriz, el olor, el olor, el olor, el olor.

—No te conviene decírselo a Isidro.

—Si Celerina te cuenta alguna barbaridad, no le creas. ¿Qué pudo ocurrir después?

—Una de dos: o el viejo descarado se aventó la puntada de platicárselo tal cual, o Celerina/

—Mejor juega —interrumpió Dávila—. Yo puse el seis.

—Paso, no llevo —Valverde miró sus fichas para cerciorarase y dio dos golpes en la mesa. Suárez puso a seises—. ¡Ah carajo, los tiene todos!

—No creo que el viejo se echara de cabeza —dijo Suárez—. De hacerlo, como dice Valverde, ahí mismo se le avienta encima el escuincle.

—¿Lo piensas en serio?

—Seguro. ¿A poco creen que Isidro es tan pazguato como parece? Es una fichita; capaz de darle de tubazos al viejo y más.

—¡Están soñando!

—Ningún soñando. Apenas supo que el viejo se cogió a su muchachita, fue y le partió la madre. Sin más.

—Un día después.

—Digo, cuando se enteró... El lunes, claro. Ella misma se lo dijo... ¿Quién tira?

—¿A qué horas, Valverde? Si su hermano la mandó para Toluca el lunes en la mañana. Ya no tuvo tiempo de ver a Isidro.

—Cualquier otro se lo dijo entonces, eso no es problema... Jacinto, el mismo Sergio García. Esas cosas se saben luego luego.

—Puede ser... pero igual que pudo ser Isidro/

—Yo no digo que a güevo fue Isidro.

—¿En qué quedamos entonces?

—Es una posibilidad... ¿Tiro yo?

—Como las demás.

—Lo que yo sí creo —dijo Dávila— es que el caso no es tan complicado como lo está haciendo aquél.

—¡Seguro que no! —gritó Valverde—. Eso lo he dicho yo desde el principio... Pero ya viste, él quiere hacer las cosas solo y ahi se va a estar hasta que reviente.

—No es que quiera hacer las cosas solo.

—¿Lo vas a defender, Pérez Gómez?

—No, no lo defiendo, nomás/

—Para nosotros mejor, ¿eh? Ya ves, aquí estamos.

—Estás ardido, Valverde —dijo Suárez poniendo el cuatro-dos, mientras en el cuarto contiguo el hombre de la corbata a rayas apartaba la vista de Sergio García, le daba las espaldas, y con las manos apoyadas en la mesa le decía que tomara las cosas con calma, que volviera a sentarse, que descansara un momento, que si no quería un cigarro, un café, un vaso de agua. Sergio García se sentó, se alzó los lentes para frotarse los ojos y cruzó los brazos. Durante el tiempo en que el hombre de la corbata a rayas daba vuelta al cuarto, alrededor suyo, Sergio García permaneció impasible. Solamente se llevó el índice a la boca para limpiarse con el colmillo el negro de la uña.

—Quedamos en que don Jesús era para usted un hombre indefenso, digno de lástima y de ayuda.

—Nunca he dicho que era digno de ayuda.

—Pero sí de lástima.

—Sí señor.

El hombre de la corbata a rayas se rascó la nariz.

Muchos policías prefieren atenerse a los procedimientos clásicos de la técnica de lo que podríamos llamar «interrogatorio-schock». Se trata aquí de provocar la confusión en el plano emotivo, conduciendo, por ejemplo, al presunto culpable al lugar del delito, invitándolo a pensar en su familia... La policía de los países totalitarios instauró técnicas refinadísimas para quebrantar la resistencia de los detenidos y provocar su confesión. No hemos de hablar aquí de las crueldades, los malos tratos, las torturas físicas, que caen dentro del terreno de lo escatológico. No hemos de hablar tampoco del empleo de las luces cegadoras dirigidas sobre el acusado mientras los interrogadores permanecen en la penumbra; ni del empleo de sillas incómodas sobre las cuales debía permanecer el interrogado en tensión física; ni del interrogatorio del acusado manteniéndose en pie durante horas interminables para quebrantar, mediante la fatiga física, su resistencia moral; ni del empleo de varios interrogadores simultáneos que llenaban de confusión al detenido a fuerza de preguntas disparadas como una ametralladora verbal, ni de otros procedimientos semejantes. El sistema menos cruel, más no por eso menos quebrantador de la voluntad, se basa en el interrogatorio reiterado. El detenido era objeto de múltiples y sucesivos interrogatorios que se practicaban por varios interrogadores que iban alternándose. El primer inquisidor adoptaba, deliberadamente, el papel de gélido burócrata, haciendo sus preguntas y recogiendo las respuestas minuciosamente mas sin hacer el más pequeño comentario a propósito de lo que el inculpado contestara; pero eso sí, insistiendo, exprimiendo gota a gota al sujeto pasivo del interrogatorio. Inmediatamente después venía otro inquisidor de distinto género. Este era un tipo confianzudo que se sentaba cómodamente en su sillón, con las manos en la barriga, y formulaba todas sus preguntas con gran cordialidad a fin de que en el ánimo del detenido se produjera la impresión de hallarse ante un sujeto franco y bondadoso, casi fraternal. Seguía un tercer tipo de inquisidor, un tipo ascético, un idealista, un poeta, quien zambullía al detenido dentro de una atmósfera de razonamiento puro, de inquisiciones filosóficas sobre el crimen y sobre la culpa. La serie de interrogadores podía proseguirse indefinidamente, descansando cada uno de ellos, pero sin dejar en paz al inculpado. Escarbando así, persistentemente, en muy variadas direcciones y quebrantando minuto a minuto tanto la resistencia física como la moral del detenido, se conseguía penetrar dentro de su cerrado sistema de defensa y obtener, más tarde o más temprano, su confesión.

Los hermanos Pasionistas de Cravate, en la provincia de Varese, Italia, venían siendo objeto de graves amenazas por medio de cartas anónimas. El 18 de julio de 1953 uno de los novicios apareció muerto a pedradas. La policía se encontró ante un problema casi insoluble. Un joven oficial de Carabinieri quiso examinar, utilizando métodos psicológicos, a los sesenta novicios que se albergaban en la casa: al interrogar a cada uno de ellos los sometía, sin que se diese cuenta, a una prueba similar al test de la asociación de ideas utilizado en la práctica psicodiagnóstica. Un novicio de veintitrés años, un tal Francisco Montini, a las palabras sangre, piedra, delito, permanecía al parecer impasible, encerrado en hermético silencio; pero su arteria temporal latía de repente de manera tumultuosa. Esta particularidad no pasó inadvertida por el interrogador y fue la que lo puso sobre la pista: insistiendo principalmente en la evocación de la sangre, se puso a contar, a modo de conversación, una serie de crueles episodios, hasta que el seminarista explotó en una crisis histérica. El culpable del brutal homicidio era él. La investigación había durado menos de cuarenta y ocho horas.

—Vámonos con calma, amigo García. Quiero saber todo lo que usted hizo el lunes.

9

Sergio se despertó a las seis de la mañana. Sentado en su cama, antes de hacer a un lado las cobijas, se frotó los ojos y se santiguó dos veces. Extendió un brazo para alcanzar los lentes que por la noche dejaba en el cajón, encima de su camisa, y después de ponérselos giró sobre sus nalgas hasta tocar con los pies descalzos el piso de cemento. De pie, se acomodó el saco de la piyama metiéndoselo por debajo del pantalón; anudó los lazos de la jareta y se quitó los lentes.

Murmuraba, a media voz:

—Posición de firmes; brazos extendidos al frente, uno; flexión del cuerpo por la cintura, dedos tocando la punta de los pies, dos; posición de firmes, tres. Empezar: uno-dos-tres, uno-dos-tres, uno-dos-tres. Posición: cabeza erguida, piernas abiertas, brazos laterales; torsión del cuerpo a la derecha, brazos laterales, uno; al frente, dos; a la izquierda, tres; al frente, cuatro. Uno-dos-tres-cuatro, uno-dos-tres-cuatro, uno-dos-tres-cuatro. Uno-dos-tres-cuatro. Posición de firmes, manos a la cintura; flexión de las rodillas, brazos extendidos al frente, uno; brazos laterales, dos; al frente, tres; posición inicial, cuatro. Uno-dos-tres-cuatro, uno-dos-tres-cuatro, uno-dos-tres-cuatro, uno-dos-tres-cuatro.

Cogió los lentes dejados en la cama y comenzó, de abajo arriba, a desabotonarse el saco de la piyama. Se sentó en la cama y se cubrió medio cuerpo con la sábana para cambiarse de pantalón.

Cuando se ataba las agujetas de los zapatos oyó quejarse a Celerina. Su hermana dormía en el mismo cuarto, en una cama colocada lateralmente contra la pared opuesta. Con tubos de media pulgada y una manta vieja, Sergio había armado un bastidor que hacía las veces de biombo pero que casi siempre permanecía todo el día y toda la noche recargado contra un muro, junto a la puerta que daba al cuarto donde dormía Concha y su familia. En el momento de quejarse, Celerina rodó dentro de la cama hasta quedar de cara a la pared y encogió y estiró dos veces las piernas. Su cabello negro, destrenzado, se extendía sobre la almohada.

Sergio caminó hacia ella y la movió de un hombro. Celerina se volvió bocarriba; abrió los ojos, parpadeó, los volvió a cerrar.

—Ya son más de las seis —dijo Sergio. Después sacudio el puño contra la puerta y repitió, pero en voz alta:

—Ya son más de las seis, Concha.

Del otro lado de la puerta se oyó murmurar a Concha:

—Ahorita voy.

—Apúrate que no van a llegar... Levántate, Celerina.

Minutos después de que Sergio quitó el gran cartón que servía de cortina a la única ventana del cuarto, Celerina, sentada en la cama, se frotaba los ojos con las yemas de los dedos. Su hermano estaba en el cuarto grande: peinándose frente a un espejo roto, sujeto por tres clavos. El cuarto grande era a un tiempo cocina, comedor, sala y bodega. Herramientas, pedazos de tubo, conexiones, se amontonaban en un rincón, al lado de cajas de cartón y botes donde Concha guardaba la ropa sucia y los juguetes de sus hijos. Una estufa de petróleo, un fregadero, cuatro sillas, un gran trastero de pie y un armario de madera formaban el mobiliario del cuarto grande. En el de Concha había una cama de latón donde dormía con su esposo y el niño de seis meses, un colchón en el suelo para sus otros dos hijos y un viejo tocador; dos puertas lo comunicaban respectivamente con el cuarto de Celerina y Sergio, y con el cuarto grande.

Concha entró en el cuarto grande cuando Sergio encendía la estufa de petróleo y colocaba el jarro de café en la única hornilla que funcionaba.

—¿A qué horas se van?

—Si alcanzamos, en el camión de las siete; si no en el de las ocho —estiró los brazos, bostezó—. Todavía tengo que ir a dejar los niños con Mariquita.

—Váyanse en el de las siete, y que tu marido se encargue de llevar a los niños.

—Sí, chucho, ¡qué esperanzas!

Sergio vació el café en un jarro más pequeño y sorbió un trago antes de endulzarlo. Mientras se desenredaba el cabello con un peine roto, Concha miró a su hermano poner dos cucharadas de azúcar, mover el jarro en el aire, llevárselo a los labios, moverlo nuevamente. Cuando lo pudo beber, lo hizo de un solo trago. Se limpió la boca con el dorso de la mano.

—¿Por qué mejor no nos vamos mañana? Total, un día más... No ganamos nada.

—Ya está decidido.

—Decidido por ti.

—¡Claro!, ya sé que si por ti fueran las cosas se quedaban así.

—Así se van a quedar de todos modos; eso ya no tiene remedio.

—Para ti nada tiene remedio.

—¿Y para ti sí?

—Para mí sí.

—¿Qué?... ¿mandarla a Toluca? ¡Mira que gran remedio!

—Pues tú tienes la culpa, Concha; si en vez de pasarte la vida pintarrajeándote la cara y chismeando con la tonta de la Mariquita/

—¿Qué traes? ¿Vas a empezar otra vez?

—No traigo nada, pero si tuvieras tantito así de sesos no dejarías que el zángano de tu marido se quedara todo el santo día tirado en la cama.

—Él no tiene nada que ver en esto; no lo metas.

—Claro que tiene que ver... Como sabes que no te va a faltar casa, ni qué comer...

—Ah, si lo dices por eso es muy fácil.

—¿Muy fácil? No te pongas digna, chatita, no te queda. Primero mete al orden a tu marido y luego ponte a criticar lo que hago.

—Bueno, Sergio, dímelo de una vez, si quieres que nos vayamos de aquí...

—¡Quiero que tu marido sea hombre, nada más!

—¡Es más hombre que tú!

—¡Qué más quisiera!

—Aunque te duela.

—En qué es más hombre, a ver, ¿en qué es más hombre? ¿En que llega todos los días borracho?... ¿Eso es ser hombre para ti? ¿En que te pega? ¿En que nomás palabrotas les dice a sus hijos?

—Tú no sabes.

—No, yo no sé.

—Como a ti no te gustan las mujeres...

Sergio apretó los dientes. Concha miró hacia el fregadero.

—¡Qué dijiste!

—Nada.

—¡Repítelo!, ¡qué dijiste!

—Nada.

—Pues para que lo sepas/

—No quiero saber nada. Regresando de Toluca me voy a vivir a otra parte, ya no te apures.

El niño de seis meses comenzó a llorar. Concha caminó en dirección a la puerta que comunicaba con su cuarto, pero antes de abrirla se detuvo. Sergio avanzó y le puso una mano en la espalda.

—Perdóname.

Concha movió la espalda para sacudirse la mano de Sergio.

—Perdóname —volvió a decir Sergio—; me levanté de mal humor.

—Ya se ve.

—Tú sabes que me da gusto poder ayudarlos —se interrumpió. El niño arreció su llanto, pero Concha permaneció inmóvil frente a la puerta, con la cabeza agachada—. Lo de Celerina me ha puesto así.

—Ni que fuera para tanto.

—Es mi hermana.

—Y eso qué tiene.

—¡Es nuestra hermana!

—En estos tiempos les pasa a todas —se volvió para mirar compasivamente a Sergio— Sí... no me pongas esa cara —alzó los hombros—. Bueno, así pienso yo... Tú debías seguir para padrecito.

—No vuelvas a empezar, Concha.

—Muy bien. Me la llevo a Toluca como quieres y se acabó —abrió la puerta—. A ver qué tiene ese escuincle.

El marido de Concha se revolvía en la cama tapándose la cabeza con la sábana. Al oirla entrar, gritó:

—Cállalo, dale algo.

Concha sacó al niño del cajón. Lo meció en sus brazos:

—Qué tiene mi chiquitito, qué tiene... ¿Hambre? ¿Tiene hambre mi chiquitito? Ahorita va a comer. Ya, ya... ahorita va a comer.

Los otros dos niños jugaban en el suelo con una caja de botones. Concha les llamó la atención llevándose el índice a los labios:

—Shhhhh, no hagan ruido que su papá está durmiendo.

En el momento en que Celerina entró en el cuarto grande, Sergio terminaba de meter las herramientas en su petaquín de tela ahulada. De soslayo la miró caminar hasta el fregadero. Celerina abrió la llave, retuvo en el hueco de sus manos un poco de agua y se mojó los ojos. Secándose con un trapo regresó a su cuarto sin mirar a Sergio que tras de persignarse delante de una descolorida estampa del Sagrado Corazón, colgada arriba de la puerta entre los restos de dos palmas benditas, salió a la calle.

La mañana era tibia, pero Sergio se frotó el brazo con el que cargaba el petaquín como si tuviera frío. Saludó a una anciana que envuelta en un chal negro pasó de prisa frente a él, y permaneció inmóvil mirándola alejarse y contando mentalmente las campanadas del templo. Volvió la cabeza al oir gritar su nombre y vio a Concha salir corriendo de la vecindad. Por debajo de la bata asomaba el encaje deshilachado de su fondo. Corría descalza.

—¿Qué pasa? —preguntó Sergio avanzando a su encuentro.

Se reunieron a la mitad de la acera.

—No me dijiste que ya te ibas. ¿Ya no regresas?

—No. ¿Qué pasa?

—¿Quién te va a llevar el almuerzo?

—Es igual.

—¿Te vas a quedar con un café en el estómago todo el día?

—Como por ahi cualquier cosa.

—Llévate aunque sea una torta de frijolitos... Ven, ándale, ahorita te la hago.

—Déjame.

—No me tardo, Sergio.

—Tú eres la que debes apurarte si no no se van a ir nunca.

Una camioneta dio vuelta en la esquina y tuvieron que replegarse precipitadamente en la banqueta. Los dos miraron hacia la camioneta que se alejaba, y luego Concha sonrió maternalmente a su hermano.

—Perdóname por lo que te dije.

Sergio negó con la cabeza.

—Yo también ando nerviosa y sé cómo te sientes tú —Y cuando Sergio hizo ademán de retirarse, agregó:— Pero ya verás cómo todo va a cambiar.

Necesitaba abordar dos camiones para llegar a la obra. El primero lo dejaba en San Pedro de los Pinos, y el segundo —un Vidal Alcocer-La Villa— en la avenida Cuauhtémoc, a unos pasos de la obra.

El Vidal Alcocer tardó más de veinte minutos en llegar a la parada donde Sergio y un muchacho cacarizo lo aguardaban. Subieron. En el segundo asiento de la izquierda, al lado de una mujer gorda, de chongo, que había dejado en el pasillo un gran huacal vacío y que llevaba otros dos más pequeños sobre las rodillas, se sentó Sergio.

La mujer le preguntó:

—¿No tiene usted hora?

—No —respondió Sergio.

La mujer hizo un gesto de descontento y con los dedos tamborileó en los huacales. Se volvió para preguntar lo mismo al pasajero de atrás.

—No.

Y a otro.

—No.

Chasqueó la lengua. Sin mirarla, Sergio le dijo:

—Más de la siete... Deben ser como las siete y cuarto.

Un pasajero de la hilera vecina se levantó y jaló el cordón del timbre. Al pasar a un lado de la mujer y Sergio alargó el brazo mostrando su reloj de pulsera.

—Las siete y veintidós —dijo mientras se soltaba del barrote para señalar la posición de las manecillas. En ese instante se oyó un agudo chirriar de llantas. La violenta sacudida del enfrenón arrojó a la mujer de los huacales de boca contra el respaldo del asiento de enfrente; el hombre del reloj trató de conservar el equilibrio adelantando una pierna y buscando de nuevo el barrote, pero se tropezó con el huacal que obstruía el pasillo y cayó al suelo; Sergio estuvo a punto de sufrir el estrellón de sus lentes, y otros pasajeros fueron derribados o se golpearon contra los asientos vecinos.

El chofer del camión insultaba al del automóvil, y el del automóvil le respondía agitando en alto, hacia atrás, el puño cerrado.

—¡La suya, pendejo! —gritó el del camión al reanudar la marcha—. ¡Abra los ojos!

Entre tanto, la mujer de los huacales se tocaba los labios y miraba sus dedos para averiguar si se había hecho sangre. Pero no.

Miró a Sergio.

—No le digo, ¡son unos animales! —Y cuando oyó que el chofer del camión insultaba al del automóvil, gritó:— ¡El pendejo es usted! No lleva puercos, lleva gente. Lo debían poner a manejar una yunta de bueyes como usted.

El chofer la observaba por el espejo.

—Por poco y nos mata a todos.

—Ya, señora, cállese —dijo el chofer.

—¡Qué cállese ni que su madre!, para eso pago...; todavía que tardan horas, la llevan a una muriéndose de susto... ¿O no es cierto? —agregó dirigiéndose a Sergio. Sergio asintió reservadamente—. Yo los metía a la cárcel a todos ustedes por cabrones.

—¡Ya, señora!

Los pasajeros sonreían. Uno de atrás, gritó:

—¡Vieja majadera!

La mujer volvió la cabeza buscando al del insulto, pero no dio con él. Después miró a Sergio y nuevamente hacia atrás. Sus ojos se clavaron en uno de los pasajeros que reía abiertamente.

—¡Chingue su madre!

—Cállese señora, por favor —suplicó el chofer.

—A mí no me calla usted ni su chingada madre... A ver, venga a callarme. Andele, atrévase.

El chofer enfrenó bruscamente. Con gesto decidido se levantó del asiento apoyándose en el volante; se volvió de cara a los pasajeros y avanzó por el pasillo. Se hizo un silencio expectante. Sergio empezaba a levantarse cuando la mujer lo prendió del cinturón y lo puso de escudo frente al chofer que se acercaba.

—Aquí hay un hombre que me defienda.

Pero Sergio se zafó y dejó el campo libre al chofer.

—Bájese, señora.

—Bájeme si puede, pendejo.

—Bájese, por favor.

—¡No deje que le griten, mi chofer!

—¡Bájala, chofer!

Tratando de no perder de vista al hombre, la mujer miraba de reojo hacia atrás. Tenía las manos en alto, empuñadas, lista para defenderse. Antes de lo que ella esperaba, el chofer atacó; la cogió de las muñecas y de un tirón la levantó del asiento. Los dos huacales cayeron al suelo. Se tropezó con ellos cuando el chofer siguió jalando para llevarla hasta el pasillo.

—¡Suélteme!

Allí la mujer quiso darle un puntapié —¡suélteme!—, pero hábilmente el chofer esquivó el golpe, y de un empellón la arrojó contra el barrote de la entrada. La mujer cayó de nalgas y cuando el chofer se disponía a darle otro empujón intervino Sergio tapándole el paso.

—Déjela, hombre.

—Usted quítese.

—Déjela —volvió a decir Sergio, pero retrocediendo. La mujer se levantó.

—¡Órale cabrón!, atrévase con un hombre... ¡aquí hay un hombre!

Ayudado por otro de los pasajeros, el hombre del reloj

empujó los huacales hasta la puerta y cogiéndola del brazo hizo bajar a la mujer que cuando vio retroceder a Sergio dejó de gritar.

Un puntapié del chofer alcanzó el tobillo de Sergio.

—¡Suéneselo mi chofer!

—A ver, ¡éntrele! —gritó el chofer blandiendo los puños.

Sergio llegó hasta el escalón de la bajada y de un brinco saltó a la calle. El hombre del reloj impidió al chofer ir a su alcance. La mujer vio a Sergio delante de ella y luego miró hacia el camión.

—¡Pendejo, pendejo! —gritó.

Al ser puesto en marcha, el motor apagó los gritos que la mujer no dejaba de lanzar desde la acera, rodeada por sus tres huacales, mientras Sergio llegaba a la esquina y desaparecía de las miradas de los pasajeros.

Pasadas las ocho llegó a la obra. Entró junto con Humberto.

—Buenos días.

«No me oyó», pensó Humberto, pero ya no repitió el saludo; se dirigió a la bodega para ponerse el overol.

Sergio subió directamente hasta el segundo piso. Entró en el departamento 201. Cruzó la estancia. Llegó al baño. Faltaba instalar las llaves de la regadera y arreglar el lavabo y el flotador del excusado.

Dejó el petaquín de herramientas en el suelo y salió al pasillo. Bajó las escaleras.

En la bodega, Humberto levantaba una pierna, levantaba la otra, movía las caderas, tiraba hacia arriba de la pechera del overol, se abotonaba los tirantes y sonreía por algo que le acababa de decir don Jesús. Con un pedazo de cartón, el viejo soplaba a la lumbre donde tenía calentando un jarro de café. Alzó los ojos al oir entrar a Sergio.

—Buenos días —dijo don Jesús.

Sergio no contestó. Cruzó frente a él hasta llegar al cajón de herramientas y en cuclillas, con una llavecita que sacó de la bolsa de su camisa, se dispuso a abrir el candado que cerraba el cajón. Varias veces introdujo la llave: le daba vuelta cuidadosamente como si estuviera abriendo la cerradura de una caja fuerte, al mismo tiempo que con la otra mano tironeaba el candado para hacerlo ceder. Al cuarto intento lo logró.

Retiró la aldaba, alzó la tapa y cogió los dos juegos de llaves cromadas. Antes de cerrar el cajón, les quitó el papel de china que las envolvía y las examinó detenidamente. Las envolvió de nuevo, las puso en el suelo, a un lado, y después de sacar el metro, un carrete de soldadura y el soplete, cerró el cajón.

Humberto había salido. Don Jesús continuaba soplándole a la lumbre con el pedazo de cartón, y miraba hacia afuera de la bodega: Con las manos dentro de las bolsas de la chamarra, Álvarez daba órdenes a Humberto. El Patotas resanaba con cemento rojo uno de los macetones de la entrada. El maestro yesero limpiaba la llana frotándola contra el hueco de su mano, mientras uno de sus hombres vaciaba a pausas un bote de agua sobre el yeso sólido que había quedado el día anterior en la artesa. Por la calle venía Isidro.

Al salir, Sergio se detuvo delante de don Jesús. Los ojos del viejo quedaron a la altura del cinturón del plomero cuando lentamente, sin levantarse de los tres tabiques que le servían de asiento, giró la cabeza. Lentamente también alzó la vista de la hebilla hasta los ojos del plomero.

—¡Qué! —exclamó don Jesús con gesto retador. Suavizó el gesto; intentó sonreir, sonrió por fin— ¿Quieres un cafecito?

La respuesta de Sergio fue un puntapié al jarro que fue a estrellarse, en pedazos, contra los tabiques en que estaba sentado el viejo.

—¡Hijo de tu...! —gritó don Jesús moviendo instintivamente la pierna y levantándose.

—Me la debes —dijo Sergio.

—Te debo qué...

—Me las vas a pagar —agregó el plomero apuntándole con la boca del soplete. Se oía claramente la respiración jadeante de don Jesús y el ruido que hacían, al chocar entre sí, las llaves cromadas que Sergio trataba de sostener en el ángulo de su brazo—. Todavía no me conoces.

El viejo sonrió nerviosamente, sin abrir la boca, dejando escapar la risa por las narices. Cerró la mano agarrando la boca del soplete y se echó para atrás. Sergio avanzó.

—Te voy a matar, viejo infeliz.

—¿Con esto? —Y volvió a suavizar el gesto—. ¿Con esto me vas a matar?

Álvarez entró en la bodega.

—Mira tu plomero, dice que me va a matar —Reía. Sin poner atención al velador, Álvarez avanzó hacia Sergio.

—¿Cuándo van a acabar esos baños? No podemos resanar.

—Hoy quedan listos todos los del segundo piso.

—Eso me viene diciendo desde hace una semana.

—Hoy quedan listos —repitió Sergio acomodándose las llaves cromadas y saliendo.

—El curita dice que me va a matar —oyó decir una vez más a don Jesús cuando doblaba hacia la izquierda para subir por la escalera.

Su ayudante lo esperaba a la entrada del departamento 201, leyendo el «Ovaciones». Dobló el periódico cuando vio llegar a Sergio, y se lo puso debajo del brazo al coger el soplete que el plomero le alargó:

—¡Agarra esto!... Qué bonitas horas de llegar.

—Es lunes —se disculpó el ayudante.

—Pues por eso, porque es lunes.

Entraron en el baño.

—No terminaste aquí —dijo Sergio señalando el excusado— ¿No te dije que no te fueras hasta acabar?

—Ya quedó.

—Ningún quedó. El flotador no trabaja.

—Ah Dios, si lo dejé funcionando.

—Pues jálale, a ver.

El ayudante jaló la manija del excusado y en lugar de producirse el ruido del agua al vaciarse el tanque, se oyó el sonido metálico del flotador golpeando inútilmente contra las piezas de fierro.

—Te dije que ese flotador está picado y que la varilla no da... Te lo dije.

—Ya compuse la varilla.

—El caso es que no funciona... Y el céspol del lavabo se sale.

—No se sale.

—Te estoy diciendo que se sale. Asómate.

El ayudante se agachó; tocó con los dedos la unión del céspol con el desagüe del vertedero y después el chapetón pegado al muro. Retiró la mano. Con el dedo gordo frotó las yemas mojadas de los otros dedos.

—Muy poquito.

—Pero se sale.

—Casi nada. —Y como vio que Sergio levantaba el puño:— Está bien, está bien, ahorita lo arreglo... no es para que te enojes.

Cuatro horas más tarde, el ayudante de Sergio compartía sus quesadillas de flor de calabaza con Humberto.

—Deveras que vino de genio, qué bruto. Todo el santo día ha estado friegue y friegue, ya no lo aguanto... Échate otra quesadilla, Beto.

—No, ya no.

—Ándale, ahí hay.

—Bueno.

Humberto metió la mano en la bolsa de papel y sacó la quesadilla. Mordió primero un borde, después media quesadilla, y a la tercera mordida no dejó más que una puntita que se tragó arrojándosela a la boca como si fuera una píldora. Se frotó las manos en el pantalón.

—Hoy no vino su hermana a traerle el pipirín, ¿verdad?

—No; quién sabe..., a lo mejor ya no quiere que venga por lo del otro día.

—¿Qué pasó?

—Nada... Tu amigo el Patotas...

—¿Qué pasó?

El ayudante de Sergio bebió un trago de su refresco de tamarindo y dejó la botella en el remate de la jardinera.

—Pues se tiró a fondo. Pasaba por ahi la Celerina y que le hace así con la mano, como que le va a coger las chichis. Nada más para vacilarla, pero la Celerina se llevó un buen susto y por quitarse se tropezó y zácatelas, cayó en el charco.

—No hombre.

—Todito el vestido se enlodó; y las piernas.

—No hombre.

—Sí. El Sergio estaba cercas y que se levanta rápido. Yo ya creía que iba a haber lío, pero la Celerina se echo a correr y Sergio no llegó ni siquiera hasta el Patotas.

—¿Y Patotas?

—Pues risa y risa, ya sabes.

—¿Y Sergio no dijo nada?

—No, que dizque para no armar escándalos.

—¡Ya!

—En serio, no le gusta... Pues si yo hasta le pregunté que qué pues con su hermana, que si iba a dejar que todos se la chulearan.

—¿Y qué te dijo?

—¡Uh!, se arrancó con todo un sermón... Que no le gustan los pleitos, que la fregada. Tú sabes.

—¿Y de Isidro?

—Te digo que prefiere disimular.

—Pues disimula bastante.

—Chorros. Por eso se me hace raro que hoy venga así. De a tiro está para que lo amarren. Yo creo que por eso mejor le dijo a su hermana que ya no le traiga el almuerzo.

—¿Y dónde fue a comer?

—¡Sabe!

Sergio fue a comer a una fonda de la avenida Cuauhtémoc, ya casi para llegar a la glorieta de Etiopía. Servían «comidas económicas» a domicilio, pero también daban servicio de restorán en cuatro mesas colocadas en fila, paralelamente al gran mostrador de azulejo, donde se veían tres enormes cazuelas: una con sopa de fideo, otra con sopa de arroz y la tercera con carne en adobo. Los tres platillos, más tortitas de papa, frijoles y dulce eran el menú.

Entre el mostrador y las mesas se formaba un pasillo de no más de setenta centímetros de ancho.

Sergio se sentó en la última de las mesas, de cara a la calle, y pidió la comida. Una joven bajita, que traía un delantal de plástico y una blusa de escote cuadrado, lo atendió. Cuando la joven se inclinó para acomodar en la mesa el plato de sopa —está caliente—, Sergio pudo ver el nacimiento de sus pechos. La joven se dio cuenta y se enderezó, pero le sonrió antes de alejarse, y le siguió sonriendo desde el mostrador donde se puso a platicar con la mujer que removía el caldo de la cazuela con una gran cuchara de palo. Mientras Sergio sorbía la sopa, oía a las dos mujeres hablar de una tal Lupe que andaba entrada con un tal Martín, mecánico del taller de enfrente. La mujer decía que Martín era un buen tipo y la joven que no tanto, que se las daba de muy suave, que a ella la anduvo siguiendo, pero que ella no le hizo caso porque no le gustaban los tipos pagados de sí mismos.

—¿Ya terminó?

Sergio dejó la cuchara dentro del plato vacío y se limpió los labios con la servilleta de papel.

—¿No quiere un refresco?

—Agua nada más, por favor.

—Cómo no.

La joven se inclinó para recoger el plato. Sergio miró nuevamente hacia su escote. La joven permaneció inclinada, con el plato en sus manos y la cara vuelta hacia la calle, mirando a una niña que entró cargando una portaviandas y pidió tres comidas. La joven se irguió.

Cuando Sergio comía la carne en adobo, llegaron dos parroquianos y se sentaron en las sillas de la primera mesa. Cuando comía los frijoles, entró un niño que pidió «un pan, por favor» y al que la joven le dio una tortita de papa.

—Pobrecito —comentó después con Sergio.

—Sí, pobrecito —asintió Sergio.

—Casi todos los días viene... Usted nunca viene por aquí, ¿verdad?

—No, nunca.

—¿No trabaja cercas?

—Sí, pero no acostumbro venir.

La joven frotaba un trapo contra el mantel de plástico, mientras Sergio limpiaba el plato de frijoles con los restos de una tortilla.

—Se me hace que yo lo conozco a usted.

Sergio sonrió.

—Deveras. ¿No trabaja en la farmacia?

—No.

—Desde que entró estoy queriéndome acordar... No me diga —la joven se mordió la punta de una uña escarapelada—. Ah, ya sé, en la vidriería. En la vidriería, ¿no?

—No; hago instalaciones.

—¿Es electricista?

—Instalaciones sanitarias —la joven lo miró con extrañeza—. Soy plomero —tuvo que decir Sergio.

—Ah, plomero... ¿De los que están aquí a la vuelta?

—No, trabajo para compañías constructoras, sobre contratos.

—Sobre contratos —repitió para sí la joven mientras Sergio sacaba de la bolsa de su camisa un delgado fajo de billetes doblados por la mitad y sujetos por un clip.

—¿Cuánto le debo? —quitó el clip y le alargó un billete de a diez.

—¿No quiere dulce?; hay crema de/

—No, gracias.

—¿Ni café?

—No, gracias.

—Son tres pesos.

La joven cogió el billete de a diez y fue a entregárselo a la mujer que estaba detrás del mostrador. Mientras la mujer lo metía dentro de una caja de cartón y sacaba de ella los siete pesos de cambio, la joven llevó dos platos de arroz a los hombres de la primera mesa. Uno de ellos intentó pasarle la mano por la cintura, pero la joven lo esquivó a tiempo. Estuvo a punto de soltar los platos.

—Ya ve... por poco y se lo echo encima.

—No le hace, chatita, no le hace —los dos hombres se miraron con un gesto de complicidad.

La joven se retiró sonriendo por algo que el hombre agregó en voz baja y que Sergio no alcanzó a escuchar.

—Aquí tiene —dijo después la joven poniendo el cambio sobre la mesa de Sergio. Ahora no lo miraba a él sino al hombre que la intentó acariciar. Sergio se buscó inútilmente unas monedas en la bolsa del pantalón, y dudó antes de dejar, junto a la cazuelita de la salsa, un billete de a peso. Después atravesó el pasillo cuidando no tocar el vestido de la muchacha. Al llegar a la calle se volvió.

—Muchas gracias —dijo la joven sonriendo y moviendo la cabeza con un gesto de coquetería que por su miopía Sergio ya no alcanzó a distinguir.

Cruzó la avenida hasta llegar al prado central y caminó por él hacia la glorieta, en dirección contraria a la obra. Se detuvo. Volvió a cruzar la avenida y regresó por la acera, pegado a las fachadas. Al llegar a la fonda disminuyó el paso y volviendo la cabeza cerró un poco los ojos para afocar a la joven.

—Adiooooós —dijo la joven.

Dos casas más adelante se detuvo. Se rascó la barbilla, una oreja, y regresó hacia la fonda.

—Adiooooós.

Pasó de largo.

Para ir a la obra necesitó cruzar frente a la fonda por tercera vez.

—Adiooooós —Pero ahora la joven estaba a la mitad de la banqueta. Sonreía. Sergio la saludó con la cabeza, nerviosamente, e intentó murmurar una disculpa. Sintió enrojecer el rostro. Apretó el paso.

Al llegar a la obra, subir de dos en dos las escaleras y entrar en el departamento 201, se encontró con el hijo del ingeniero Zamora a quien su ayudante daba explicaciones.

—Ah, pues aquí está.

El hijo del ingeniero Zamora volvió la cabeza.

—A usted lo estaba esperando.

—Sí ingeniero, dígame.

—Qué es lo que está pasando con usted, García. Alvarez dice que no puede terminar los baños porque ustedes van muy atrasados.

—No es cierto, ingeniero; éste ya está listo, mire usted. Ahorita ponemos la pera de la regadera y se acabó. Y del 202 nos falta nomás el water. Lo tuvimos que quitar y ponerlo otra vez porque quedó corto el casquillo de plomo y había fugas.

—Culpa suya, García.

—No, ingeniero, es que los albañiles se agarraron poniendo el mosaico sin avisarme y ya cuando me di cuenta

estaba el casquillo bien abajo.
—Pues culpa suya.
—No es mi culpa, ingeniero, yo les dije que me avisaran.
—¿Y qué no tiene ojos? ¿No está aquí todo el día?
—Sí, ingeniero, pero/
—¿Entonces?
—Andamos trabajando. No podemos estar en todas partes al mismo tiempo.
—¡Coordínese con ellos!
—Es que con estas gentes no se puede. Lo hacen todo adrede para fastidiarlo a uno.
—Tenía que salir con eso.
—Es la verdad, ingeniero.
—Siempre lo oigo decir lo mismo.
—Porque así es.
—Usted nunca hace nada mal. Siempre han de ser los albañiles los que se adelantan a los que se atrasan.
—Yo no digo que siempre.
—Son ellos los que se roban el material.
Sergio chasqueó la lengua.
—¡Está bueno!
—Así no vamos a ninguna parte, García. La obra está atrasada por culpa de usted, no por culpa de los albañiles... Ahí tiene: hay una bajada de agua que lleva más de una semana tapada.
—Una baja/ pero cuál; a ver, cuál bajada.
—Una de las del fondo... Aquélla, mire.
—No es cierto, ingeniero; perdóneme, pero vamos a verla si quiere. Hace tres meses que la destapamos. ¿O no, tú? —el ayudante de Sergio asintió—. Le digo que vamos a verla.
—Álvarez me lo acaba de decir.
—Pues llame a Álvarez; no es cierto... Le digo que nada más andan buscando amolarlo a uno... Y usted les cree a ellos. ¡Primero fíjese, ingeniero!
—Óigame, García, ¡a mí no me grita!
—Pues que no le anden con cuentos.
—Le digo que a mí no me grita.
—No le estoy gritando.
—¡Ya me tiene cansado!; si cree que estoy dispuesto a aguantarlo, se equivoca. No faltaba más.
Sergio agachó la cabeza; se mordió los labios. El hijo del ingeniero Zamora paseó la mirada por el baño.
—Y a ver: qué hace ahí tirada toda esa herramienta,

y esos tubos... y el baño encharcado.

—Estamos trabajando.

—¿Y puede trabajar en la porquería?

—No es porquería, ingeniero, es agua.

—Pues límpienla. Tenga esto limpio. Trabajen como gente, no como animales... ¡Y dice que el baño ya está listo! ¡Mire nada más! No va a acabar nunca.

Sergio se volvió hacia su ayudante.

—Agárrate un trapo y límpiale ahi.

—Mañana mismo quiero ver los baños terminados.

—Hoy están.

—Sin fugas.

—¡Pero cuáles fugas!

—Sin fugas, García. Y no diga que no se lo advertí. Todavía puedo traer otra gente para que acabe esto.

Cuando el hijo del ingeniero Zamora atravesaba de salida el departamento, Sergio murmuró, conteniéndose:

—¡Pues tráigale de una vez! —Después dio una patada contra el muro de azulejo.

De rodillas, su ayudante exprimía el trapo en la taza del excusado.

—Lo que es que al único que se trae de encargo el Nene es a ti; porque lo que es con Álvarez y con Jacinto, niguas: sí sí, sí sí para todo, como que les tiene miedo, ¿verdad? —extendió el trapo en el piso—. ¿Y te fijaste?, nomás grita y regaña y no sabe ni por dónde está la onda. Le quiere hacer como su papá, ¿te acuerdas?; cree que gritando ya estuvo. Pero para dar órdenes hay que saber.

—Tú, cállate —gritó Sergio, y salió del baño.

En el departamento 202, el maestro yesero, subido en el burro de madera, deslizaba la llana en el techo de la estancia dejando caer gruesos goterones de yeso en el piso. Más adelante, en el pasillo, Marcial silbando colocaba los últimos mosaicos. Dejó de silbar y se hizo a un lado para dejar pasar a Sergio que entró en el baño, cogió la llave de tuercas, el bote de pintura para cuerdas y comenzó a instalar las piezas cromadas de la regadera.

Media hora más tarde, al bajar al pozo de luz para revisar la bajada tres encontró a Jacinto. Sin decirle nada pasó de largo, pero Jacinto lo alcanzó, se puso delante y lo miró amigablemente.

—Ya supe lo que pasó anoche...

Sergio giró la cabeza, sorprendido.

—Espérate, no te escames... Te lo digo porque ahora sí que ese viejo se pasó de la raya y hay que hacer algo.

—A ti qué te importa.
—Espérate, Cura.
—¡Lárgate!
—Espérame, hombre... Vamos hablando tú y yo.
—¡Eso es cosa mía!
—Sí, pues, pero yo estoy de tu parte y/
—¡Vete al diablo!, tú eres igual que el viejo.
—No, hay cosas que sí ya se pasan de la raya, Cura.
—¡Vete al diablo! ¡No quiero nada contigo!
—Qué necio eres, hombre... —Sergio le dio las espaldas. Jacinto meneaba la cabeza—. Todavía que uno viene de buena gente...

Efectivamente, la bajada tres estaba tapada. Desde la azotea, el ayudante de Sergio vació un bote de agua por la coladera, pero el agua no llegó abajo. Sólo un pequeño chorro que apenas llenaría media taza mojó los dedos de Sergio cuando el plomero introdujo la mano por el tubo. Alzó la cabeza para gritarle a su ayudante que se quedara ahí, y después de ir por un pedazo de alambrón lo introdujo y picó con él la tapazón localizada un metro arriba del desfogue. Toda la tarde, hasta las cinco, estuvo tratando de destapar la bajada. Decidió que la única solución era cortar el tramo y sustituirlo por otro. Lo harían al día siguiente, a primera hora.

Después de ordenar a su ayudante que guardara la herramienta, Sergio salió de la obra sin volver a ver a Jacinto, sin pasar por la bodega, sin lavarse la cara y las manos en la llave de agua de la entrada.

En dos camiones, un Rastro-San Pedro y un San Ángel Inn, regresó a la vecindad. Las campanadas de la iglesia daban las seis de la tarde cuando abrió la puerta de su vivienda pensando encontrar a sus sobrinos que no esperarían verlo dentro para pedirle un veinte con que comprar galletas de animalitos. Pero se acordó que sus sobrinos estaban en casa de Mariquita.

Dejó su petaquín de herramientas en el cuarto grande y salió al corredor de la vecindad para dirigirse, al fondo, a uno de los excusados colectivos. Los niños del carpintero y de la portera jugaban al avión. Uno de ellos gritó, cuando Sergio regresaba:

—Adiós poca luz.

Y otro, riéndose:

—Adiós poca madre.

En el fregadero de la cocina se lavó la cara y la cabeza; se quitó los lentes, abrió la llave, se quitó la camisa, y alargando y girando el cuello introdujo la cabeza en el vertedero de tal modo que el chorro de agua le cayó en la coronilla; sin mover la cabeza se restregó el pelo con el jabón, y después de enderezarse para respirar, volvió a meter la cabeza. Se secó con el primer trapo que a ciegas encontró a su derecha y con él se limpió cuidadosamente las orejas y se sonó. Lo dejó en la mesa.

Entró en su cuarto poniéndose los lentes.

Del viejo ropero sacó una camisa limpia, un pantalón de casimir y un par de zapatos. Se cambió de ropa de cara a la cama de Celerina, a donde fue a sentarse para ponerse los zapatos.

Extendiendo los brazos acarició la colcha. Bajó la cabeza. Por detrás de los lentes, con el índice y el pulgar de la mano derecha, se frotó los ojos. Cuando retiró la mano, dos pequeñas lágrimas temblaron en sus pestañas. Sorbió. Se puso de pie. Fue otra vez hasta el ropero y del primer cajón sacó un cuaderno, una pluma atómica y el primer tomo del método de inglés de J. Hamilton. Lo abrió en la página sesenta, donde había una hoja de cuaderno con el nombre del plomero escrito en el ángulo superior izquierdo. Más abajo se leía:

Tarea de inglés.

Y en la tercera línea:

Ejercicio 116. Conjugar (1, 3, 5, 8, 10 y 12)
1- I don't study now
You doesn't study now
He doesn't

Sentado en la cama de Celerina, con el libro abierto sobre las rodillas, empezó a completar el ejercicio:

studies now
She doesn't studies now
We doesn't studies now
They

Cerró el libro. Se guardó la pluma en la bolsa de la camisa. Volvió a abrir el ropero para sacar una chamarra; se la puso. Fue hasta el cuarto grande. Se peinó frente al espejo roto, y salió a la calle con el cuaderno y el libro bajo el brazo.

Al llegar a la esquina sintió que alguien se escondía de él, y al doblar la cuadra y mirar hacia el interior de la tienda, descubrió a Isidro que se repegaba al rincón del teléfono, detrás de una pila de cartones de cerveza. Isidro giró para quedar de espaldas, pero Sergio ya había entrado a la tienda y tras de cogerlo del cuello de la camisa lo sacó a jalones hasta la banqueta.

—¿A quién andas espiando?

—A nadie, a nadie —Isidro temblaba. Sergio lo soltó, pero únicamente por unos segundos para agarrarlo con más fuerza. Con la otra mano, sin despegar el brazo con que sujetaba el libro y el cuaderno contra su costado, lo detuvo del cinturón.

—Mira escuincle, en la obra no te he dicho nada porque no me importan tus líos con el viejo, pero lo que tú te mereces es una paliza bien dada para que no vuelvas a meterte donde no te llaman, ¿me oíste?

—No he hecho nada.

—¿Me oíste, escuincle?

—Pero si no he hecho nada.

—¿A qué vienes aquí?

—A nada.

—¿A qué vienes?

—A nada.

Lo soltó. Isidro retrocedió sin dejar de mirar a Sergio, y tragó saliva.

—Celerina... —empezó a decir—. Es que me dijeron/

—¡Cállate!

Cuando el plomero levantó el puño, amenazante, Isidro echó a correr. Sergio hizo ademán de seguirlo, pero se contuvo. Miró hacia la tienda. La dueña y dos mujeres lo observaban. Apartó la vista de ellas y cruzó la calle. En vez de esperar al tranvía en la parada, echó a andar por la acera oriente de la avenida sin levantar la cabeza, sin detenerse en la primera bocacalle, ignorando al automovilista que estuvo a punto de atropellarlo y que le gritó:

—Fíjate, buey.

Al llegar a la iglesia de la Candelaria, cuya gran cúpula se alzaba imponente sobre la avenida, se detuvo. Titubeó. Atravesó el atrio. Carteles de todos tamaños, pegados en la puerta y en los muros, anunciaban peregrinaciones, horas santas, misas, campañas de oración, novenas a la Virgen. En uno de ellos, impreso a colores, se miraban el rostro sonriente de un negrito y el de un sacerdote con alzacuellos. En letras grandes: AYUDA A LAS MISIONES, y en letras más pequeñas: HAZLES LLEGAR LA FE A LOS QUE NO CONOCEN A DIOS. Un hombre encorvado, en cuyo brazo se apoyaba una mujer, salía del templo. Sergio entró, santiguándose. Se arrodilló en el reclinatorio de la primera banca; apoyó los codos en el respaldo de la de enfrente y hundió la cabeza entre sus manos metiendo los dedos por detrás de los lentes. Así permaneció cinco minutos. Se santiguó en el momento de ponerse de pie, disponiéndose a salir, pero al dar las espaldas al altar vio a su derecha la luz encendida de un confesonario donde un sacerdote leía el breviario. Sergio se pasó la mano por el pelo y se mordió los nudillos. Avanzó en dirección al confesonario, pero se detuvo antes de ser visto por el sacerdote que continuaba leyendo. Avanzó nuevamente recitando, en voz muy baja, el «Yo, pecador». El sacerdote alzó la vista y bostezó dándose ligeros golpecitos en la boca con la palma de la mano. Miró a Sergio.

—¿Se va a confesar?

Sergio movió negativamente la cabeza.

Tuvo que correr para alcanzar el tranvía Obregón-Bucareli. Al subir tropezó con un anciano que en el instante de abrirse las puertas fijaba la vista en los escalones y estiraba un brazo para cogerse del barrote. Sergio notó su presencia hasta el momento del empellón que estuvo a punto de derribar al anciano.

—Perdón —dijo Sergio; pero no lo ayudó a subir.

Viajó de pie, cerca de la puerta de salida, empujado hacia todos lados por los pasajeros que atravesaban el pasillo. En una ocasión perdió el equilibrio y al tratar de detenerse apoyando la mano en la ventanilla que estaba frente a él, dejó caer su libro y su cuaderno en el periódico de un pasajero; éste levantó la cara y con un gesto de disgusto le devolvió los útiles. En otra ocasión, después de que el plomero logró avanzar hasta colocarse en la zona posterior del tranvía, una joven fue arrojada contra él por la presión de varios pasajeros que apuradamente trataban de bajar. Sergio sintió en sus espaldas los pechos de la joven durante todo el tiempo en que a ella le fue imposible enderezarse; cuando pudo hacerlo le pidió disculpas al plomero y discretamente, creyendo que Sergio no la veía, metió una mano por debajo del vestido, a la altura del hombro, para subirse un tirante caído.

Lloviznaba cuando llegó al edificio. Por las escaleras subió hasta el cuarto piso, delante de dos compañeros que lo saludaron al entrar y a los que Sergio identificó más tarde, cuando pudo verlos claramente bajo la luz que iluminaba el cubo de la entrada y la puerta entreabierta de la ACADEMIA JACKSON (INGLES, MECANOGRAFIA, TAQUIGRAFIA).

Dejando avanzar por delante a sus compañeros —un joven bien peinado, de saco y corbata, perfumado, y una adolescente que no dejaba de moverse para hacer sonar la crinolina de su falda mientras sonreía y repetía «ay cómo eres...»—, Sergio atravesó el corredor. Olía a pintura fresca. Iba a entrar en el salón cuando oyó su nombre.

La señorita Gutiérrez venía hacia él.

—Qué bueno que lo veo, lo andaba buscando desde ayer... ¿Me permite un minuto?

La acompañó hasta su despacho.

—Siéntese, por favor.

Sergio obedeció y cruzó los brazos. La señorita Gutiérrez se sentó en su sillón giratorio.

—¿Cómo ha estado... bien?

—Bien, gracias.

—¿Cómo van esas clases?

A modo de respuesta, Sergio hizo un gesto.

—Desde luego; ya me dijeron que es usted de los más aplicados. Y me da mucho gusto, créame, ojalá y todos tomaran el inglés con tanto empeño. De veras. No saben la gran importancia que tiene —la señorita Gutiérrez entrelazó los dedos y con las manos unidas golpeó suavemente el vidrio del escritorio—. Bueno, quería hablarle para esto. Me da un poco de pena, pero/ ¿Ya vio que estamos pintando la escuela? ¿Qué le parece? Creo que está quedando muy bien, ¿verdad? Ya le hacía falta, y ya lo teníamos pensado desde hace mucho, no crea que no, pero como se trastornan tanto las clases y se mete uno en tantos problemas... Ya vio: los pintores han tardado dos semanas. Y luego unos plomeros, ¡qué barbaridad!, por hacer unas composturitas en el baño de damas y por cambiarnos un water nos cobraban, ¿cuánto cree?: doscientos ochenta, ¿verdad que es carísimo?

Mordiéndose los labios, Sergio asintió con la cabeza.

—Me da un poco de pena, ya le digo, yo no quisiera molestarlo, pero ya que usted se dedica a esto, bueno, pensé... creo que es una cosa fácil; si quiere ahorita vemos lo que hay que hacer; o si no, para que no pierda su clase, vaya a verlos usted después y luego me dice. Yo voy a salir, pero mañana me dice lo que costaría... Puede, ¿verdad?

Una vez más, Sergio asintió.

—¡Ay, muchas gracias!, se lo voy a agradecer tanto —la señorita Gutiérrez se puso de pie. Lo mismo hizo Sergio—. ¿Podría empezar esta semana? Fíjese que nos urge mucho.

—Esta semana... no sé.

—¿Tiene mucho trabajo?

—Algo.

—Con que se dé una escapadita; es sencillo, no creo que le quite mucho tiempo... Sí, ¿verdad? Ándele, pues. Ya no lo entretengo para que no pierda su clase. Mañana me dice.

La señorita Gutiérrez sonrió maternalmente en el momento de estrechar la mano de Sergio. Éste salió de la dirección y entró en el salón de clase en el momento en que la profesora ponía los lentes en su escritorio y volviéndose hacia el pizarrón apuntaba la oración que acababa de escribir.

HE *TEIKS* HIS PENHOLDER.

—Véanla bien, así debe pronunciarse: te-iks... te-iks...

Sin dejar de señalar el pizarrón miró a Sergio, quien inclinó la cabeza para saludar y se sentó en el pupitre próximo a la entrada.

—Good evening, míster García.

—Good evening, miss —respondió Sergio.

—Why are you so late?

—Es que me llamó/

—In English, mister García; speak in English, please.

—Es que —Sergio se rascó la nuca—. Because I —se empezaron a oír risas—. Because the miss speak to me.

Una gran carcajada atronó el salón.

—¡My goodness! —exclamó la profesora—. Are you trying to say that miss Pacheco wanted to speak to you?

—Miss Gutiérrez —rectificó Sergio.

—Okey, okey... Seat down, mister García.

Después de golpear la regla contra el pizarrón y contra la mesa para imponer silencio, la profesora ordenó a los alumnos que fueran repitiendo, tras de ella, la lección de la página sesenta.

—He takes his penholder.

—He takes his penholder...

—He writes.

—He writes...

—He takes his blotter.

—He takes his blotter...

La voz uniforme de los estudiantes se esparcía, sonora, por el salón. Con la mirada puesta en el libro, pero sin leer, Sergio dibujaba círculos concéntricos y flechas convergentes en el margen de la página. Debajo de ellos escribió:

CELE
CELE
CELE

Con rayas horizontales y verticales tachó las tres pa labras.

—Page sixty two, please —ordenó la maestra—. A ver, García, háganos el favor de leer... Lesson fifteen.

Sergio levantó la cabeza.

—Reed, mister García, please; lesson fifteen, page sixty two.

Dio vuelta a la hoja. Se acomodó los lentes con el índice.

—Seat down, seat down.

Se sentó y muy despacio, titubeando, deteniéndose cuando creía haber pronunciado mal, rectificando, leyó:

—The mice in council. Some little mice, who lived in the walls of house, met together one night, to talk of the wicked cat and to consider what could be done to get ride of her. The head mice were Brown-back, Gray-ear, and White-whisker. «There is no comfort in the house», said Brown-back. «What can we do?», asked Gray-ear. «Shall we all run at her at once and bite he, and frighten her away?»...

Cuando Sergio terminó, la profesora ordenó traducir la lección a Margarita del Valle.

La voz chillona de Margarita del Valle hizo sonreír al joven que estaba sentado al lado de Sergio y que tapándose la boca con la mano se inclinó hacia el plomero.

—Ésa de la voz de pito me la pela...

—¿Correremos todos hacia él —traducía Margarita del Valle—, y lo morderemos?

«¿Correremos todos hacia él y lo morderemos?»

Sergio bajó las escaleras del edificio sin detenerse al oír que uno de sus compañeros lo llamaba. Llegó a la acera primero que todos y echó a andar, meditabundo. Ya no lloviznaba. Solamente una vez, después de caminar cuatro cuadras, se detuvo frente a un escaparate iluminado donde se exponían alhajas y objetos de plata. Inclinó la cabeza hasta tocar el vidrio con la frente, y cerrando los ojos dejó escurrir dos lágrimas que se limpió cuando resbalaban ya abajo de sus pómulos. Un hombre y una mujer pasaron a sus espaldas. Oyó la risa de ella y el tronido del beso que él le dio en la mejilla, riendo también. Caminó tras la pareja, pero sin levantar los ojos, manteniéndolos fijos en la banqueta húmeda. El ruido de los automóviles, al llegar a la esquina, lo hizo erguirse, como despertando. Esperó la luz verde para cruzar.

En una banca de la Alameda Central permaneció sentado hasta que el reloj de la Torre Latinoamericana dio las diez y media.

Regresó a la vecindad en tranvía, mirando hacia las calles oscuras, siempre con los brazos cruzados, el libro y el cuaderno en sus piernas, la cabeza vuelta hacia la ventanilla.

Frente a la parada en la que bajó, un grupo de gente rodeaba a dos automóviles que acababan de chocar. Uno de ellos era un último modelo y Sergio vio, al atravesar la calle, la portezuela hundida, el faro roto y el policía que mediaba entre los dos automovilistas. Se siguió de largo hasta la vecindad. Caminó por el corredor. Abrió la puerta. Encendió la luz del cuarto grande y una vez en su recámara se tiró bocarriba en la cama de Celerina.

Se había quitado los lentes y puesto las manos debajo de la nuca.

En esa posición lo encontró su cuñado, quien tras de asomarse a la recámara regresó al cuarto grande. Sergio oyó el chorro de agua del fregadero y el ruido de una silla al caer; la tos persistente que parecía ahogar a su cuñado, un largo silencio y nuevamente la tos, el chorro de agua llenando un vaso, el vaso estrellándose en el suelo, los pasos, el arrastrar de una silla, los pasos.

El cuñado de Sergio entró en la recámara. Con una mano en alto, apoyada en la pared para conservar el equilibrio, miró a Sergio largamente.

—Deveras, cuñado, tú y yo nunca hemos tenido una dificultad. Jamás de los jamases. Yo te respeto y tú me respetas, ¿no es cierto?... ¿Es cierto o no? Cuándo hemos tenido una dificultad, a ver... Nunca, porque cada quien está donde debe estar. Es lo que yo les digo: que en esta casa nadie es más ni nadie es menos. ¿O no es cierto, cuñado?... Seguro que es cierto. Tú eres mi cuñado y yo soy tu cuñado que es casi casi como decir que somos hermanos. Casi casi —eructó—. Y me da gusto decirlo, ¿a ti no?

Sergio no se movió. La mano de su cuñado resbaló por la pared hasta que el cuerpo se quedó sin apoyo. Giró para quedar de perfil; completó la vuelta y tambaleándose caminó hasta la puerta. Cuando llegó volvió a girar, deteniéndose en el marco. Miraba nuevamente a Sergio.

—Lo que yo digo es que por qué si nos queremos tan bien nunca nos vamos por ahi a echarnos un trago. Ni parece que seamos casi casi hermanos de verdad. Mis ami gos no me lo creen. Cómo que nunca sales con tu cuñadito del alma. Pues no, nunca salgo. Ahí tienes... ¿Qué tal si ahorita vamos a festejarlo?

—¡A festejar qué! —gritó secamente Sergio.

—Pues qué ha de ser, que tú y yo nos entendemos... Nomás oye este plan —Tambaleándose llegó hasta Sergio que se había enderezado y tenía las manos apoyadas en las rodillas—. Con unos pesos que pongas —se sentó a su lado—, yo te doy mi palabra que nos divertimos como nunca, me cai... Aquí a dos cuadras hay una casa de putas a toda. Están buenas como el demonio las cabronas. Míralas. Así de grandotas las tienen... ¿Quihubo? Tú nomás dices sí y vas a ver —le puso una mano en la pierna—. Traes lana, no te hagas.

—No iría aunque trajera.

—Es que todavía no me entiendes, cuñadito. Ya ves que estoy así a medios chiles, pues qué bueno porque es cuando te puedo hablar de hermano a hermano. Tú me caes bien, palabra. Yo no creo que seas apretado ni nada, no no, al revés, yo te admiro. Eres chambeador y palabra que si yo tuviera tu edad, ¿cuántos tienes?; palabra que empezaba desde abajo a darle como tú, a hacer lana. Pero qué me pasa, cuñado, por qué no me animo... No es por molerte, pero ponte en mi lugar: qué gana uno con chambear si todo se lo tragan los escuincles y la vieja, ¿qué gana uno? No se compensa... A poco no tengo razón. La tengo, cuñado, y por eso me da tristeza ser tan hijo de la chingada. Pero no es por mi culpa. Parezco apestado, no encuentro chamba en ningún lado. Y me da ahora sí que vergüenza estar aquí de arrimado en tu casa. Pero tú eres cuate y comprendes, ¿verdad? No te pareces ni tantito a tu hermana; ésa es una jija del maiz.

—Estás borracho.

—A medio chiles nomás, cuñadito. ¿O deveras crees que estoy pedo? ¿Verdad que no? Por eso vamos a echarnos una con las putas. Te la escojo: vas a ver.

Sergio se puso de pie, y cuando su cuñado trató de detenerlo de la camisa, le dio un empujón.

—Te dije que me dejaras en paz —gritó Sergio—. Vete a otro lado a decir tus peladeces.

—¿Peladeces? —se echó a reír—. A ver, cómo dijiste... peladeces. No hables así, cuñadito... Peladeces. Pues qué pasó. ¿Es que deveras no te gustan las putas? ¿A poco? Está bien que digan que... ¡ya, cuñadito, pero disimúlalo siquiera!... ¡Voy con la chingadera que ahora me sales!

Pues claro. Con razón le echan mano a la Celerina y tú aquí tan campante.

—¡No te metas con mi hermana!

—Pero si el que se metió con ella fue el viejo ese, ¿qué no? ¡Ah qué la chingada! Y se metió hasta adentro.

—¡Lárgate, borracho!

—¿Cuántos años dicen que tiene? ¿Es cierto que es un vejete? Vejete vejete... Pa su madre.

—¡Lárgate, borracho!

—Borracho y lo que tú quieras, pero nomás pregúntale a Concha cómo se queda después de estar conmigo. ¡Hijo de la chingada! Para que aprendas tú, cuñadito, eso lo enseña a uno a ser hombre —Sergio regresaba hacia él—. Ya me voy, ya me voy .. Lo enseña a uno a ser hombre y a defender a la familia, si no con qué.

Sin levantarse de la cama, el cuñado de Sergio se echó hacia atrás, apoyándose con los codos, mirando aproximarse a Sergio, pero sin dejar de hablar.

—En vez de poner esa cara debías irle a rajar la cara al vejete. O qué. ¿Tampoco te importa que se chinguen a la Celerina? —se irguió—. Bueno, ya estuvo suave, si no aceptas mi invitación, préstame un azul, o aunque sea uno de/

Sergio se lanzó contra su cuñado. Le prendió el cuello con las dos manos, presionando mientras éste se movía desesperadamente y arañaba los brazos de Sergio que apretaba más y más.

Cuando su cuñado se empezaba a poner morado, lo soltó.

Salió a la calle.

El velador del rumbo pedaleaba en su bicicleta y hacía sonar, largamente, el silbato: en su reloj de pulsera eran las doce de la noche.

10

Nunca acabaré de agradecerle al Chapo el interés que tuvo de que yo me hiciera mi casita, desde que estábamos en Hortensia. Me explicó que con las sobras de material, unas cuantas varillas que de todos modos se van a quedar arrumbadas, unos bultos de cemento, tabiques, arena, lo demás, y gente de confianza, en la orita nos levantábamos mi casa en ese terreno de la Moctezuma.

No le entré al toro esa vez, hasta que en Cuauhtémoc me volvió con el mismo cuento y tanto estuvo dale y dale, de puro buena gente, que yo acabé diciéndole:

—Ándale, pues.

—Vas a ver qué fácil —me dijo él—. El chofer es cuatito y está en lo dicho; tenemos el camión cuando quiéramos.

Y yo le dije:

—¿Estará bueno empezar la semana que entra?

—Mañana mismo en la tarde —me dijo.

—¿No es muy pronto?

—Entre más pronto mejor —me dijo.

Así que al otro día empezamos con los acarreos para la colonia Moctezuma. Deveras que fue más fácil de lo que pensé porque el Patotas, Perico y los demás jalaron parejo y me juraron por su madre que no iban a abrir el pico para nada; con la sola condición de que les pasara yo para sus aguas, porque siempre —estaban en su derecho— cuesta su lucha trabajar de dado en las tardes y será mucha la amistad, pero también las necesidades de vivir menguan el bolsillo. Patotas fue el único necio en no aceptar los diez pesos que le ofrecí el domingo que anduvo acomodando las varillas y abriendo las cepas para echarle a la casa un cimientito ahi de pérdida. Se ofendió porque siendo mi compadre alegaba que era un insulto ofrecerle lana, cuando que él estaba allí por el puro gusto de ayudarme. Dijo que eso no era trabajo sino quehacer de amistad. Le insistí con los diez pesos. Como de plano dijo que no, ya muy ofendido, lo invité a echarnos unas frías a la salud de nuestro compadrazgo. Pero tampoco quiso. Dijo que era la misma cuestión. Iríamos siempre y cuando él pagara lo suyo y tuviera hasta derecho de invitarme una o dos. Ahi si no quise yo. Entonces él dijo que lo dejáramos para otra, y que cuando yo quisiera corresponder a la ayuda de estarme echando una mano, no empezara ofreciéndole dinero, sino diciéndole nomás: «te invito a echarnos una». Él diría que sí, y de ese modo iría a beber sin sentir que yo lo invitaba para pagarle su ayuda, sino por amistad sincera.

Todos los demás aceptaron la lana a las primeras de cambio. No era mucho lo que les daba cada vez, pero siempre era algo. Que quince pesos, que veinte, que treinta y cinco, según. Al del camión le daba más, pero tampoco gran cosa. A don Jesús, para silenciarlo, le pasaba sus diez pesos a la semana. Mucho, pero con él ni modo de hacerme guaje y decirle sé cuatito. Porque muy bien podía contestar: está bien, soy cuatito; y apenas voltearme yo de espaldas, él ir corriendo con el chisme. Tenía que taparle la boca dándole para su mariguana y para su trago, ni modo. Con todo y eso, lo que son las cosas, el canijo viejo hizo correr la voz hasta que llegó a las orejas del Nene. No le tenía yo mucho miedo al Nene porque a él era fácil mareármelo con cualquier cuento a la hora de querer averiguar qué de cierto tenían esos rumores. Con decirle: son habladas del viejo loco, llamar a Álvarez y entre los dos empezar conque no, ingeniero, mire usted, aquí se fueron dos bultos más por esto y esto otro; todas las varillas están en su lugar porque, acuérdese, eran tres toneladas y aquí y allá. Lo que queda de tabique es justo lo que sobró: medio millar, más tres millares que trajeron luego, menos lo que se llevó aquel muro y éste de acá, aparte del desperdicio de ley y las hilachas, haga las cuentas, queda tanto y ahí está. Fácil embarullarlo, no digo que no. Lo peligroso era si el rumor llegaba hasta el mero ingeniero Zamora. Lleva bien colgada su fama de tacaño porque lo es hasta donde nadie se imagina. En Hortensia nos traía cortitos, aunque con todo y todo siempre se le podía hacer perdedizo un bultito de cemento. No tanto como para construir una casa, pero sí algo para sacar el trago de la media semana. Tacaño el ingeniero Zamora y tacaño también el ingeniero Rosas que estuvo haciéndose cargo de Cuauhtémoc cuando se fue el Nene, después de aquel mentado pleito de las varillas. El ingeniero Rosas no se separaba de su libretita. Anotaba todo, yo creo que hasta las pulgas de don Jesús. En serio. Agarraba las remisiones, revisaba bien despacio las cantidades de material, y quién sabe cómo le hacía, pero dos días después llegaba diciendo: vamos a ver, había tanto tabique, pusieron tantos metros de muro, debe quedar tanto, ¿dónde está? Iba a ver. Medía de arriba para abajo. Hacía en su libreta sumas y restas. Está bueno. Y se largaba. Fue cuando le paramos a la construcción de mi casita porque vimos cómo se las gastaba el tal ingeniero Rosas. Con decir que al cumplir la primera semana con nosotros, el primer sábado, nos dejó hablando solos. La cosa estuvo así: el Chapo Álvarez me pidió que lo acompañara al despacho por las rayas, y lo acompañé. El ingeniero Rosas estaba muy serio; nos pasó para adentro, cerró la puerta y zúmbale:

—Quiero hablar con ustedes.

—Usted dirá —dijo Álvarez, siempre tan educado—; qué se le ofrece, ingeniero.

El Chapo pensaba que nos iba a pedir un consejo: yo acabo de hacerme cargo, no estuve en la obra desde el principio, quiero que me digan cómo van las cosas, algo así; o alguna pregunta sobre el Nene. Pero no. Seguía bien serio cuando nos dijo:

—Hice mis cuentas y miren ustedes: todas estas cantidades son el material que falta de la obra... ¿Qué me dice de eso, Álvarez?

—Nada, ingeniero —dijo el Chapo sin mosquearse—, de seguro hay un error.

—Señáleme dónde está el error —le contestó aquél.

—Pues así de pronto no lo veo —dijo el Chapo.

—¿No se le hace que es mucho lo que falta?

—Sí, ingeniero —dijo el Chapo—, por eso le digo que de seguro hay un error; el material no se puede desparecer así nomás porque sí.

—Claro que no —dijo aquél—. A menos que alguien se lo esté llevando.

—Pero quién, ingeniero.

Del Chapo Álvarez aprendí a lidiar en esos asuntos. Aquel día me dejó con la boca abierta, de ver yo la seguridad que tenía al responder y el modo para no salir de la misma cancioncita: de seguro hay un error, de seguro hay un error.

Yo pensaba en mi casa; se iba a quedar con los muros a la mitad, cuando todavía le colgaba para los canijos techos. Eso, si no es que se armaba un lío grande y nos corrían por manos largas. Pero no pasó nada. El ingeniero Rosas se echó su risita maliciosa:

—Usted sabe bien qué pasó con ese material —dijo.

Y luego:— El ingeniero Zamora dice que vamos a hacer de cuenta que todo está en orden; pero le advierto una cosa, Álvarez —le hablaba siempre al Chapo, como si yo fuera invisible—, de hoy en adelante no quiero que falte un solo tabique. A mí no me hace tonto.

Volvió a porfiar Álvarez en su inocencia con la misma seriedad que al principio.

—Usted no puede pensar que yo lo quiero hacer tonto, ingeniero. Nosotros no somos ladrones, se lo juro por Dios.

Pero ya ni caso le hizo el ingeniero Rosas; le entregó la lana de la raya y nos fuimos.

Como si no tuviéramos lengua bajamos por el elevador. Al llegar a la calle yo estaba esperando que el Chapo me dijera que lo sentía mucho, que ahora sí ni modo de seguirle dándole a mi casita; no pasó nada esta vez, pero si nos agarran de nuevo entonces sí no van a tener consideración. Y lo que hay que cuidar sobre todo son las chambas con el ingeniero Zamora.

Qué tan gran amigo sería el Chapo, qué tamaño de corazón el suyo, que en vez de decirme algo por el estilo me pasó la mano por detrás, me dio un apretón así, y con una sonrisa que no olvidaré mientras viva me dijo:

—Tú no te me espantes, Jacinto. Vamos a seguir levantando tu casa hasta acabarla.

—¿Después de esto?

—Después de esto —me dijo—. La haremos más despacito; no acarrearemos el material de un solo trancazo, pero le seguiremos dando.

—¿Y si se dan cuenta?

—No se las van a oler —me dijo—. Yo sé de estas cosas.

—¿Pero y si por la de malas nos agarran?

Entonces él se me quedó mirando largo, me dio otro apretón y me dijo:

—Si nos agarran ni modo.

—Nos botan de la chamba, Chapo.

—¡Pues que nos boten!... Ah, Dios, ¿a poco el ingeniero Zamora es el único ingeniero del mundo? Ya encontraremos chamba tú y yo en otro lado; no te apures.

¡Cómo no voy a estarle agradecido! ¡Cómo no voy a quererlo como a un hermano!... Un tipo que se enterca en ayudarme arriesgando su fama de honrado y su chamba y todo, ¿puedo odiarlo? ¿Porque andaba metido con la vieja de don Jesús? Y a mí qué. Cada quien tiene sus manías y no hay derecho para ponernos a criticar a los demás.

Pero de todos modos, lo importante es que gracias al

Chapo y a que el ingeniero Rosas sólo estuvo cosa de tres meses, pudimos terminar mi casita: dos cuartitos bien hechos, con sus techos de concreto y toda la cosa. Ya no dio tiempo de aplanarla y ponerle su yeso porque sucedió la desgracia esta de don Jesús, pero sí nos alcanzó para acabar con lo más urgente. Viéndolo bien fue rápido. Por el Nene, claro, que volvió igual de despistado; zonzo como él solo y siempre en la luna. Había veces en que en sus meras narices el Patotas salía cargando un bulto de cemento y él no decía nada; al revés, volteaba para otro lado como diciendo: no me doy cuenta, no me doy cuenta. Si se tratara de otro ingeniero, uno podía pensar que adrede, por puro buena gente, se hacía el desentendido, pero lo que pasaba con el Nene era que se le hacía así con nosotros. Miedo de no encontrarle cómo ponernos el alto, y yo creo que miedo también de acordarse de la que nos debía al Chapo y a mí desde el mentado pleito de las varillas. No soy matón ni peleonero, pero palabra que aquel día, cuando lo oí decirle a su padre que fuimos nosotros los que la regamos en el armado de las columnas, me dieron ganas de partirle el hocico allí mismo. Me cai que se lo parto si el Chapo no me detiene. Sin compasión, aunque luego me llevaran al bote. Yo soy tranquilo, pero nada más que alguien se me ponga al brinco, me levante un falso o me acuse sin razón, y toda la muina se me trepa. No me domino. Se me queman las habas por repartir mandarriazos. Lo bueno fue que el Nene se llevó su merecido. Yo no supe cómo estuvo exactamente, pero por los rumores que corrieron luego me enteré de que el ingeniero Zamora acabó dándonos la razón a nosotros y cantándole la letanía a su hijo. Dicen que tuvieron un pleitazo a toda madre; que el ingeniero Zamora lo puso como al perico, que el hijo le contestó, que al ingeniero Zamora no le gustó que le contestara, que el hijo le volvió a gritar y que el ingeniero, por fin, acabó mandándolo a la chingada. Por eso y no por otra cosa el Nene dejó de ir tres meses a la obra. También dicen que se largó de su casa y quién sabe cuántas cosas más, y que el ingeniero Zamora andaba todo fregado porque después de todo el muchacho era su hijo y le dolía mucho verlo así. Total: pasaron los tres meses, el hijo volvió, se arreglaron las cosas, y ahi estaba de nuevo en la obra. Esas gentes así son.

Lo que sí es que ya no fue igual para él ni para nosotros. Si él lo olvidó, yo no. Y se daba cuenta. Sabía que yo lo traía entre ojos, con ganas de encontrármelo una noche lejos de la obra, en una calle oscurita, donde sin decirle agua va le saliera al paso y le hiciera pagar todas sus desgraciadeces. Estuve tentado y se lo dije al Chapo Álvarez apenas supe que el Nene volvía. Pero el Chapo, con toda esa cabeza que tiene, me convenció de que no ganaba nada y sí perdía mucho. Me habló de mi casita en construcción. Por todos lados nos convenía la vuelta del Nene. Volveríamos a sacar cuanto material quisiéramos y acabaríamos en un dos por tres.

—Pero ese cabrón me las debe —le decía yo, ya medio trole, con cinco cervezas dentro.

—Se las puedes hacer pagar de otro modo —me respondió el Chapo—. Sin violencias.

—¿Cómo que sin violencias? Si lo que yo quiero es partirle la madre.

—Hay muchos modos.

—¿Cuáles?

Entonces el Chapo se soltó hablando de otros desquites más sabrosos, según él. El muy méndigo fue cuando joven, cuando era apenas media cuchara, un hacha para eso, y yo no lo supe hasta ese día en que me platicó cómo fue que se vengó de un ingeniero que lo acusó de ladrón. No le preparó un cuatro ni le encajó un cuchillo en la barriga como se merecía el infeliz, porque qué ganaba con eso —me decía el Chapo—, el gusto de un ratito y luego la amolada de ir a dar al bote. Lo bonito para uno —me decía— es tomar desquite sin salir perjudicado; sin violencias, lo que se dice con maña. Ideó varias cosas. Una vez le hizo llegar a la mujer del ingeniero el chisme de que su marido andaba metido con una prima de ella, o con una amiga suya, es igual. Se lo escribió en un papelito con detalles y todo (porque hasta eso, era cierto): dirección, señas de la fulana, todo: sin decir quién mandaba el papelito, claro, de anónimo, pues. Y hubo escándalo. Otra vez lo echó de cabeza con un inspector del Departamento que fue a revisar cómo andaba la obra y el Chapo le dijo que habían hecho modificaciones aquí y allá. Y le metieron un multón. Otra más, le pasó una remisión hecha por el mismo Chapo de un material que nunca mandaron a la obra, y a la hora de las aclaraciones no se supo quién tuvo la culpa ni quién se quedó con la lana. Lo mismo cuando adrede cimbró mal un techo y se vino abajo y aplastó a un peón. En fin: le hizo ver su suerte, y eso que aquel ingeniero era de los listos. El mejor de los desquites fue el último —¡ah, qué risa me dio!—. Lo preparó muy bien: un día, a escondidas, agarró el Chapo una llave de tuercas, se fue al carro del ingeniero y le aflojó dos ruedas. Por poco y se mata el infeliz. Se llevó un trancazo bruto en la frente, y dice el Chapo que la compostura del carro, que se fregó toditito cuando se le chisparon las dos ruedas allá por las Lomas, le salió en un ojo de la cara.

El Chapo me aconsejó que yo ideara cosas parecidas para fregar al Nene, hasta me dio ideas. Pero para decir verdad nunca me atreví. No le hice nada; como que se me fue bajando el coraje: me contenté con una que otra indirecta dicha al pasar, una que otra fregadera como levantar chueco un muro, o tapar a medias el hoyote de atrás, echándole antes agua y poniendo dos tablas falsas. Venía yo recorriendo la obra con el ingeniero; yo pasaba delante, por un ladito, y le hacía una seña para hacerlo voltear para arriba mientras él pisaba las tablas. Rájale, hasta dentro.

—¡Qué barbaridad, ingeniero! —decía yo corriendo a ayudarlo—. Mire nomás. ¡Ah qué la canción! —aguantándome la risa: Don Jesús estaba por ahi.

Nomás cosas de ésas, porque como digo ya no le tenía verdadero coraje y mi mejor venganza era sentir que nos estábamos volando el material en sus meras narices y él no se atrevía a protestar.

Con eso quedé contento y ahora puedo decir que ya no le tengo ni tantito así de coraje. Lo más que me da es lástima. Y vaya que si yo quisiera podía jurar haberlo visto matar a tubazos a don Jesús. Ahi tiene: Patotas dice que él fue. No es que yo le porfíe a mi compadre, pero quiero obrar a lo derecho y por eso digo que yo no estaba en ese momento y no sé. Para mí más bien, poniéndome a pensar, el que más cara tiene de asesino es el Cura, el plomerito. Aunque no, porque el pobre es de los que no matan una mosca. Ahora que eso sí, el viejo se acababa de coger a su hermana apenas la noche anterior. Yo lo supe el lunes temprano y pensé luego luego hablar con el plomero para decírselo, por si él no lo sabía. Decírselo de buen modo, consolarlo. No me quiso oír. Me volteó la cara. No se lo dije para enfurecerlo ni para hacer que esa noche fuera a matar al viejo, no, nunca me pasó esa idea por aquí, porque en primer lugar yo le tenía más voluntad a don Jesús que al curita, y en segundo porque el curita se merecía que le hicieran eso a su hermana y más. Fue como advertencia. Puede que un poquito también, no digo que no, como con gusto, como con lástima se lo dije. Las dos cosas. Y si me apuran mucho, pues para picarlo, para que se portara como hombre. Todo junto. Hubiera sido bueno oírlo reclamarle al viejo. Que se armara la gorda. El Cura cuatro ojos frente a frente contra don Jesús. A ver qué pasa... Alborotado que es uno para los borchinches, ésa es la verdad. Ya le digo: ni por aquí me pasó la idea de que fuera capaz de matarlo a tubazos. Y aunque todos los demás lo digan yo de plano no lo creo. Lo dicen porque no conocen bien al Cura. Yo también, de primeras, dije: pues sí, fue el Cura cuatro ojos; quién si no; pero ya poniéndose a ver las cosas más despacio se da uno cuenta de que no pudo ser el plomerito porque para matar al viejo se necesitaba algo más que el puro coraje de sentir que a la hermana de uno se la cogió un desdichado; se necesitan, perdonando la palabra, güevos. Y de ésos no tiene el Cura. De dónde los sacó. Quién se los prestó. Nadie. Con saber cómo se portaba con nosotros se entiende. Si ni siquiera era capaz de decirme a mí: estate Jacinto, cuando me oía chulear a la Celerina, ¡iba a ser capaz de agarrar un fierro y darle así como dicen que le dio al viejo! Es no conocerlo. Ni que se haya vuelto loco en un ratito, ni que se le hayan metido los endemoniados de un día para otro. Tampoco lo defiendo, tampoco. Ni a él ni al Nene. Los dos me caen de madre y a los dos me gustaría verlos en el bote. Pero estoy aquí para hablar la verdad y no se valen imaginaciones de oquis. Aunque tenga mucho que sentir del Cura. El me acusó de robarle la tarraja, de estar apalabrado con don Jesús para volarme el material. Me lo volaba, no lo niego, ya dije cómo hicimos la casita; me pueden encerrar por eso si quieren, pero ya tratándose de muertitos por delante la cosa cambia y es cuando uno ya no puede cargarle la culpa así como así al más sangrón.

No no, el Cura no fue; tampoco el Nene, y menos yo. Igual que abogo por ellos, abogo por mí, y eso hay que tomarlo en cuenta, ¿no?, porque si yo fuera el criminal andaría buscando cargarle el muertito a cualquiera, y ningún trabajo me costaría decir que el plomero era así y asado y que el ingeniero se las estaba tostando por dentro por lo de la cartera. Pero no se puede mentir. Menos cuando uno pone de fiadora a la Virgen del Sagrario. Con ella hay que andarse con cuidado. No se le pueden hacer trampas a la Virgen. Lo sé por experiencia. Ya me sucedió. Era cuando vivía por Peralvillo. Resulta que Heliodoro Gómez, el carpintero, me invitó un día a ir a una iglesia que no tenía santos, ni a la Virgen ni nada. Pues ahi fui. Muy serios todos, cante y cante. Un padrecito se puso a hablar. muy bien por cierto, de cosas de Dios y del cielo. Nos dijo que Dios no quería que nosotros estuviéramos pobres en el mundo y que por eso a todos los que fueran seguido a la iglesia les iba a regalar ropa. Me gustó el asunto y me apunté a la cuestión porque aparte de que andaba muy jodido, también iba a la iglesia una prieta que estaba a todo dar y que me bailaba los ojos a la hora de estar cantando con su cuadernito enfrente. Para no alargarle el asunto, le platiqué de esto a la vieja que me rentaba el cuarto, y que me dice:

—Ésos son protestantes.

—Como si me dice son veracruzanos, total.

—No, no —me dijo—, no se ría. Esa gente no quiere a la Virgen.

—¡Ah caray! —dije yo.

—Sí, y además lo va a castigar porque ellos son enviados del demonio para condenar a las almas.

Me salió con la historia de una amiga suya a la que por hacerse protestante se le murieron tres hijos de un jalón, y otra a la que se le fue el marido.

—Usted es católico —me dijo—, no puede hacerse protestante.

Pero me hice protestante porque la prieta de la iglesia ya no sólo me bailaba los ojos sino que a la salida se dejaba coger las bolas, y porque además, apenas le dije al padrecito: quiero ser protestante, me dio un tambache así de ropa y un boleto para ir al cine. Heliodoro, feliz. Lo único que sí ya no, era que para todo nos estaban muele y muele con que dejáramos el trago. Yo nunca fui borracho, pero la verdad, eso de no poderse echar ni siquiera una fría es mucha exageración.

—No te apures —me dijo Heliodoro—, lo bueno de aquí es que puedes agarrar lo que te convenga y dejar lo que no te convenga. Ya ves yo: soy protestante desde chico, y desde chico le tupo al alcohol.

Pues a tupirle y a seguir yendo a que me dieran más ropa.

La vieja que me rentaba el cuarto me juraba que esa ropa estaba maldita y que me iba a venir un castigo del cielo si no dejaba de ser protestante, todavía la Virgen me podía perdonar. No le hice caso y mire que fue resultando que tenía razón. Me empezaron a llegar desgracias: un día me caí del andamio y me quebré esta pierna; otro día me agarraron unos pelados en lo oscuro y me quitaron hasta lo que no, y un domingo, justo a la salida de la iglesia, me atropelló un carro y fui a dar a la Cruz, muriéndome. Por poco no lo cuento. Tres meses estuve sin trabajar, creyendo que ya me llegaba mi hora. Cuando salí de la Cruz, lo primerito que hice fue ir a la Villa y prometerle a la Virgen que nunca me iba a volver a juntar con los protestantes.

Desde entonces me cuido y cuando para cosas como ésta pongo por delante a la Virgen es porque sólo voy a decir verdades. No vuelvo a tentar al cielo, ni de relajo. Ahí tiene.

Si todavía con todo piensa que yo fui, déjeme hacerle una pregunta: ¿qué ganaba yo, vamos a ver, con matar al viejo? Nunca me hizo nada y hay muchos testigos de que yo le tuve más consideraciones que nadie. Cuando sus ataques, yo lo apapachaba; cuando andaba mal de dinero, yo le prestaba lana; cuando algún lío, cuando cualquier tarugada, yo lo defendía diciéndole a todo mundo que debíamos perdonar a don Jesús porque el pobre andaba muy mal de salud y ya era un viejo más para allá que para acá. Mis pleitos con él quedan aparte, no tienen nada que ver. Todos nos peleamos algún día y eso no quiere decir nada, al contrario, es señal de que se lleva uno con la gente. Si a esas vamos, también el Chapo es sospechoso. Y digo el Chapo Álvarez, ¿eh?: el maestro que le dio chamba, el buena gente que lo sacó de la miseria por pura lástima de la buena que le tuvo. Pues con todo y eso, aunque a usted le parezca raro, sépase que el Chapo Álvarez y don Jesús se agarraban unas peleadas de padre y señor nuestro. Lo que se llama peleadas. De coger el Chapo una botella y aventársela al viejo, y de levantarse furioso el viejo y contestarle con otro botellazo y una de mentadas de madre que se oían hasta la vía del tren.

Eso fue el día de la Santa Cruz.

Empezamos a tupirle desde tempranito. Patotas llevo un curado de piña y el ingeniero Zamora nos mandó no sé cuántos cartones de cerveza, y barbacoa, y carnitas y un tambache así de tortillas. Un día antes mi compadre Patotas y yo pusimos la cruz en la azotea, con sus colgajos de papel de china y toda la cosa, y adornamos también abajo con muchas tiras de papel de china. Quedó de ambiente la obra. A la hora de la barbacoa yo ya traía mis buenas cervezas, y en plena comedera me pidieron que me echara una canción. No me hice del rogar porque para qué lo niego, tengo buena voz y le intelijo a la cantada. Lástima que no llegaron los mariachis que quedó de mandar el ingeniero Zamora, lástima, tenía ganas de cantar con mariachis para que todos vieran que si yo quería, fácil podía conseguir chamba en el radio. Por cierto una vez se me metió aquella idea en la cabeza y animado por mi compadre fui a uno de esos concursos de aficionados. No me gané la lana porque aparte de andar nervioso, de eso que uno se siente entre gente extraña, el anunciador era una mula bien hecha y a la hora de presentarme me puso todavía más nervioso con sus preguntas. Dicen que para eso les pagan. Tienen órdenes de tratar así a los desconocidos y en cambio darles coba a uno o dos recomendados que son los que al final se ganan los premios. Aquel día se lo llevó una mocosa flaca flaca y fea como el demonio que cantó una de ésas de puro gorgorito. Se le movía de arriba para abajo el cogote y no hacía más que ponerse las manos en la barriga como si trajera un dolor o más bien como si quisiera apretarse el aire para poder echar el berrido y luego quedarse con la boca abierta haciendo así con la cabeza y poniendo cara de que le costaba mucho trabajo. Para mí eso no tiene ningún chiste porque cualquiera, con una voz tipluda como la de ella, es capaz de pegar gritos sin arte ni nada. Ya la quisiera yo ver en el falsete, con una canción de las nuestras; no que esas canciones ni se entienden ni gustan. Pero como digo, la cosa ya está preparada de antes y a como dé lugar les regalan el premio. A mí no me dolió, porque aunque canté una ranchera poniendo todo el sentimiento, lo hice muy regular. Los músicos se me adelantaron una vez; luego me entraron nervios y por poquito se me sale un gallo. Acabé la canción sin que me tocaran la campana, eso sí, pero sabiendo ya el resultado. La culpa la tuvo el anunciador. Se quiso hacer el chistoso a costa mía, preguntándome cosas que ni venían al caso:

—Conque usted es albañil —me dijo el desgraciado.

—Sí señor —le dijo yo.

—A ver, a ver, cuéntenos un poco de su trabajo. Cómo le va.

—Pues muy bien —le dije yo.

—¿Usted canta mientras trabaja?

—Sí, señor.

—Y qué canciones le gustan, ¿rancheras?

—De todo, con tal que sean bonitas.

Ahí fue cuando empezó con las burlas: que si tenía yo esperanzas de ganar, que si quería llegar a ser cantante de radio, que si esto o que si lo otro... pero siempre con sorna, fregándome a cada rato con que me acercara al micrófono, que hablara más recio, que si estaba mal de la garganta o me andaba cuidando. Ya ni me acuerdo todo lo que me dijo el cabrón. Y no gané aquella vez, pero salí seguro de poder ganar otro día, cuando ya bien alertado de cómo se las gastan esos anunciadores los mandara al diablo y me pusiera a cantar «No soy monedita de oro», que me sale tan bien. Todos los recomendados y todas las viejas gritonas me iban a hacer los puros mandados. No volví por decidia. Me conformé con cantar para mí solo o para los cuates en días como el de la Santa Cruz. Esa vez canté un montón, y bien de verdad; de las nuevas y de las viejas: La cama de piedra, No soy monedita de oro, Estoy en el rincón de una cantina, El quelite, El potro lobo gateado, El corrido de Quirino Navarro... un montón. Después todos querían cantar y armaron una escandalera de los demonios. Yo me senté por ahi en un rincón a entrarle derecho al curado de piña. El ingeniero Rosas estaba junto y de buenas a primeras nos pusimos a platicar. Las veces que bebo me pongo quién sabe cómo, medio tristón, por la falta de costumbre, no por otra cosa. Me pega muy duro el alcohol, se me va la lengua. Ni siquiera me fijo quién está junto. Así sea el ingeniero o cualquier albañil yo me pongo a hablar y a hablar de mi humilde casa con su cerca que yo mismo levanté y sus gallinas ponedoras, su sauce a la entrada, las macetas bien parejitas todas y el cerro allá atrás de donde se oye por las noches el aullido del coyote. Mi hijo ya me vio llegar y viene corriendo por el camino, se tropieza, se cae, se levanta; alza sus dos bracitos y me agarra de aquí; quiere saber si a la noche lo voy a llevar al cerro y nos vamos a poner a contar las estrellas. Él sabe contar hasta cien, no le alcanza, pero entre los dos sí podemos contarlas todas, dejar de contar para oír al coyote. Anda muy cercas, ¿lo oíste?, ¿tienes miedo? Pues entonces no te me arrejuntes; óyelo tú solito, hazte de cuenta que yo no estoy aquí y que tú solo lo vas a ver salir de aquellas matas; fíjate bien, de un primer golpe parece un perro, pero los colmillos son más grandes y los trae por fuera. Fíjate cómo hace: anda venteando las gallinas. Mañana temprano vas a decirle a Juan José que estabas solo cuando lo viste, y que en vez de echarte a correr le diste la cara y lo espantaste con el sombrero. Juan José es re incrédulo. Se ríe, pero es porque tiene miedo. Y tú no le tienes miedo ni al coyote ni a Juan José con todo y que Juan José es el doble de grande que tú. No dejes que se ría, nomás eso faltaba. Aviéntale un trancazo. Otro. Eso. Dale. Ponte abusado. Que todos vean cómo le rompes el hocico para que se asusten y vayan y lo cuenten: Le partió la boca. Era de asombrarse ver cómo tiraba golpes y patadas y cómo el escuincle grandulón no veía la suya; porque Isidro era de los escurridizos, sabía meter la trompada y salir y volver a meterla. Y era chiquión con su padre, además. El único chiquión. Si no se quiso ir a Guadalajara o a México fue porque ni modo de llevárselo, pero ni modo tampoco de dejarlo allí: cómo se iba a pasar tanto tiempo sin verlo. Lo atoraba en el pueblo. Tenía sus planes para después, pero miren que esa malhaya escuincla hija de su pelona, con una piedrota...

Jacinto extendió el brazo para alcanzar el jarro de curado de piña.

¿Por qué tenía que ser Isidro, ingeniero? ¿Por qué Isidro y no la Rosa o cualquiera de los otros?... Así lo siento. La vieja ya lo sabe. ¿Verdad, vieja? ¡Viejaaa!, ¡viejaaa, te estoy hablando! Dile al ingeniero lo que era Isidro para mí. Orale, dile. Nomás de él tenía la seguridad. Porque ahi la ve tan aplastada, pero usted no sabe... A mí no me hacen pendejo. Desde antes de que me la trajera para acá se metía con todos. El panzón le hizo a la Rosa. Tú lo conociste, Darío, o llegaste a oír hablar de él ¿no? El panzón fue. ¿Verdad que fue el panzón, vieja? Ya que ganas con porfiarme. Mírela ingeniero, muy sorda muy sorda... y ése que está ahí, Miguel, ése se lo hizo Nicanor Salinas. Y los otros dos sabe quién se los hizo, ni ella puede decir, pero míos no son. Mío sólo era Isidro. ¡Déjame, Darío! ¿Sabe por qué estoy tan seguro del Isidro, ingeniero? Nomás porque fue cuando andábamos por Yuriria; un mes enterito que la condenada no pudo ver más cara que la mía. No estoy borracho, ingeniero. Nada más le pido que me conteste: ¿por qué tenía que ser Isidro? ¿Qué fregados le hice yo de malo a la Virgen del Sagrario para que me quitara a Isidro?

Con el puro recuerdo se me escurrían las lágrimas delante del ingeniero Rosas.

El ingeniero Rosas se paró, y cuando yo alcé la cabeza vi que allá estaba el Chapo Álvarez dándole un empujón a don Jesús. El viejo fue a dar contra una bolita de albañiles que riéndose me lo levantaron de los sobacos para volverlo a poner frente al Chapo Álvarez.

Con los ojos colorados por la mariguana y la boca babeando, el viejo gritaba:

—¡Niégalo, a ver!

Y el Chapo:

—¡Estate quieto!

—¡Niégalo si eres tan macho! —volvía a gritar don Jesús.

Y vuelta a contestar el Chapo:

—Estate quieto, cállate.

Ni por aquí me pasaba lo que se traían entre manos. Menos ese día, porque en días como ésos uno está acostumbrado a oír pleitos y a ver albañiles romperse el hocico por un malentendido cualquiera. Es de tradición. Con pulque y con cervezas, quién no tiene más de una razón para sonarse con el de enfrente. Ahora que ya tratándose del don Jesús y el Chapo Álvarez sí era un poco raro porque en primer lugar el Chapo es calmado y, sobre todo, es el mero maestro; no cualquiera se pone con un maestro que siempre se da su sitio y no se revuelve así como así con los demás albañiles comunes y corrientes. Eso en primer lugar; en segundo: la cosa de que don Jesús era al fin de cuentas un mantenido de él. A santos de qué le gritaba como le estaba gritando cuando ya se formó la bola y todo, y cuando hasta el ingeniero Rosas tenía los ojos de este tamaño para no perderse el pleito.

—Jijo de tu tal por cual —gritó don Jesús—. Te va a llevar la fregada si te sigues metiendo con mi mujer, qué te estás pensando.

—Cállate mariguano —le contestó el Chapo.

—No me callo, ojete... A ver, niégalo aquí delante de todos.

—Yo no tengo por qué negar nada —dijo el Chapo echándose para adelante. Fue cuando nos volteamos a ver unos a otros y pensamos en la mujer del viejo. De muy buen ver, como ya dije; todavía en edad de antojársele a cualquiera. A mí se me hacía agua la boca, para qué no decirlo; sentía prisa por acercarme y cogerle esos brazos bofos que traía al aire. Como que le sobraba pellejo, y uno es hombre, y uno está viendo al Chapo Álvarez agarrarle una mano, ponerle el brazo por detrás como quien no quiere la cosa, confiado en que la pobre mujer ya no siente nada con su marido; ni ganas le iban a dar a la pobre de arrejuntarse a un viejo todo viejo y jodido, mientras ella vive en la mera madurez, fresca, grandota, bien dada, sabedora de que muchos hombres se las truenan por ella; hombres importantes y bien vestidos como el Chapo Alvarez que no nada más tiene con qué calentar a una vieja de su tamaño, sino que además es hombre de centavos. El Chapo no deja su mes por menos de tres mil quinientos pesos. A la hora de la raya, entre que tú no veniste tal día y tú me debes tanto... y a aquél al que le pagaba menos de lo que le decía al ingeniero, sacaba sus centavos extras y me corto la cabeza si no llegaba a los cuatro mil. Cualquier mujer, ya no digo la vieja de don Jesús, sabiendo eso se dejaba agarrar volando del Chapo Álvarez.

—De perdida que la pase —decía Marcial. La vieja es de arrastre. Miren cómo dejó de chupado a don Jesús. Que te la pase a ti, Jacinto; tú eres su amigo, ¿o no es eso lo que andas diciendo? Amigo mío, pero nada, ¿por qué? Una sola vez aunque sea para averiguar cómo está; después el Chapo podía seguir con ella para siempre, viéndole la cara de tarugo a don Jesús como se la queríamos ver todos, empezando con Marcial, al que me lo soné por calumniar a mi amigo. Y después de que me lo soné, se lo hice saber al Chapo para que viera que yo estaba de su lado y por lo mismo tenía derecho a pedirle de favor que me hiciera la balona con la vieja de don Jesús, un solo día nomás. No seas díscolo, tú qué pierdes. Si don Jesús no pierde nada, tú pierdes menos. Acuérdate lo que me dijiste cuando empecé a chambear contigo: que yo tenía la vida asegurada, dijiste; de allí para adelante tú y yo íbamos a trabajar juntos y a ir a mitad y mitad en cosa de viejas y de juego. De nada te vale decir que no es cierto porque ya hasta Isidro sabe de tus amores con la canija. Yo podía aventarme por mi cuenta sin avisarte, pero no lo hago por eso que te digo: no me gusta jugar chueco ni hacer nada a las escondidas; te vengo a hablar derecho porque soy derecho y porque no lo niego: a ti te debo casi todo; casi, esto es lo que me falta; qué quieres, me alboroté, ando caliente por la vieja, es un antojo, estoy que me lleva pifas por chupárselas, a ti qué más te da, ni que fueras el único, maldito Chapo hipócrita, si no estuviera pedo te apretaba el gaznate para quitarte lo mustio, o qué, ¿te crees muy salsa?, ¿te sientes el amo del mundo? Pues no porque seas el Chapo y el que manda me voy a arrastrar para lamerte las patas. Ya me sé de memoria tus modos: dizque nos ayudas, me animas a levantar mi casa, la levanto, y ya con eso tú piensas: a este pendejo me lo eché a la bolsa, de hoy en adelante me voy a chupar de su raya todo lo que pueda. Y vas y le dices al ingeniero que necesitas pagarme más y que quién sabe qué, y el ingeniero te suelta más lana, que tú te clavas seguro de que ni yo ni nadie puede protestar porque te debemos favores y porque nos faltan güevos.

Nos compras como si fuéramos putas, Chapo. No digas que no. Si yo me quedé callado es porque te debo muchas cosas y porque bueno, está bien, mereces ganar más a nuestras costillas. Pero todo tiene un límite. Quiero seguir teniéndote como lo que eres, pero para eso necesitas oírme ahorita que ya me anda, porque si no, luego no respondo si de un fregadazo me desquito de todas las que me debes. Está bueno. Ya te lo advertí: me voy a desquitar a mi modo. O qué tal si es don Jesús el que te pega un susto. Está loco y mariguano, pero te puede dar un cabronazo cuando menos lo esperes que te manda al otro barrio. Te lo digo. Óyelo bien, te lo dice Jacinto Martínez. ¿Sabes quién es Jacinto Martínez? No, Chapo, no sabes. Para ti Jacinto Martínez es un pobre buey que vino a la capital porque andaba muerto de hambre. Y no, Chapo, no andaba muerto de hambre. Allá en Ixtlán tenía mi casa, mi mujer, mis hijos, mis animales. Tenía chamba. Buena chamba, no estas porquerías de trabajo. Cosas de camino, Chapo. Y además hacía otras cosas, para que lo sepas. La gente me respetaba. De decir, cuando no sabían algo o cuando tenían dudas de hacer esto o aquello, agarrar un trabajo o no agarrarlo, por ejemplo, escribir una carta, arreglar un asunto legal... de decir: hay que pedirle consejo a Jacinto, él nos dirá. Y me iban a ver. Llegaban a la casa. A veces hasta cola hacían porque yo no me daba abasto para aconsejar a tanta gente. Entraban. Me contaban su apuro: que yo me quiero ir de bracero, Jacinto, cómo la ves. Y yo le preguntaba: de bracero a lo derecho o de bracero a la mala. De bracero nada más, me decía. A ver cómo está eso, le decía yo, ¿piensas conseguir papeles? ¿Cuáles papeles?, me preguntaba. En forma legal, decía yo, que si vas contratado o quieres cruzar a la mala. Pues que no, a la mala, fulano dice que es fácil. Entonces yo les explicaba por qué ya no era fácil como antes, y les mentaba todos los peligros. Salían convencidos. Otro iba a verme porque su tierra ya no daba ni huizaches. Y yo le decía que la tierra es como una vieja, que dejara descansar a su tierra una temporada. Otro tenía problemas por haberse escabechado a un fulano. Y yo le decía dónde esconderse. Otro quería que le escribiera una carta. Y yo se la escribía. Así como te lo cuento y todavía más. Me respetaban, te digo. Era Jacinto Martínez, no cualquier indio desharrapado. No me vine a la capital por falta de dinero ni por muerto de hambre, ni por nada de lo que tú crees, Chapo. Me vine porque se me dio mi regalada gana. Ya es tiempo de que cambies de parecer, presumido Chapo. Si se me hinchan me puedo poner a trabajar por mi cuenta de maestro de obras. Aunque te rías. Nunca más te voy a pedir nada, te lo juro por la Virgen del Sagrario. Qué bueno que aquí se acabe todo porque ahora sí vas a saber quién soy y de qué tamaño me las gasto. Quédate si quieres con la vieja, pero cuídate de don Jesús que por loco y por mariguano te va a dar un susto un día de éstos. Yo voy a esconder la cara, te lo digo desde ahorita. Soy de los cabrones que para cobrarse una deuda tienen muchas mañas. Soy de ésos, te lo advierto. Y mira que ya se me pasó la borrachera. Ya nomás estoy crudo, ¿por qué no me acompañas a curármela? Ayer dije una bola de babosadas sin pies ni cabeza, ¿verdad? Ya ni me acuerdo qué dije, pero tú saber perdonar, ¿no? Tú olvidas. Sabes que soy un muerto de hambre. Si me mandas al carajo me chingas, Chapo. Desde que me vine de Ixtlán soy un desmadrado que necesita de cuates como tú. Olvídate de todo lo que dije de la vieja de don Jesús, no me importa ni tantito así, ayer estaba pedo. Tú me conoces, tenme lástima, Chapo. Gracias, Chapo. Yo ya sabía que no eras rencoroso. La Virgen del Sagrario te va a ayudar. Ella no me ayudó a mí, pero te va a ayudar a ti. O verás. Y a otra cosa, pues. A trabajar. Te juro que de aquí en adelante si oigo a cualquier hijo de su pelona como Marcial o el que sea murmurando de ti, le rompo el hocico. No te apures que aquí tienes un amigo; hazte de cuenta que soy un perro fiel al que si tú le dices: lámeme las patas, te las lame. ¡El Chapo Álvarez! ¡El gran —me caí que sí—, el gran Chapo Álvarez! No lo digo nomás ahorita. Lo dije siempre. Y si don Jesús viviera, también don Jesús le diría lo mismo a usted. Todos los demás rumores son mentiras para fregarme a mí y para fregar al Chapo Álvarez. ¿Qué ganan? ¿Meterle a usted la duda? ¡Pero si de plano no se puede acusar al Chapo! El pleito del día de la Santa Cruz, ya lo dije, fue un pleito como cualquier otro; ni siquiera debía yo contárselo porque vaya a parecer como que le quiero cargar el muerto a mi amigo. Pero usted no es tonto, ¿verdad?, y entiende.

Con los ojos colorados por la mariguana y la boca babeando, el viejo gritaba:

—¡No me callo, ojete!... A ver, niégalo ahorita delante de todos.

—Yo no tengo por qué negar nada —dijo el Chapo, y le soltó un fregadazo. Pues como si el fregadazo le hubiera dado cuerda: el viejo empezó a decir que ése que veíamos todos, tan maestro y tan dizque gente seria, era un jijo de su tal por cual; se quería aprovechar de que estaba viejo y cojo de una pata para meterse con su mujer y luego poner cara de mustio, el muy ojete cagón. No tenía de ésos para hacer las cosas a la luz del día.

—Ya lo ve tan dado al trabajo —le gritaba al ingeniero Rosas—, pues no. Tan dizque reata con nosotros —le seguía gritando—, pues no. Tan compadecido conmigo que hasta tres chambas me consiguió —y el ingeniero Rosas haciéndose el disimulado—, pues era para robarme a mi vieja. A mí no me importa la vieja, ya se sabe que es una puta. Lo que no le aguanto es que me esconda la cara. Que se la lleve si quiere, se la regalo; pero que no sea mustio ni presuma de santo.

El Chapo agarró una botella y se la aventó. El viejo se hizo a un lado.

¡Por tantito!

Entre mentadas de madre al por mayor, salieron a relucir los trapitos del Chapo.

Un botellazo de regreso y entonces sí intervino el ingeniero Rosas: calmó los ánimos, los aplacó. De todos modos don Jesús se salió con la suya en lo de poner mal al Chapo Álvarez. Dicen que después el Chapo gritó que lo iba a matar. Dicen, yo no lo oí; ni creo que sea cierto porque ya ve usted todo el tiempo que pasó sin que se volviera a hablar del asunto: como dos meses y pico, ¿no? ¿O más? Fue cosa del alcohol y del momento. En días como el de la Santa Cruz siempre hay relajos así. Luego todo se olvida.

El Chapo y don Jesús siguieron como antes. Se saludaban. Se quedaban platicando un rato al terminar de almorzar. Hasta se reían juntos por alguna babosada. Ni quién se acordara ya del día de la Santa Cruz. Todos estábamos tan pedos que la verdad es muy difícil contar cómo estuvo realmente el pleito. A lo mejor ni pleito hubo, ¡vaya usted a saber! Aunque sí, sí lo hubo porque cuando otro día, de pasada, se lo recordé al Chapo, se puso pero si bien enchilado y escupió verde con una fuerza como si el muy maldito quisiera agujerar de un gargajo la tierra que pisaba don Jesús. Esa vez me puse a pensar lo mucho que nos parecemos todos en lo de guardar adentro los rencores; en lo de traerlos mascando y remascando como los chicles, que no se comen, pero que tampoco se escupen: sólo cuando ya de plano no se aguantan y ahí van. Igual que los resentimientos.

Por eso pudo pasar que el lunes en la mañana, sin que

nadie lo oyera, cuando todos estábamos entretenidos con el trabajo, don Jesús se acercó a reclamarle al Chapo algo sobre lo mismo. Se encabronó el Chapo, pero se aguantó el coraje. Se esperó a la noche. Fue a la obra. Entró en la bodega. No encontró a don Jesús en la bodega. Oyó ruido arriba, subió. El viejo estaba cagando.

—Vamos a últimar de una vez por todas nuestro asunto —le dijo el Chapo.

El viejo se levantó del excusado y se fajó los pantalones.

—No creas que te voy a seguir aguantando.

El viejo le jaló a la manija, sin abrir la boca todavía.

—Ya estuvo suave.

Entonces sí, el viejo empezó a hablar. Y ya usted sabe cómo era cuando se soltaba. De enfurecer a cualquiera, más todavía al Chapo que es de muy pocas pulgas y que sin saber cómo, al calor de la discusión y de los gritos, agarró el fierro, le gritó que se callara; el viejo no se calló sino al revés, siguió echándole madres. Y ahí fue dónde.

Pudo ser, por qué no. Porque si a ésas vamos, mi amigo el Chapo —yo no soy encubridor— tenía motivos para escabecharse al viejo. ¿Y yo qué motivos tenía? O qué, a poco nada más porque no fui a trabajar el martes, ya por eso a fuerzas tengo que ser yo el asesino.

Ya le conté que el lunes agarré un pedo horrible en La Revoltosa. Ahí está el Patotas que bebió conmigo. Pregúntele. Él no se emborrachó, nomás yo, y fue sin querer: se me fue yendo la mano y ya cuando quise pararle estaba que no podía ni detener la cabeza. Patotas me dejó beber. Me vio deveras tan jodido, que dijo: que beba para que olvide. Luego me sacó arrastrando, y aunque muy buena gente se ofreció a acompañarme hasta mi casa, yo no quise. Se me iba pasando poco a poco, me sentía bien. Además el Patotas tenía prisa: estaba con el pendiente de su vieja que de un momento a otro iba a parir.

Me fui caminando, pero me agarró el cansancio y ya le digo: me quedé a dormir afuera del Venustiano Carranza. Despertó bien tarde con mucho dolor de cuerpo y de cabeza; de eso que me dieron ganas de no ir a trabajar sino de ir a echar una nadada al Olímpico. Pero me arrepentí, y aunque usted crea que no es cierto, agarré un camión para Puebla nada más por el gusto de viajar, pensando que en el camino se me iban a quitar los malestares, con la idea de bajarme en cualquier lado, no de irme hasta Puebla. Tenía ganas de estar lejos, solo, ¿qué no se puede?; de sentir aire, de ver árboles, de acordarme de mis otros tiempos.

Y por eso me bajé por ahi, no por otra cosa. De ser yo el asesino, no regreso nunca. Y ya ve usted: regresé.

Claro, luego el Patotas me espantó; me contó lo que andaban diciendo:

—Es mejor que te escondas —me dijo.

—Pero si yo no fui —le dije.

—No le hace —me dijo—. Tú no sabes cómo son esos cuates.

Total, me escamé. Pensé en esconderme, en pelarme ahora sí que para Puebla. Pero no lo hice. Tan no tenía ninguna carga en la conciencia que ya ve usted que en lugar de buscar un sitio seguro, me fui a casa de la Agustina, sabiendo que allí iban a llegar ustedes primerito que a cualquier otro lado. A todos los albañiles les hablé muchas veces de la Agustina. Todos sabían. El Chapo, Marcial, Humberto, todos. De seguro Marcial les iba a dar a ustedes las señas de la casa de Agustina y ustedes, que no son nada tontos, iban a ir derechito. Si ya los estaba esperando. Más todavía, para que vea: poquito antes de que llegaran los cuates esos, los otros dos, yo le dije a la Agustina:

—Mejor voy para allá. No vayan a creer que me ando escondiendo.

Palabra. Por la Virgen del Sagrario.

Lo malo fue que llegaron en ese momento. Con dilatarse cinco minutos, se hubieran ahorrado la molestia.

Y aquí estoy, pues. Y me da gusto que usted sea gente que sabe oír. Créame lo que le digo: yo no maté a don Jesús.

11

Entró Dávila.

—¿No juegas un dominó?

Munguía se aflojó el nudo de su corbata a rayas y miró a Dávila, pero no contestó.

—¿Vas a interrogar a la vieja? Ahí la tenemos... aunque no creo que te sirva de nada; ya la interrogó Suárez y no hubo modo de hacerla admitir que andaba metida con el maestro ese. Se la pasó chillando, diciendo que su viejo era un santo. ¿Quieres verla?

Munguía levantó los hombros. Bostezó tapándose la boca con el dorso de la mano.

—¿Qué día es hoy?

—Viernes, ¿por qué? —Dávila sacó la cajetilla y le ofreció un cigarro—. ¿La vas a interrogar?

Munguía tomó uno de los dos cigarros que sobresalían de la cajetilla. Después de bostezar nuevamente, se lo llevó a los labios.

—¿Qué le dijo a Suárez?

—No sé bien, pero si quieres ahorita lo llamo —le encendió el cigarro—. ¡Ah!, por cierto, esto sí te puede interesar: parece que ya antes hubo un tipo que quiso matar al viejo. Le pegó una cuchillada, pero creo que no le hizo gran cosa.

—¿Quién fue?

—Suárez es el que sabe... ¿quieres que le pregunte y luego averigüe qué hay de eso? A lo mejor nada más son habladas de la vieja.

—Háblale a Suárez, pues.

—Cómo no... Otra cosa: ¿que si ya no se te ofrece nada del laboratorio?

Munguía negó, y después de dar dos chupadas arrojó el cigarro contra el piso.

—Háblale también a Valverde.

Entró Valverde.

—¿Qué dice mi Sherlock Holmes?

—¡Te advertí que no quería nada de violencias! Se los dije muy claro a ti y a Pérez Gómez.

—De qué estás hablando.

—Lo sabes muy bien.

—Aaaah. —Valverde tronó los labios—. No le hicimos nada a ese buey...; pero tampoco nos vamos a quedar cruzados de brazos. Él tuvo la culpa por meterse donde no lo llamaban. Si se queda quieto, yo no le toco un pelo. Pero debías de haberlo visto; todavía que lo tratamos como a una señorita, se para y me mienta la madre. De cuándo a acá... Y sólo le di un trancazo, Pérez Gómez es testigo. Y no para hacerlo confesar como tú crees: para que supiera con quién estaba hablando. Un trancazo aquí, suavecito.

—En el cuello.

—No hombre, quién dice.

—Yo vi los moretones.

—¿Cuáles moretones?

—Y se los advertí cien veces.

—Pero de qué estás hablando, Munguía. Si en todo este tiempo no hemos hecho nada más que jugar dominó. De dónde sacas ese cuento.

—Te digo que yo vi los moretones en la espalda y el trancazo en el cuello.

—¡Estás soñando! Qué ganábamos con hacerlo hablar si tú ibas a hacer después lo que se te diera la gana.

—¿Crees que me chupo el dedo, Valverde?

—Pues entonces piensa lo que quieras. Eso me pasa por hacerte caso. Mejor me hubiera movido para que me dieran el caso a mí.

—Muévete, todavía es tiempo.

—¡Chinga tu madre!

Entró Suárez.

—Está loca esa vieja.

—¿Quién fue el de la cuchillada?

—No me acuerdo, pero ahí lo tengo apuntado.

—¿Fue un tal Tiburcio López?

—¿Tiburcio...? Creo que... Sí sí, Tiburcio López. Ese mero. ¿Cómo lo sabes? ¿Ya hablaste con la vieja?

—No.

—Ése es. Dijo que él y el difunto se peleaban a cada rato... Si quieres lo busco, no será muy difícil dar con él.

—Ya está muerto.

—Quién, ¿Tiburcio López?

—Desde hace tres años. Se le cayó encima su jacal.

—La vieja no me dijo, ¿cómo lo sabes?

Munguía sonrió. Se puso de pie y palmeó el hombro de Suárez.

—Sé otras cosas.

—Ya lo estoy viendo —Suárez se rascó el bigote y miró fijamente a Munguía—. ¿A poco ya resolviste el caso?

—En cierta forma, sí.

—¿Ya confesó?

Munguía se volvió de espaldas. Suárez preguntó nuevamente:

—¿Ya confesó?

—Está muy claro: usted tenía muchas razones para querer rehuir el encuentro con el albañil que podía rondar la obra esa noche. Usted quería todo o nada para usted porque piensa que los robos entre varios siempre fracasan; nadie garantiza el silencio de un cómplice dado a la borrachera, de un cómplice al que con la mayor facilidad se le va la lengua por querer presumirles de muy listo a sus compañeros también borrachos y boquiflojos como la mayor parte de los albañiles que usted conoce y sabe capaces de hacer correr el rumor de que su amigo y usted le robaron al velador tres mil pesos a repartir, desde ese momento, entre tres o cuatro o cinco, a razón de mil, setecientos cincuenta o seiscientos, según el número de enterados, siempre en peligro de proliferarse a medida que el rumor se difunde y llega hasta los oídos de otros albañiles dispuestos a sacar provecho de ese rumor, altaneros en el momento de exigirle a usted una cuando menos pequeña participación si no quiere que se sepa. Pero usted no iba por dinero. Con mayor razón, entonces, usted empezó a temblar al llegar a la esquina y ser asaltado por el temor de un encuentro con el albañil que pasa casualmente, con el albañil que sí va dispuesto a robar, o con el albañil degenerado que va a ver al velador ya sabemos para qué. Cambió de idea. Dio la vuelta a la manzana. Atravesó el terreno de atrás y llegó hasta la barda. Para saltarla necesitaba una cuerda, un cajón o una escalera. Usted llevaba un cajón. No. Usted llevaba una cuerda. No. Usted llevaba una escalera. ¿Cree que me engaña? Todo lo tenía planeado. No fue que cambió de parecer al llegar a la esquina y ser asaltado por el temor de encontrarse con el albañil que pasa casualmente, con el albañil que sí va dispuesto a robar, o con el albañil degenerado que va a ver al velador ya sabemos para qué. Ese temor, ese miedo, ese pánico, lo sintió en la tarde, al premeditar el crimen y concluir tras de una serie de conjeturas que cualquier encuentro casual a las doce y media de la noche sería su perdición. Ya no sólo el encuentro con algún albañil conocido, casual, ratero o degenerado; cualquier transeúnte, probable futuro testigo, podía fastidiar su plan, ¿no es verdad? El hombre que se detiene a encender un cigarro, y mientras saca los cerillos, coge uno, lo raspa contra la caja, se lo acerca, lo ve a usted entrar en la obra. ¡Pero si ese hombre no se imagina nada! Ese hombre apaga el cerillo, lo arroja y sigue su camino pensando en lo suyo. Ni aunque usted lo alcance, lo detenga y le diga: voy a matar a un hombre, el desconocido se inmuta. Mátelo —le contesta—, a mí qué me importa. No. Usted no pensó en el hombre del cigarro, pensó en la pareja de novios que a las doce y media de la noche siguen manoseándose en el prado central de la avenida Cuauhtémoc. Los novios pueden verlo entrar porque continuamente, entre abrazo y abrazo, giran la cabeza para vigilar si los miran o no, y ellos son los que lo miran a usted, aunque tampoco piensan nada en especial porque para los novios usted es un hombre entrando en una obra y nada más; y a pesar de que continúan en el mismo lugar, en la misma posición mientras usted le parte la cabeza al velador, están tan en lo suyo que no tienen oídos para escuchar los gritos del viejo, o los escuchan y piensan: es el radio de allá enfrente, es la señora llamándote, déjala, es un tipo al que están matando, qué nos importa; tú acércate más, eso, más, ay, uh, oh oh oh. No. Usted no pensó en la pareja de novios. Usted pensó en el policía de la esquina y se acordó de que más vale prevenir que lamentar. Entraría por el terreno de atrás. Necesitaba una cuerda, un cajón o una escalera. En la tarde, antes de salir junto con los demás albañiles, cogió el cajón y lo arrojó por encima de la barda hacia el terreno de atrás, cogió la cuerda y la arrojó por encima de la barda hacia el terreno de atrás. La escalera no. El terreno de atrás no está completamente bardeado. Cualquiera puede entrar por Romero de Terreros. De las cinco de la tarde a las doce y media de la noche cualquier pepenador se puede llevar tranquilamente la escalera. Al pepenador no le interesa el cajón. La cuerda ni siquiera la ve. Si por la de malas se robaban el cajón, si por la de malas se robaban la escalera, entonces usted entraría en la obra por Cuauhtémoc cuidándose solamente de no ser visto por el policía. Y por allí entró, ¿o cree que me engaña? Ni siquiera pensó en tomar precauciones porque en realidad no tenía pensado cometer el crimen. Estaba borracho. Al acabarse la quinta cerveza dijo: yo voy y mato al viejo, cómo de que no. Usted es un criminal inexperto. Usted no es un criminal. Usted no quería matar al viejo. Usted iba a contar los bultos de cemento, los tabiques, la varilla, el mosaico; ni siquiera pensaba en el velador. Fue su risa, acuérdese: ingenierito estúpido, ingenierito estúpido, ingenierito estúpido; la risa de todos los albañiles riéndose con la risa del velador; y la de sus compañeros y la de su padre que aunque no se lo decía, pensaba: mi hijo es un bueno para nada pero tengo que hacerle sentir confianza en sí mismo diciéndole que por él compré este terreno, cuando en realidad lo compró para poder acostarse con la viuda que se lo vendió al precio que él esperaba, y su madre de usted lo sabía, y usted lo sabía, y usted también iba a los burdeles, pero por lo menos usted no tendrá nunca el cinismo de decirle a un hijo suyo que lo único que deveras vale en la vida del hombre es la fidelidad. Nunca le pondrá una mano en la cabeza: tú eres lo único que tengo, todo lo hago por ti, ninguno de tus compañeros tiene una oportunidad como la tuya, aprovéchala, gánate la confianza de los albañiles, es natural que tengas problemas y qué bueno porque no se te olvide que sin esos problemas, resueltos, nunca llegarás a ser ingeniero-hombre de negocios en toda la extensión de la palabra; ya sabes que la obra es tuya, vuelve cuando quieras, vuelve ahora mismo. Y usted volvió porque al mismo tiempo que quería demostrarle a su padre que no era un bueno para nada, quería demostrarles al maestro Álvarez, a Jacinto, al velador y al mismo Isidro escondido allá atrás, risa y risa, que no se dejaría mangonear por una recua de analfabetos sin más conocimientos que los de saber poner un tabique encima de otro. Con qué derecho el más miserable de los trabajadores se reía de usted. Ratero desgraciado, ¿dónde está la cartera? No pensó en matarlo. No quiso hacerlo. ¿Qué fue? Fueron las copas. Fueron las razones por las que usted se emborrachaba pensando en su pueblo y en ese hijo al que el velador pervertía en sus meras narices; escondido esa noche, muerto de miedo mientras lo veía a usted asesinar a tubazos al viejo indefenso. Mentira: no para vengar un recuerdo sagrado, sino para robarle tres mil malditos mugrosos pesos. Pensando en los tres mil pesos usted planeó el crimen. Arrojó el cajón por encima de la barda hacia el terreno de atrás. Esperó a que dieran las doce y media de la noche. Saltó la barda. Cruzó la obra. Llegó a la bodega. Entró en la bodega: no estaba el velador. Salió. Oyó ruido arriba. Subió. El velador estaba cagando en el excusado del baño del segundo piso del edificio de departamentos de la avenida Cuauhtémoc. Cogió al velador del cuello y lo sacudió y le gritó: ¡Dónde tienes la lana! Por tres mil pesos que usted necesitaba para qué. Para tantas cosas: para un parto, para ropa, para comida, para el alquiler, para las deudas, pero fundamentalmente para vengarse de la injusticia con que lo trataban ya no sólo los ingenieros de ésta y de otras obras anteriores, sino su mismo compadre que a pesar de ser compadre suyo no desperdiciaba ocasión para hacerle sentir la diferencia que había entre un simple albañil media cuchara y un primer oficial del maestro de obras, próximamente maestro de obras también, mientras que usted seguiría igual, de arrimado, acompañándolo a beber, riéndole sus chistes, sacándolo de la cantina cuando se caía de borracho y no hablaba más que de su pueblo. Usted le ayudó a construir su casa. Se robaban el material para construir su casa. ¿Y por qué no la casa de usted? Usted no era nadie, no sabía escribir, firmaba con una cruz, pero las huellas de sus pies son inconfundibles. Las huellas de los pies pueden proporcionar preciosos indicios. Si se trata de un pie desnudo cuyo dibujo papilar no es muy legible, pueden anotarse sus caracteres generales, dimensiones y particularidades, sabiendo que existe una relación invariable entre la longitud del pie y la estatura de cada individuo. La huella del pie desnudo, cuando el hombre permanece parado, es más ancha que cuando se halla en marcha La evaluación de las dimensiones del pie es más o menos exacta según la naturaleza del suelo sobre el cual se ha encontrado la huella: si se trata de una delgada capa de tierra o de arena mojada o de yeso húmedo, la huella será más exacta, por ejemplo, que cuando se trate de arena seca o yeso duro en donde la huella aparecerá imprecisa y casi inutilizable. Cuando un hombre está herido, o embriagado, o enfermo, puede dejar un rastro de pasos imprecisos, vacilantes. Sus huellas pueden aparecer de tanto en tanto algo más señaladas, demostrando que se ha parado para tomar aliento. Durante la marcha la huella del talón y las de las extremidades digitales son más profundas que las del resto del pie; en la carrera aumenta la longitud del paso y la punta se imprime más profundamente hasta el punto de ser a veces la única visible. Al examinar unas huellas de pasos conviene trazar la línea de marcha así como el ángulo de marcha. La primera pasa entre los pies y se prolonga en todo el trazado de las huellas. El segundo es el que se forma prolongando la línea de la huella de cada pie hasta que se corte con la línea de marcha. Este ángulo puede confrontarse haciendo andar al sospechoso y comparando su línea de marcha y sus huellas digitales con las encontradas en el terreno de atrás, que van desde la calle Romero de Terreros hasta la barda. Allí se detienen. Siguen después, imprecisas, vacilantes, por la arena humeda de la obra. Se pierden al llegar a los firmes de los departamentos posteriores y vuelven a aparecer, aisladas, junto con muchas otras huellas, alrededor de la bodega; pero se reconocen nuevamente en la escalera, en el pasillo, en el yeso de la estancia del departamento 201, en el baño. Parece mentira, pero allí están, respetadas por todas las otras huellas que se marcaron después, como labradas en el yeso húmedo, como intencionalmente impresas. Allí están, y aunque no estuvieran, bastaría con las que dejó en el terreno vecino para reconstruir el camino seguido por usted a las doce y media de la noche del lunes en que el velador fue muerto a tubazos por un hombre de uno setenta y ocho de estatura, de pelo negro, cabellos de ochenta y nueve micras de diámetro provistos de un bulbo acanalado que hace pensar que no se cayeron por sí solos dado que su desarrollo total no puede considerarse terminado; se trata, pues, de cabellos arrancados por la víctima durante el forcejeo previo al crimen; cabellos de usted mojados por la sangre del velador de diferente grupo que la de usted. Si un inculpado presenta sobre sus vestidos manchas del grupo II y este individuo pertenece al grupo II no puede afirmarse, lógicamente. que las manchas no procedan de su propio cuerpo; pero si el sospechoso pertenece al grupo III resultará evidente que las manchas de sangre proceden de persona distinta. Un hombre amanece muerto; su sangre pertenece al grupo IV; sobre una prenda del inculpado se aprecian manchas del grupo IV precisamente; la conclusión lógica será que existen muchas probabilidades de que el propietario de esa prenda encontrada en casa de Pachita sea el autor del crimen, y que todo lo que nos contaste de la hemorragia nasal sea una soberana y rotunda mentira. ¿O es que no sabías que la policía tiene muchos modos de averiguar si estás diciendo la verdad? ¿Sabes que tenemos laboratorios y que gracias al microscopio, en una primera etapa del examen histológico, pueden encontrarse células epiteliales, células de las fosas nasales o de las vías respiratorias, células epidérmicas en la sangre de tu pañuelo que a pesar de ser del mismo grupo que la sangre del velador no proceden de las narices sino de la cabeza y por lo tanto tú no sangraste de la nariz como quieres hacerme creer? Eres más listo de lo que aparentas, pero conmigo de nada te sirve poner esa cara; es en balde que me digas que crees en las leyendas de aparecidos que te contó el velador. Sabías muy bien que eran mentiras, pero te hacías el tonto para que continuara hablando, entreteniéndote, diciéndote cómo hacerle para que te conquistaras a tu novia. Tú eras incapaz de acercarte a ella. El velador necesitó explicarte cómo son las mujeres; necesitó enseñarte las caricias que debías hacerles para ponerlas aguadas antes de ya; en forma parecida a como él hizo contigo. Pobre de ti. Tardaste mucho en darte cuenta, pero te diste cuenta al fin y mataste al velador para demostrarles a los albañiles y sobre todo a ti mismo que no eras un maricón; eras ya un hombre hecho y derecho, capaz de distinguir lo bueno de lo malo, de reaccionar con ira cuando era así como debías reaccionar porque el viejo no solamente abusó de ti, sino que te tendió una trampa para conseguir abusar de tu novia. Fue necesario que sucediera esa desgracia para que tú te dieras cuenta de hasta dónde llegaba le degeneración del viejo. Pero no debiste matarlo. Debiste avisarle al ingeniero o al policía del rumbo para que se lo llevaran nuevamente al manicomio. Ya sé: ni siquiera lo pensaste porque nunca te pasó por la cabeza la idea de que el velador te traicionara así como te traicionó. Incluso todavía el domingo en la noche, cuando al regresar de hacerte el tonto ya no encontraste a tu novia en la bodega, seguiste, por encima de todas tus sospechas, confiando en él. Pero no la viste el lunes al mediodía y fuiste en la tarde a Mixcoac. Necesitabas hablar con ella. Volvías a tener dudas. Adivinabas la verdad pero te resistías a la verdad porque el velador no podía ser tan malvado. Sin embargo: eras ya un hombre, y un hombre no es un niño ni piensa como niño ni se traga todo como te lo tragaste tú durante los primeros meses de peón. Para querer a tu novia necesitabas ser hombre. Ya no era un juego. Tú eras un hombre y tu novia era una mujer. Y tú llevaste a tu novia con el velador. La pusiste en manos de un degenerado. La dejaste sola con el velador, con un degenerado, no con tu padre, con un degenerado que te quiso convertir en maricón igual que él, para oír a todos los albañiles burlarse de ti, como se burlaron de él durante toda una vida inútil de viajar de un lado para otro sin en contrar trabajo fijo porque estaba marcado con la señal que llevan todos los maricones en la voz, en los ademanes, en el modo de andar, como un cencerro colgado al cuello que avisa a las gentes de los pueblos y las ciudades para que tengan tiempo de huir. Tú te acercaste al velador porque necesitabas de una persona que te quisiera. A tu madre le estorbabas: te mandaba a casa de tu madrina y tú en vez de ir a casa de tu madrina ibas a ver al velador. Sentías como si la bodega y todo el edificio fueran tu verdadera, tú única casa. Dejabas al viejo meterte mano porque nada tenía de malo: era una forma de acariciarte como nadie te acarició nunca. Ahora ya sabes que es una porquería y que tú fuiste un puerco: le llevaste a tu novia a pesar de que tu novia era todo para ti; y el velador, no tú, el velador antes, primero que tú, le bajó los calzones; el velador te engañó. Con qué cara le dirías después a tu novia: perdóname. Ella te quería y tú la llevaste con el velador. Con qué cara. Perdiste definitivamente a tu novia y la querías tanto, a tu novia, tanto, tanto, tanto. Quisiste huir. El velador, entonces, se levantó, te amenazó con un pedazo de alambre, te picó el ombligo, te quiso agarrar de los brazos. Sentiste su aliento. Sin saber cómo ni con qué fuerza, descargaste el primer golpe, el segundo, el tercero, el cuarto... hasta que el velador dejó de gritar. Fue usted el que gritó al ver su sangre y salió a la calle sin cuidarse de recoger el fierro. No había pensado matarlo, pero lo mató porque así son las cosas. Quién le mandó gritar. Usted sólo iba a reclamarle, a dejar ultimado el asunto y él fue el que comenzó a picarlo hasta que usted ya no pudo y ni modo, así fue. De todos modos, se lo merecía. Era mejor. Hasta se sintió contento. Eso les pasa a los que se burlan de usted. El velador ya no podrá volver a ponerlo en ridículo delante de su gente, ni a dejar lugar a que cualquier albañil se permita la más mínima burla, porque desde el momento en que un albañil se permite la más mínima burla, por insignificante que sea, es señal de que el maestro de obras perdió su autoridad y está expuesto a ver su fama pisoteada o a que el día menos pensado los albañiles se organicen y lo denuncien al ingeniero, acusándolo a usted de haberlos contratado por ocho pesos diarios a uno y quince pesos diarios a otro, mientras usted, en sus listas de raya apunta el doble para aquél y el doble para éste. Eso no lo pensó antes, lo pensó después al tratarle de buscar el lado bueno al crimen. ¿Y los tres mil pesos? Pues vengan los tres mil pesos, dijo usted; será mejor, creerán que fue otro y fue usted. Pobre viejo. Pero él tuvo la culpa por calentarle la sangre. Es tan sencillo, ¿ve usted? En crímenes de esta índole reacciones así, que parecen fuera de lógica, se encuentran muy a menudo y se descubren gracias a la experiencia más que a la lógica. Porque el razonamiento típico en materia de investigación criminal no es un razonamiento deductivo, sino un razonamiento por analogía. El razonamiento por analogía implica para el investigador el conocimiento de otros puntos de comparación. Estos puntos se los proporcionará el estudio de causas célebres, la intervención en investigaciones anteriores, su conocimiento personal de otros sucesos. La formación del criminalista supone lo que Conan Doyle llamaba una amplia erudición en materia sensacionalista. En el curso de la investigación, por ello, el criminalista deberá desconfiar de la evidencia que a veces es muy engañosa; debe desconfiarse de la lógica corriente: el malhechor, actuando en el estado precipitado que supone todo acto criminal, se preocupa poco de la lógica y realiza, a lo mejor, actos absurdos. Pero ha de tenerse en cuenta que el valor de las pruebas no es jamás ni matemático ni absoluto. Siempre se encontrará en ellas un porcentaje de error. La certidumbre, dice el doctor Locard, se halla en función del rigor técnico que se emplee, de la abundancia de los elementos que se utilicen y de la concordancia de las pruebas que se recojan. Se llega a la conclusión negativa con más rapidez y seguridad que a la positiva. El indicio no prueba necesariamente la culpabilidad, dice León Lerich. Aunque se descubra la huella dactilar de una persona en el lugar donde se cometió el crimen, no podrá asegurarse, por ese solo elemento, que dicha persona es autora del hecho delictivo: lo único que podrá afirmarse es que se encontró allí en determinado momento. Ahora bien, ¿cuál fue ese momento? He aquí una pregunta que el investigador deberá contestar interpretando todos los indicios, ¿entiende usted? Indicios de orden puramente técnico e indicios de orden psicológico. ¿Qué me dice de eso? Está demostrado que usted aborrecía al velador, no precisamente por lo que el velador le hizo a su hermana sino porque en sus burlas como que se recapitulaban las burlas de los albañiles y, anteriormente, las burlas de los curas del seminario: el cura que no entendió su vocación, el cura que no se puso de su parte, los seminaristas sanos, inteligentes, hijos de familias ricas a quienes no costaba esfuerzo aprender el latín porque se educaron en buenas escuelas e ingresaron al seminario después de estudiar completa su secundaria; incluso los más jóvenes, los que no pasaron de la primaria, entendían, asimilaban rápidamente y jugaban al basquetboi mejor que usted; no presumían de ser grandes jugadores, pero en el momento de formar los equipos lo escogían a usted al último, como haciéndole un favor. No le decían: cuatro-ojos, pero pensaban: cuatro-ojos. En el seminario y fuera del seminario; en la calle, en la vecindad, en la obra: cura cuatro-ojos. No sirvió para cura ni sirvió para plomero; allá va, mírenlo, el cura cuatro-ojos, y allá iba usted aceptando todo en silencio por amor a Dios, pero sintiendo que su Dios lo había dejado solo. Usted estaba solo. Usted tenía miedo. Usted tuvo miedo en Hortensia setenta y cinco, una noche, al encontrarse de pronto con el velador. Creyó que era el diablo apareciéndose. Gritó: es el diablo, es el diablo, y tronaron detrás de usted las risas del velador y los albañiles. ¿Por qué no lo confiesa? ¿Sigue creyendo que se le apareció el diablo, o qué? ¿Tiene miedo de que yo también me ría? Dígalo. Era Satanás. Satanás ocupó el cuerpo del velador del mismo modo a como en tiempos de Cristo legiones de demonios ocupaban los cuerpos de infelices mortales que andaban entre las gentes y acudían a Cristo para suplicarle clemencia, después de que Cristo calmó la furia del viento y de las aguas y llegado a la otra orilla, a la región de los gerasenos, le vinieron al encuentro, saliendo de los sepulcros, dos endemoniados tan furiosos que nadie podía pasar por aquel camino. Y le gritaron diciendo: ¿Qué hay entre tú y nosotros, Hijo de Dios? ¿Has venido a destiempo para atormentarnos? Había lejos de allí una numerosa piara de puercos paciendo y los demonios le rogaban diciendo: si has de echarnos, échanos a la piara de puercos. Les dijo: Id. Ellos salieron y se fueron a los puercos, y toda la piara se lanzó por un precipicio al mar, muriendo en las aguas. Los porqueros huyeron, y yendo a la ciudad contaron lo que había pasado a los endemoniados. Toda la ciudad salió al encuentro de Jesús y viéndole le rogaron que se retirase de sus términos. ¿Recuerda usted? ¿Qué es lo que usted pensaba del velador al acordarse de que Jesús, llamando a sus doce discípulos, les dio poder sobre los espíritus impuros para arrojarlos y para curar toda enfermedad y toda dolencia? Usted entró al seminario porque quería ser uno de aquellos discípulos y arrojar al demonio del cuerpo del peón. Traédmelo acá. E invocó al demonio, que salió, quedando curado el niño desde aquella hora. Entonces se acercaron los discípulos de Jesús y aparte le preguntaron: ¿Cómo es que nosotros no hemos podido arrojarle? Díjoles: por vuestra poca fe; porque en verdad os digo que si tuvierais fe como un grano de mostaza diríais a este monte: Vete de aquí allá, y se iría, y nada os sería imposible. Esta especie no puede ser lanzada sino por la oración y el ayuno. Bastaba, pues, con su fe, su oración y sus ayunos para sacar a los demonios del cuerpo y del alma del velador. Fue en Hortensia setenta y cinco, ¿se acuerda? El velador dormía la siesta. Usted entró en la bodega por un martillo y lo encontró tendido en el suelo; un hilo de baba le escurría por la barba. Roncaba. Cuando usted se acercó de puntas, sigilosamente, el viejo movió una mano como para espantarse una mosca, pero sin abrir los ojos. Usted se detuvo, lo miró largo rato para cerciorarse de que dormía. Rezó: Ayúdame, Dios mío. Permite que lo haga; no por mí sino por ti, Señor, por tu gloria; para que este pobre hombre deje de ofenderte y de obligar a los demás a que te ofendan. Yo soy indigno. Tú no me permitiste realizar mi vocación; permíteme esto cuando menos. Después olvídame. Haz de mí lo que quieras. Te ofrezco mi vida, mis sufrimientos, mis enfermedades, a cambio del perdón de sus pecados y la salvación eterna de su alma. En el nombre del Padre, del Hijo y del Espíritu Santo, sal del cuerpo de este hombre, Satanás. El viejo no se movió, pero usted oyó detrás de la puerta la risotada del albañil. Fue en Hortensia setenta y cinco, ¿se acuerda? Usted se echó a correr y oyó cuando entre risas el albañil despertaba al velador diciéndole: ¿no oíste?, ya te echaron fuera los demonios, ja ja ja ja; ya estás limpiecito, ja ja ja ja. Y efectivamente, el velador estaba limpio, libre. Usted y todos los albañiles que trabajaban en Hortensia setenta y cinco notaron el cambio súbito operado en el velador. En aquel tiempo el velador caminaba con la cabeza gacha, pensativo, y cuando alguien le daba un empujón para hacerlo reaccionar, el viejo levantaba apenas la cabeza, sonreía dulcemente, y volvía a bajar la cabeza y a sumirse en santas reflexiones que algún día lo llevarían a Dios. Y para apurar el encuentro entre el velador y Dios, usted fue a hablar con él. Sorpresiva, inesperadamente, el velador comenzó a confesar sus culpas confundiéndolo a usted con un cura. Usted no tuvo tiempo de explicarle que no podía, que necesitaba ir a una iglesia; el viejo se soltó acusándose de pecados contra todos los mandamientos de la ley de Dios. Usted decidió quedarse, estaba muy claro: Dios le permitía, de manera excepcional, asistir al regreso del hijo pródigo, al encuentro feliz de la oveja perdida hallada por usted que con la cabeza baja, las manos en la cara, escuchaba atentamente, imaginándose estar vestido con la larga sotana negra, en el rincón oscuro de la parroquia de la Candelaria y no allí, en Hortensia setenta y cinco a las seis de la tarde, oyendo el ruido de la lluvia confundirse con las palabras del velador. El cielo se abría para el viejo y era la lluvia una señal de que Dios le daba facultades a usted para perdonar los pecados, igual que haciendo una excepción a las leyes de la naturaleza permitía en pleno abril un aguacero como el que estaba cayendo. ¡Cómo era posible que pudieran caber tantos pecados en el alma de un hombre! Nunca imaginó usted tanta maldad ni tanta dicha: ser instrumento del gran milagro. El agua de lluvia se encharcó afuera de la bodega y formó pequeños ríos que usted vio correr en dirección a la calle cuando el aguacero cesó simultáneamente a la confesión del velador. Un hermoso arco iris se dibujó en el cielo despejado. Ego te absolvo a pecatis tuis. Milagro, milagro. Pero aconteció que al ponerse de pie, al dar en la espalda del viejo las mismas palmadas que daría usted en la espalda de cualquier otro penitente, de los muchos otros penitentes que llegarían a confesarse con usted cuando su fama de santo traspusiera las fronteras de su parroquia, de su ciudad y de su país y se difundiera por el mundo la noticia de que un santo varón llegó a la tierra para convertir a los gentiles, para restaurar el cristianismo, para salvar a una sociedad que adoraba falsos ídolos por la feliz culpa de un clero corrompido que a semejanza de los fariseos de la época de Cristo olvidó el verdadero sentido de la ley e hizo necesaria la aparición de un santo varón; el más humilde y por ello el más grande de los santos estaba aquí, podían venir a verlo todos porque para todos tenía tiempo y a todos quería ayudar. Pero aconteció que al ponerse usted de pie y palmear la espalda del velador, la risotada del albañil seguida de la risotada del velador cimbraron la bodega. Con blasfemias y palabrotas el viejo se burló de usted, porque ocurre que cuando el espíritu inmundo ha salido de algún hombre anda por lugares áridos buscando dónde hacer asiento, sin que lo consiga. Entonces dice: Tornaréme a mi casa de donde he salido. Y volviendo a ella la encuentra desocupada, bien barrida y alhajada. Con eso va y toma consigo otros siete espíritus peores que él, y entrando habitan allí, con lo que viene a ser el postrer estado de aquel hombre más lastimoso que el primero. Así ha de acontecer a esta raza de hombres perversos. ¡Serpientes, raza de víboras! ¿cómo será posible que evitéis el ser condenados al fuego del infierno? ¿Es por eso por lo que usted no quiere reconocer que trabajó en Hortensia setenta y cinco? ¿Es por eso por lo que no quiere reconocer que odiaba al velador desde aquel día, como odiaba a los curas del seminario, como odiaba a sus hermanas, a su cuñado, a sus compañeros de trabajo que le volvían la cara y a quienes sin embargo debía perdonar y querer más que quererse a usted mismo si es que verdaderamente deseaba no pecar? Pero usted no los perdonó ni los amó. Cerró su corazón consintiendo su pecado, pecando por envidia, por ira, por soberbia. ¿Fue eso lo que lo llevó a cometer el crimen? ¿O es que el crimen ya estaba cometido desde cuando acusó al velador para que lo corrieran de Hortensia y cuando lo acusó para que lo corrieran de Cuauhtémoc, y cuando deseó verlo muerto, condenado en el infierno por toda la eternidad? No quiso matarlo, pero el demonio le empujó la mano porque usted ya no era de Dios sino del demonio, y el demonio estaba en usted, y usted era el demonio, y el demonio renegó de Dios y bajó a este basurero de mundo a matar a don Jesús.

La puerta se abrió. Los pasos de Munguía resonaron por el largo corredor.

—Necesito más tiempo.

—Si es incapaz, dígalo.

—Sólo un día más.

—Tiene que ser hoy.

—Un día más.

—Es inútil, Munguía.

Munguía giró nuevamente hacia la barra y con los dedos hizo una señal al cantinero:

—Otro... ¿Tú no quieres?

Pérez Gómez asintió con la cabeza, apuró de un sorbo los restos de su copa y la azotó dos veces contra la barra:

—Para que sea el quinto. —Luego, dirigiéndose a Munguía:— Definitivamente la quieres coger hoy, ¿verdad?

Munguía sonrió. Permanecieron en silencio mirando al cantinero separar violentamente el corcho de la botella y llenar nuevamente las copas. Tras de beber un sorbo, Pérez Gómez señaló una de las mesas libres.

—Si esto va para largo es mejor que nos sentemos.

—Puedes irte si quieres, yo no te obligo.

—Nadie está diciendo eso. Sólo te digo que nos sentemos.

Sujetándola con las palmas de las manos, Munguía hizo girar la copa antes de beber. El líquido se derramó en sus dedos.

—¿Nos sentamos o no? —preguntó Pérez Gómez.

—Ya te dije que yo no te obligo.

—Pero qué necio eres, hombre. Vamos a sentarnos, ándale... Yo pago las que vengan de aquí en adelante —Caminaron hacia la mesa—. ¿Qué no me conoces todavía, o qué?

—Tenías que estar a las diez, ¿qué no?

—Es igual —Desde su sitio, Pérez Gómez llamó la atención del cantinero:— ¡Aquí estamos, güero, no nos hemos ido! —Y dirigiéndose a Munguía:— Que se vaya a la chin gada; a mí también me tiene harto.

—A ti por qué.

—Por esto, ¿qué crees que no me afecta? Si no fuera deveras tu amigo me daría igual; pero no no me da igual porque además no es justo. Se lo decía a Valverde: son fregaderas.

—¡Valverde es un/

—¡Dale con Valverde! Cómo puedes pensar así, Munguía; al contrario, Valverde y todos nosotros estaremos contigo hasta al final.

—Estaba ardido, eso fue todo. Y hasta me lo advirtió.

—Te advirtió qué.

—Politiquerías.

—¿Lo piensas en serio?

—No lo pienso, lo sé. Pero algún día le pasará lo mismo.

—No es cierto, Munguía. Ahí sí no estoy de acuerdo contigo. No es que yo quiera defenderlo... Mira, vamos por partes: a ver, ¿te consta que te hizo política?

—Claro.

—¿Por qué?

—Olvídalo, ya no tiene caso.

Pérez Gómez sacudió las manos.

—No no... vamos despacio: ¿por qué te consta? Dime: ¿por qué dices que te consta?

Munguía se tronó los dedos. Sacó la cajetilla y después de tomar un cigarro lo hizo rodar sobre la mesa. Se lo llevó a los labios. Pérez Gómez se apresuró a acercarle la llama de un cerillo al que luego apagó agitándolo en el aire; lo arrojó al suelo.

Las dos copas estaban vacías. Munguía llamó al mesero y pidió una botella de Bacardí. Se la trajeron junto con dos vasos. Antes de dejarlos en el centro, el mesero frotó la mesa con un trapo húmedo. Se alejó llevándose las copas.

—Lo único que hizo Valverde fue decir en son de guasa que le estabas haciendo al tonto. Pero todos decíamos lo mismo, no nada más él. ¿No te dije yo que si querías que examinaran en el laboratorio la caca del velador? Igual Dávila, ahí tienes... Pero era de relajo. No por eso íbamos a hacerte política; al contrario.

Munguía resopló.

—Además, no nos hagamos tontos, a todos nos gusta

desentendernos y trabajar lo menos posible. ¿O no?

Munguía bebió de su vaso e inmediatamente lo volvió a llenar.

—Nos gusta la güeva. Que otro agarre el caso por su cuenta y uno se quede rascando la barriga, jugando dominó. Pero aparte de eso sí te digo una cosa: a mí me tenías apantallado. Y es que deveras, Munguía, ninguno de nosotros tiene la mitad de sesos que tú; somos una bola de pendejos: empezando conmigo. Estamos acostumbrados a lo de siempre. Ya no nos apura nada de nada: al primer cabrón le cargamos el muerto, y a otra cosa. Tú lo sabes —eructó—. Hay que reconocerlo... Aunque también hay una cosa: ¿se gana algo o no?

—Ya viste lo que se gana.

—Hablo en general. Después de tanto dale y dale, ¿qué pasa?

—Pregúntaselo a Valverde.

—¡Vuelta con Valverde! Cuándo vas a entender que Valverde es leal.

—A lo mejor.

—No, no, Munguía, ten la seguridad. Yo respondo por él.

Bebieron. Munguía miraba al fondo de su vaso mientras Pérez Gómez sacaba un cigarro y se lo encajaba en un hueco de su dentadura pero sin demostrar intenciones de encenderlo todavía. Lo hizo después de servir en los dos vasos y de beber del suyo hasta la mitad. Arrojó el humo por la boca y por las narices. Fijó la mirada en Munguía.

—¿Se gana algo, Munguía? Mira, te lo digo por esto, aquí muy en confianza: ¿te acuerdas del caso aquel: la vieja que acuchillaron por Tlanepantla?

—Mjmm.

—Bueno... ¿Te acuerdas en qué momentito lo resolví?

—Matando a golpes a un pobre diablo.

—A eso precisamente me refiero... No digo que no, se me fue la mano. Le di en la madre pero/

—Pero qué.

—No había otro modo. Por lo menos yo estaba seguro de que no había otro modo, ¿me entiendes? Y hasta me sentía orgulloso... —Pérez Gómez bebió. Se pasó la mano por la cabeza—. Me sentía orgulloso...

Por primera vez, Munguía miró atentamente a su compañero.

—No te vayas a reír. Nunca me gusta hablar de esto pero/ Te lo digo sólo a ti aquí muy en confianza. No se lo vayas a contar a los demás. ¿Sabes qué me pasa?... Ya era para que se me hubiera olvidado pero qué crees: hay noches en que el cabrón ese se me aparece en sueños; lo veo igual, parado ahi como cuando estaba en los separos. Con ninguno de los otros me pasa lo mismo, ¿por qué, Munguía?

Munguía levantó los hombros.

—Por eso ahora cada vez que hay uno que no quiere hablar, me acuerdo de aquel cabrón y me da no sé qué sonarle. Como si no estuviera bien —Dejó escapar una sonrisa por las narices—. Un día medio lo notó Valverde y me dijo que lo que me pasaba es que todavía no tengo callo en la mano... Puede que deveras no sirva para esto, o puede que sí, puede que lo que necesite es ser un poco como tú... Por eso te lo pregunto.

—¿Y qué quieres que te diga?

—Si sirvo o no.

—Tú lo sabrás.

—Es que no puede ser de otro modo, Munguía, no puede ser. Son como animales. Si no es a golpes hay que soltarles la lengua a preguntas y preguntas, como tú dices. Pero para eso se necesita cierto carácter y —se interrumpió. Levantó el vaso; lo volvió a poner en la mesa y se echó hacia atrás—. Ya estoy pedo.

—Sigue así, hombre. Vas muy bien.

—No te burles. Desde aquella vez ya no les pego igual.

—Eso nunca puedes medirlo.

—No, Munguía, ya no les pego igual. De la cintura para arriba solamente, palabra.

—Pues sigue así, nadie te detiene.

—No me has entendido.

—¡Estrangúlalos! Según tú eso es lo que se merecen: son animales.

—Espérate...

—Para ustedes todos son culpables. ¡Aunque sean inocentes, son culpables! ¿No es eso lo que quieres decir?

—Déjame hablar; no exageres.

—No estoy exagerando. ¡Mátenlos, qué esperan! Denles en los güevos, rómpanles la cara. Son animales.

Pérez Gómez apretó los puños y gritó:

—¡¿Y crees que no es lo mismo fregártelos a preguntas y más preguntas?! No me vengas ahora a decir que porque no los tocas ya eres un santo. ¡Cómo dejaste al plomero! Qué necesidad tenías de tenérmelo tantas horas dale y dale con lo mismo: qué hizo el lunes; cuénteme qué hizo el lunes en la mañana, qué hizo el lunes en la tarde, qué hizo el lunes en la noche. Ahora otra vez: todo el día. Cómo se llama, en dónde vive, en qué trabaja... El pobre ya no sabía ni su nombre. ¿Eso cómo se llama? ¿No es todavía peor? —Mientras Pérez Gómez gritaba, agitando las manos, el rostro de Munguía palideció. Bajó la cabeza y se restregó las sienes. Pérez Gómez se detuvo en seco—. No me hagas caso.

Durante largo rato permanecieron en silencio. Pérez Gómez volvió a decir:

—No me hagas caso. Estoy pedo... No creas que pienso así. En serio, Munguía: yo te admiro. Se lo decía a Dávila ayer. Tú nos pusiste una muestra. Con veinte tipos como tú ningún mugre periodista se iba a atrever a volver a escribir sus mamadas... ¿No me crees? —Aproximó el rostro a Munguía—. ¿No me crees?

—De nada sirve.

—Mañana mismo voy a hablar con los demás y los cuatro juntos vamos a ir a abogar por ti. Para que veas como estamos contigo en todo. Tú no te apures, déjalo de mi cuenta.

—No quiero que le muevan más.

—¡Ah, claro que vamos a moverle! Eso ya lo tenía pensado.

—Deja las cosas como están, es mejor.

—¡Ningún mejor! Desde ahora te garantizo que tú vas a terminar este pinche caso.

—Ninguno más, Pérez Gómez.

— ¡Cómo de que no!

—Te digo que ninguno más.

—Pero no seas buey, hombre, sería tanto como darle la razón.

—No me importa.

—Pues a mí sí me importa. También nosotros estamos de por medio.

—A ti o a Valverde los va a llamar, ya verás.

—No aceptamos.

—Valverde acepta volando.

—Ninguno de nosotros lo acepta, Munguía. Y así se lo vamos a decir mañana mismo.

—Déjate de cuentos, yo ya no tengo ningún interés en seguir.

—Eso sí no te lo creo, para que veas. Yo sé bien lo que te alborotó este maldito caso.

Munguía sonrió a Pérez Gómez, parpadeando, hundido ya en el sopor que le producía el Bacardí. Alargó una mano hasta el otro extremo de la mesa para tocar el hombro de su compañero.

—No tienes idea de nada —Rio.

—¿De qué te ríes?

—De lo que estás pensando.

—Ya te dije que te admiro y que respeto tu técnica. Y sobre todo, qué carajos, quiero que el buey ese te respete. Primera vez que tiene una gente como tú y mira con lo que sale. No, señor: tú terminas el caso a como dé lugar, o renunciamos todos juntos.

Munguía volvió a reír. Pérez Gómez eructó.

—Hay que respetar a un hombre que se interesa deveras por resolver un crimen, qué carajos.

Inesperadamente, llevándose la mano a la bolsa del saco y haciendo con la cabeza una señal al mesero, Munguía se puso de pie:

—¿Cuánto se debe?

Sin moverse de su silla, Pérez Gómez levantó la cabeza.

—¿Ah qué ya nos vamos?

—Ya van a cerrar.

—¡Uh, pues me dejaste picado! —Y cuando Munguía sacaba dos billetes de la cartera:— Espérate, te dije que yo pagaba.

—Déjalo.

—Pero con la condición de que vayamos a otro lado.

—¿A dónde?

—Ya sabes ...Tenemos que seguir hablando de esto.

El mesero llevaba en la mano un papel que Munguía miró de soslayo casi al mismo tiempo que encajaba en él, obligando al mesero a cerrar la mano, los dos billetes.

—Lo demás es para usted.

—Nos vemos, güero —dijo Pérez Gómez al pasar, tambaleándose, frente a la barra que el cantinero limpiaba. Después se apoyó en el hombro de Munguía y los dos salieron sin hablar. No habían llegado a la esquina cuando cruzó un taxi. Pérez Gómez silbó metiéndose dos dedos en la boca. El taxi se detuvo.

—Aquí nada más a José María Izazaga. Dese vuelta en redondo —apoyó el brazo en el respaldo y cruzando la pierna se volvió hacia Munguía—. Lo primero que voy a hacer mañana es decirle cuatro verdades a ese cabrón. Cuatro verdades bien dichas, vas a ver... Y si no me hace caso, ahí mismo le pido mi renuncia... Pero ni pensarlo, me va a oír;

porque aunque digas que no, él sabe lo que vales. Lo que pasó, ¿sabes qué es?, es que lo agarraste de malas. Si mira: ¿no él mismo dijo que quería que las cosas se hicieran sin violencias? Ahí tienes. Tú estabas usando pura técnica. Ya si no toma en cuenta eso es porque es pendejo —Escupió contra el piso del automóvil. Se limpió la saliva que le quedó en la barbilla—. Siempre se me trepó el canijo Bacardí. Vieras que no me gusta... Prefiero el Batey. Como que ese chingado te da aquí re chistoso —se señaló la nuca—. Y luego le tengo pánico a la cruda.

El chofer giró la cabeza hacia atrás.

—¿Seguimos derecho?

—No, no, dese vuelta aquí. Por esa calle... En la casa verde... Aquí aquí. Ahí mero está bien.

Munguía abrió los ojos.

—Yo pago —dijo Pérez Gómez.

Cuando el taxi arrancó, los dos hombres atravesaban el largo corredor oscuro. Entraron empujando la puerta y haciendo a un lado la cortina floreada que dividía el pequeño jolecito del primer cuarto. En la penumbra se alcanzaban a distinguir varias mesas, todas vacías. Al verlos entrar, tres mujeres se acercaron. La que venía delante sonreía a Pérez Gómez.

—Quihubo, mi reina —dijo Pérez Gómez adelantando una mano hacia sus pechos. Sin dejar de sonreír, la mujer le dio un manazo. Pérez Gómez se hizo a un lado para hacerle lugar a Munguía.

—¿No lo conocías?

Munguía saludó con la cabeza.

—No —dijo la mujer.

—¡Ah, pues hay que tratarlo bien porque es nada menos que Perry Mason! —Examinó el cuarto—. ¡Pero qué triste está esto! ¿Ya también vendieron la animación? Ni música ni nada, qué pasa.

—Pues ya ves, estos últimos días han estado así.

—¿No hay muchachas?

—¿Qué no tienes ojos?

—Ah, sí, y muy buenas —dijo Pérez Gómez guiñando un ojo a las dos que bostezaban atrás, apoyadas en una mesa—. No tanto como tú, mi reina, pero buenas. ¿Qué te parece la prietita, Munguía?

—Está bien —dijo Munguía. Y se sentó.

La mujer se volvió hacia sus compañeras.

—Vengan acá.

—Esa prietita está que ni mandada hacer para ti, Munguía. Se parece a la de Nápoles, ¿te acuerdas?, pero está más flaca... ¿Qué no les das bien de comer, mi reina? Mira nada más cómo me las tienes. Siquiera que enseñen los dientes.

—¡Cállate! —protestó la prietita sacudiendo una mano y volviéndose de espaldas.

—Te digo que el negocio está flojo. Ya ves tú, ¿cuánto tenías de no venir por acá?

—La chamba, la chamba.

—¡La chamba!... De a tiro nos tienes olvidadas.

—A ti no, mi reina... nunca. A ver, déjame ver...

—¡Estáte quieto!... ¿Van a tomar algo antes o de una vez? Están estas dos; aquella de allá y la güera.

Pérez Gómez le pasó una mano por la cintura a su reina, y se volvió hacia Munguía.

—Tú dices, Perry Mason.

—Vamos a tomar algo —contestó Munguía.

—Muy bien. ¿Qué quieren tomar?

—Que no sea Bacardí, lo que tengas... ¿Tienes ginebra?

—¿Ginebra?... De cuándo acá, tú.

—¡Uh, pues entonces no tienes nada! ¿Qué tienes?, aparte de esos pechos que me vuelven loco.

—Bacardí, Tequila... Madero...

—Deveras que estás en quiebra... ¿No tienes una de Batey?

—Creo que sí.

—¿Te parece bien Batey, Perry Mason?

Munguía separó las manos de la cara y asintió. La mujer se dirigió a la prietita.

—A ver si encuentras una de Batey. Creo que está hasta el fondo, no vayas a tirar nada.

—Ya ni a servicio llegas, mi reina. Pues qué pasó, pues. Así no dura ningún negocio. Si no das trago no hay manera de hacer clientela... Es el colmo que ya ni las moscas se paren por aquí; mira nada más, parece una tumba. No puedo creer que no tengas un solo cliente.

—Hay dos arriba.

—Con dos no sacas ni para los gastos.

—Pues si te digo... Tuve que vender el juego de sala.

—¿También el tocadiscos?

—No, pero está descompuesto.

—Mmmm, ya sólo falta que tus muchachas estén descompuestas.

—Eso a ti te toca averiguarlo —dijo riendo la mujer, mientras se alejaba para recibir a un joven que después de entrar se quedó inmóvil junto a la cortina floreada.

La prietita llegó con la botella de Batey y con dos vasos pequeños. Ella y su compañera —una mujer muy delgada que llevaba una flor en el escote— se sentaron a ambos lados de Pérez Gómez y Munguía. Durante los veinte minutos en que se tomaron media botella, Pérez Gómez se dedicó a hurgar dentro del vestido de la prietita. Al principio la prietita se defendió, separándole las manos cada vez que Pérez Gómez iniciaba su exploración, pero terminó cediendo tras una seña que desde la penumbra le hizo la reina.

—Cuéntales del crimen del velador, Perry Mason.

—Ya cállate.

—Como ustedes pueden ver, es muy modesto el hombre... pero ríanse de los detectives de las películas y de la televisión; éste sí que se las sabe todas. No deja títere con cabeza. Y nada de trancazos, ¿eh?, él es de los limpios. No necesita más que de esto —Pérez Gómez se dio varios golpes en la frente—. Aquí lo va acomodando todo. ¿Verdad, tú?... Cuéntales, hombre.

—Ya cállate.

La de la flor en el escote no quitaba la vista de Munguía.

—Yo veo Perry Mason todos los domingos. Es re suave.

—Pues que te platique el crimen del velador, para que veas si no es mucho más suave —Pérez Gómez se puso de pie, seguido de la prietita—. Nosotros ahorita volvemos.

Caminaron en dirección a la escalera sonriendo a la reina que continuaba hablando con el joven. Munguía los siguió con la mirada hasta verlos desaparecer.

—¿Deveras es usted como Perry Mason? —preguntó la de la flor.

Munguía sopló; sacó dos billetes de su cartera, los puso en la mesa y se levantó.

—¿Ya se va?

La reina atravesó el cuarto.

—¿Ya se va?

—Aquí dejo pagada la botella.

—¿Pero por qué tan pronto?

—Hoy no; otro día vengo por aquí... Me despide de él, por favor. Hasta luego.

La reina y la de la flor se miraron.

—Adiós.

Caminó toda la noche y a las siete de la mañana llegó a la esquina de Cuauhtémoc y Concepción Béistegui. Largo rato contempló el edificio desde la acera oriente. Cruzó la calle. Empujó la puerta de fierro: tras ella, a no más de cinco pasos de distancia, estaba un hombre envuelto hasta la cabeza con un sarape. Se frotaba las manos sobre las brasas donde se calentaba un pequeño jarro de café. El ruido de la puerta lo hizo enderezar la cabeza. El sarape resbaló por su espalda, hasta caer al suelo.

—¿Buscaba a alguien?

Munguía avanzó tres pasos. El hombre se levantó.

—¿Buscaba a alguien?

—¿Es usted el velador?

—Sí —dijo el hombre—. ¿Qué se le ofrece?

Munguía lo miró de arriba abajo.

—Nada —Avanzó un paso más. Sonrió—. Nada... —Y le puso un mano en el hombro.

Este libro se terminó de imprimir
el día 17 de junio de 1985
en los talleres de Prisma Comercial Mexicana, S.A.
Av. Central No. 254; 01180 México, D.F.
Se tiraron 30,000 ejemplares.

Los últimos 5 títulos que han salido a la venta:

MANHATTAN TANSFER
John Dos Passos

NUEVA VISITA A UN MUNDO FELIZ
Aldous Huxley

LA CABEZA DE LA HIDRA
Carlos Fuentes

CONFIESO QUE HE VIVIDO
Pablo Neruda

MEMORIAS DE ADRIANO
Marguerite Yourcenar

Próximos 5 títulos:

RELAMPAGOS DE AGOSTO
Jorge Ibargüengoitia

DEJEMOS HABLAR AL VIENTO
Juan Carlos Onetti

LA FERIA
Juan José Arreola

S E X U S
Henry Miller

MORIRAS LEJOS
José Emilio Pacheco

RAYUELA
Julio Cortázar